KB088437

나의 첫 문학 수업

문학을 열다

3

나의 첫 문학 수업

문학을 열다 3 - 한국 현대 소설 베스트 ❸

초판 1쇄 발행 2020년 09월 10일
초판 16쇄 발행 2024년 07월 22일

글 이오덕·이범선·이청준 외 **그림** 에토프
발행처 주식회사 스푼북 **발행인** 박상희 **총괄** 김남원
출판신고 2016년 11월 15일 제2017-000267호
주소 (03993) 서울시 마포구 월드컵북로6길 88-7 ky21빌딩 2층
전화 02-6357-0050(편집) 02-6357-0051(마케팅)
팩스 02-6357-0052 **전자우편** book@spoonbook.co.kr

ISBN 979-11-6581-029-0(44810)
ISBN 979-11-6581-026-9(세트)

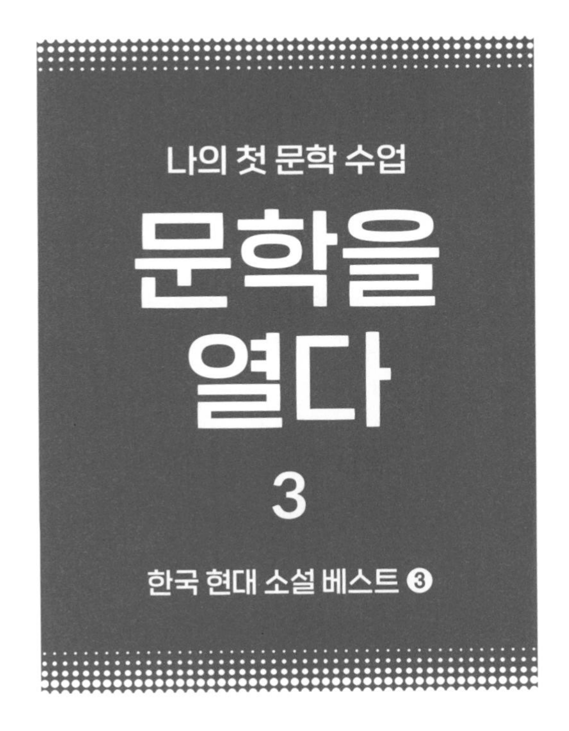

이오덕·이범선·이청준 외 글 | 에토프 그림

스푼북

들어가며

청소년들이 한국 현대 소설을 읽을 때 기대할 수 있는 유익함이란 무엇일까요? 이 질문을 앞에 두고 저는 한국의 청소년들에게 부여된 사회적 위상에 대해서 생각해 봤습니다. 최남선이 잡지 〈청춘〉의 권두시로 〈해에게서 소년에게〉를 쓴 것은 1908년의 일입니다. 최남선은 이 시에서 바다의 목소리를 빌려 새 시대를 이끌어 갈 소년들을 부릅니다. 최남선 이후 소년(또는 청년)은 국가의 미래를 짊어져야 하는 존재로 호명되어 왔습니다. 이들은 일제 강점기 때 일제에 저항하며 독립 만세를 외쳤고, 6·25 전쟁 뒤에는 폐허를 딛고 일어나 경제 성장의 주역으로 활약했으며, 군사 독재의 억압 아래에서 자유와 인권을 지키기 위해 거리로 나섰습니다. 이처럼 국가의 장래를 책임질 청소년들이 자유로운 시민으로 성장할 수 있도록 교육해야 하는데, 이 과정에서 세계의 여러 나라가 청소년들에게 자국의 현대 소설을 읽도록 한 것은 결코 우연이 아닙니다.

그렇다면 현대 소설이란 도대체 무엇일까요? 우리에게 무엇일 수 있을까요? 현대 소설은 근대 이후 등장한 새로운 소설을 말하는데, 고대 및 중세와는 달라진 세계와 그 안에서 살아가는 인간의 삶을 사실적으로 그려 냅니다. 독일 철학자 니체가 신은 죽었다고 선언한 바 있듯이, 근대는 세계와 인간의 삶을 설명하는 단일한 원리가 사라진 시대를 말합니다. 우리가 살고 있는 동아시아의 경우, 근대 이전에는 인간이 태어나기 전에 삶의 길이 이미 정해져 있었습니다. 아이가 태어나면 부모는 아이에게 정해진 길을 가르쳤고, 아이가 그 길을 따라 걸으면 잘 살았다고 평가받았습니다. 구체적으로 말하자면, 아이가 《천자문》을 익히고, 《소학》을 읽고, 《논어》와 《맹자》, 《중용》과 《대학》을 공부하여 벼슬길에 오른 뒤, 자신과 가문의 이름을 세상에 널리 알리는 삶의 길이 그것입니다.

하지만 근대는 이러한 정해진 삶의 길이 끊긴 시대입니다. 신이 사라지고 그 빈자리만 남은 시대를 살아가는 근대인들은 스스로 그 자리를 메워야 했습니다. 누구는 돈으로, 누구는 학력으로, 누구는 권력으로 그 자리를 채우려 하지만, 그 무엇으로 채운다 할지라도 행복한 삶을 보장받을 수는 없습니다. 살아야 하는 단일한 삶의 길이 없기에 어떤 삶을 살아도 되는 자유를 얻었지만, 자신이 걷는 길이 전적인 행복을 보장하지 않기에 늘 불안에 떨어야 하는 것이 근대를 살아가는 인간의 모습입니다. 이들은 오로지 자기의 지식과 가치관, 신념 등에 의지하여 살아야 하고, 사회적인 관계 안에서 자기의 삶을 구성해야 하며, 자기를 둘러싼 사회를 향해 질문하고 스스로 답해야 합니다. 현대 소설은 우리에게 자기를 이해하고 타인에게 공감하며 사회를 향해 질문하는 법을 알려 줍니다. 그 때문에 지금까지 현대 소설이 청소년들을 교육하는 데에서 핵심적인 역할을 담당해 왔다는 사실은 그리 놀라운 일이 아닙니다.

이 책에 수록된 14개의 작품들은 1971년부터 1985년에 걸쳐 발표되었습니다. 이 작품들은 역사적으로는 6·25 전쟁을, 정치적으로는 군사 독재와 광주 민주화 운동을, 사회적으로는 산업화와 도시화를 다루고 있습니다. 더 구체적으로는 6·25 전쟁의 참상과 상처받은 사람들의 비극적 삶을 고발하고, 자유와 폭력의 문제를, 고향 상실과 인간 소외의 문제를 제기합니다. 이 시기 경제 개발이라는 대전제 아래 군사 정권은 정치적 민주화를 후퇴시켰고, 개인의 자유는 억압되었습니다. 노동자들은 열악한 노동 환경에 노출되었고, 개발로 인해 고향에서 쫓겨난 사람들은 삶의 방향을 잃었습니다. 여기에 수록된 작품들은 한편으로는 개인의 내면을 섬세하게 그려 내는 심리학적 상상력을, 또 다른 한편으로는 사회와의 관계 안에서 개인의 삶을 탐구하는 사회학적 상상력을 동원하여 이 시기의 진실을 우리 앞에 펼쳐 놓고 있습니다.

이 책은 중·고등학교 교과서에 실려 있거나 대학수학능력시험과 평가원 모의 평가 등에서 다뤄진 작품들의 전문을 싣고 있습니다. 발췌된 내용만으로는 파악할 수 없는 작품의 온전한 모습을 확인할 수 있어 맥락의 독서가 가능합니다. 내신 등급과 수학능력시험을 준비하는 학생들이 국어 및 문학 교과서를 보완할 수 있는 교재로 이 책을 충분히 활용할 수 있습니다. 또한, 대학생들은 전공에 상관없이 글쓰기, 한국 현대 문학 등의 교양 수업을 듣게 되는데, 이 책이 중·고등학생들이 대학에 가서도 해당 교양 과목을 배우는 데에 참고할 수 있는 자료의 역할을 할 것으로 기대합니다.

소설은 (이미 온) 현실을 반영하면서 동시에 (아직 오지 않은) 새로운 현실을 구성합니다. 달리 말해 소설은 현실을 그리면서 이상을 지향하고, 이상을 꿈꾸면서 현실에 문제를 제기합니다. 소설을 읽는다는 것은 지나온 역사를 배우고, 그 안에서 살아가는 인간의 삶에 공감하며, 지금보다 더 나은 미래에 대해서 상상하는 일을 포함합니다. 그리고 그 과정을 관통하는 것은 질문입니다. 왜 우리는 이렇게 살아왔는가, 우리는 앞으로 어떻게 살아야 하는가 등의 질문과 그에 대한 답변이 소설입니다. 그 때문에 소설을 읽을 때 우리가 배우는 것은 소설이 담고 있는 내용뿐만 아니라 자신과 사회를 향해 질문하는 법입니다. 모르는 사람은 질문할 수 없습니다. (자기가 무엇을 모르는지를) 아는 사람만이 질문할 수 있습니다. 소설을 읽는다는 것은 우리가 무엇을 모르고 있는지를 알아가는 과정이고, 이 과정을 거칠 때 스스로 질문할 수 있으며, 질문할 수 있을 때 우리는 자유로운 시민이 될 수 있습니다.

마지막으로 모든 과학적 태도의 기본이 실험과 관찰, 그리고 그것의 반복임을 강조하고 싶습니다. 'Respect'는 're'와 'spect'가 합쳐진 말인데, 'spect'는 관찰을, 're'는 반복을 의미합니다. 한 번 봐서는 제대로 볼 수 없고, 제대로 보지 못했다는 사실을 깨달은 사람만이 다시 보려고 노력하며, 다시 보는 행위를 반복할 때 진실에 가까워질 수 있고, 진실에 가까워질 때 자신의 좁은 틀을 깰 수 있습니다. 우리는 그런 사람을 존경(respect)합니다. 어두운 하늘일수록 별은 더욱 빛나고, 어둠을 직시하는 사람만이 그 별을 볼 수 있습니다. 청소년들이 한국 현대 소설을 읽음으로써 현실을 피하지 않고 바라볼 수 있기를, 그 과정에서 빛나는 미래를 꿈꿀 수 있기를, 그래서 타인에게 선한 영향을 주는 존경받는 사람이 되기를 바라면서 짧은 머리말을 마치겠습니다.

석형락(문학 평론가, 아주대학교 교수)

차례

일러두기

1. 표기는 원문에 충실히 따르는 것을 원칙으로 하되, 띄어쓰기는 최대한 현행 표기법을 따랐습니다. 단, 작품의 분위기에 영향을 준다고 판단되는 방언이나 구어체 표현, 의성어, 의태어 등은 그대로 두었습니다.
2. 책 제목, 장편 소설은 《 》, 단편 소설, 연극·잡지·노래 제목은 〈 〉로 표시하였습니다.
3. 부가적으로 설명이나 단어 풀이가 필요하다고 판단한 경우에는 각주로 설명을 붙여 놓았습니다.
4. 작품의 말미에 밝혀 둔 작품 출처는 저작권사의 요청으로 인한 것입니다.

꿩

이오덕

이오덕(1925~2003)

1925년 경북 청송에서 태어나 교육자이자 아동 문학가, 우리말 연구가로 활동했다. 1955년 동시 〈진달래〉를 발표하며 등단하였고, 어린이 글쓰기 운동에도 열성을 쏟았다. 《튀겨질 뻔했어요》《침 튀기지 마세요》《글쓰기 교육 이론과 방법》《우리글 바로 쓰기 1~5》 등의 명저를 남겼다. 〈꿩〉은 상징적 소재를 통해 주인공의 심리 변화가 잘 드러나는 단편 소설이자 주인공의 태도 변화가 극적으로 표현된 성장 소설이다.

•

•

"엄마, 정말 인제 난 학교 그만둬요!"

"얘가 또 이러느냐? 제발 어미 속 그만 썩여라. 3년 동안 다닌 학괄 그만두면 어찌 되느냐? 순이 봐라. 글 한 자도 모르고. 순인 계집애라서 그래도 괜찮지. 사내아이가 초등학교도 졸업 못 하면 어찐다더냐?"

순이는 뒷집에 있는 아이입니다. 작년에 1학년에 들었었는데 하도 마을의 아이들이 곰보딱지라고 놀려서 한 달도 다니지 못하고 학교를 그만두었습니다. 순이 얼굴은 멀리서 보면 모르지만 가까이에서 보면 조금 얽었습니다[1]. 그래서 순이는 요새도 아침밥만 먹으면 책 보퉁이 대신에 바구니를 들고 혼자 들로 나갑니다. 냉이를 캐는 것입니다.

"나도 이젠 4학년 됐잖아요? 언제까지나 남의 책 보퉁이 메고 다니는 짓은 부끄러워 못 하겠어요."

"글세, 그건 늘 하는 소리지. 제발 좀 참아라. 어이구, 없는 것이 원수지. 그놈의 아이들이 왜 그토록 못살게 구느냐?"

어머니는 밥숟갈을 들 생각도 않으시고 한숨을 쉬시더니 또 말을 이었습니다.

"얘, 너희 아버지도 어쩌면 올해까지만 남의 일을 하면 그만두실 게다. 올해꺼정만 참아라."

용이는, 아버지가 남의 집 머슴살이를 올해만 하면 그만두신다는 말에 귀가 번쩍 열렸습니다.

---

1 얽다 얼굴에 우묵우묵한 마맛자국이 생기다.

“정말 올해만 하고 그만둬요?”

“네 장래를 생각해서도 그만두시도록 해야겠다. 남의 산전(山田)을 소작해서 죽을 마시더라도…….”

용이는 밥을 먹고 책 보퉁이를 허리에 둘러매고 일어났습니다. 올해만 참으면 된다!

“용아, 빨리 나와!”

바깥에는 벌써 아이 하나가 기다리고 있습니다. 마을 앞을 지났을 때는 여러 아이가 되었습니다.

“얘들아, 오늘은 우리, 고개 위에서 진달래 좀 꺾어 가자.”

“아직 꽃도 안 폈을걸.”

“병에 꽂아 두면 펴나지 뭐.”

“그래, 새 교실이 환하게…….”

모진 겨울을 이겨 낸 보리들이 새파랗게 살아난 보리밭 둑길을 걸어가면서, 아이들은 모두 어깨를 우쭐거리며 향토 예비군의 노래를 소리쳐 불렀습니다. 그러나 산기슭을 돌아 고갯길에 올라섰을 때, 그들은 모두 용이 발밑에 책 보퉁이를 던졌습니다. 벌써 3년 동안 용이 어깨에 메어져 재를 넘어가고 넘어오던 책 보퉁이들입니다. 용이 아버지가 같은 동네에서 머슴살이를 하고 있기 때문에, 아이들은 모두 용이까지 남의 짐을 날라 주어야 하는 것으로 생각하고 있는 것입니다.

“자 인마, 넌 인제 4학년이 됐으니 기운도 세어졌지? 하나 더 날라 줘.”

지금까지 같은 반의 아이들만 그렇게 하던 것이 오늘은 한 학년 위의 성윤이까지도 따라와 이렇게 말하면서 커다란 책 보퉁이를 놓고 갑니다. 책 보퉁이는 용이 제 것까지 모두 일곱 개나 되었습니다.

책 보퉁이가 없이 된 아이들은 모두 소리치면서 산길을 달려 올라갔습니다.

“올해만 참자!”

용이는 언제나처럼 길가 바위 밑에 가서 참나무 지겟작대기를 찾아와 책 보퉁이를 모두 꿰어 달았습니다. 그러고는 어깨로 가운데를 메고 올라가기 시작했습니다.

햇빛이 산 위에서 쫙 비쳐 내렸습니다. 고갯마루까지는 산허리를 세 번이나 돌면서 올라가야 합니다. 더구나 오늘은 책 보퉁이가, 모두 한 학년씩 올라가서 그런지 굉장히 무겁습니다. 용이는 첫 굽이를 돌아가기도 전에 마른 잔디 위에 앉아 쉬어야 했습니다. 이렇게 무거운 것을 날마다 메고 올라가야 할 것을 생각하니 기가 막힙니다. 더구나 5학년의 성윤이까지 맡기기 시작했으니, 이러다가는 올해는 지게로 져다 날라야 할지 모릅니다. 이걸 어쩌나?

저 밑에서 따라 올라오던 2학년, 3학년 아이들이 모두 책 보퉁이를 허리에 둘러매고 용이를 앞질러 올라가고 있었습니다. 그 아이들은 용이를 뒤돌아보면서 저희들끼리 무엇을 수군거렸습니다.

"헤헤에, 4학년이 됐다는 게, 남의 책 보퉁이를 날라 주고."

"참 못난 아이지?"

모두 이런 말을 수군거리는 것 같았습니다.

'뭐, 못난 아이라고?'

'내가 못난 아이인가?'

용이는 화가 났습니다. 벌써 고개 위에 다 올라갔는지 아이들의 고함 소리가 산 위에서 들려왔을 때 용이는 눈앞에 있는 책 보퉁이를 콱 콱 짓밟아 버리고 싶은 충동이 났습니다. 발꿈치에 돌멩이 하나가 챘습니다. 그 바람에 용이는 앞으로 고꾸라졌습니다. 그러나 용이는 벌떡 일어나 그 돌멩이를 힘껏 골짜기 아래로 던졌습니다. 돌멩이가 저 밑에 떨어지자 갑자기 온 산골을 뒤흔드는 소리를 치면서 커다란 뭉텅이 하나가 솟아올랐습니다.

꼬공 꼬공 푸드득!

그것은 온 산골의 가라앉은 공기를 뒤흔들어 놓고 하늘을 날아오르는 정말 살아 날뛰는 듯한 생명의 소리였습니다.

"야, 참 멋지다!"

날개를 쫙 펴고 꽁지를 쭉 뻗고, 아침 햇빛에 눈부신 모습으로 산을 넘어가는 꿩의 모습을 쳐다보는 용이의 온몸에는 무슨 힘 같은 것이 마구 솟구쳐 올랐습니다. 용이는 발에 채는 책 보퉁이 하나를 집어 들었습니다. 그리고 힘껏 하늘 위로 던졌습니다.

휭! 공중에서 몇 바퀴를 돌던 책 보퉁이가 퍽! 소리를 내면서 골짜기에 떨어졌을 때, 용이는 두 번째 책 보퉁이를 집어 던졌습니다. 또 하나, 또 하나……. 마지막에 던진 작개는 건너편 벼랑의 소나무 가지를 철썩, 치도록 멀리 떨어졌습니다.

'됐다!'

용이는 어쩐지 마음이 시원하여, 하늘을 향해 하하하 웃어 주고 싶었습니다. 떠가는 구름을 타고 막 날아갈 것 같았습니다.

'내가 정말 못난이였지!'

용이는 제 책 보퉁이만 다시 허리에 둘러맸습니다. 그러고는 고개를 향해 날듯이 뛰어 올라갔습니다. 고개 위에는 아이들이 앉아 기다리고 있었습니다. 모두 손에 진달래 가지를 한 줌씩 꺾어 들었습니다. 어떤 가지는 벌써 불그레한 봉오리가 피어나려 하고 있었습니다.

"어, 용이가 빈손으로 오네?"

"정말. 저 새끼가?"

"인마, 책 보퉁인 어쨌냐?"

용이는 아무 말 없이 그냥 올라오고만 있습니다. 아이들이 용이를 빙 둘러쌌습니다.

"너, 책 보퉁이 어쨌어?"

"이 새끼 죽고 싶으냐? 빨리 말해 봐!"

용이는 아이들을 한번 둘러보고는 조용히 그러나 힘찬 소리로 말했습니다. 이상하게도 책 보퉁이들을 날리고 나니 마음이 착 가라앉는 것이 조금도 겁이 나지 않았습니다.

"너희들 책 보퉁이 말이지? 저 밑의 뾰족 바위 아래 던져 놓았어."

"뭐? 이 새끼가!"

"이 새끼 돌았나?"

"빨리 못 가져오겠나?"

그러나 용이는 여전히 조용한 소리로 말했습니다.

"난 못난 놈이 아니야!"

"어, 이 새끼가?"

"요런 머슴의 새끼가?"

"개새끼! 맛을 좀 보고 싶으냐?"

아이들의 발과 주먹이 용이를 향해 덮쳐 왔을 때 용이는 재빨리 주머니에 든 손을 빼내어 쳐들어 보였습니다. 그 손에는 주머니칼이 반짝거리고 있었습니다. 아버지가 연필을 깎으라고 부러진 낫 동강이에 자루를 해 박아 만들어 준 것이었습니다.

"어, 어. 이 새끼가……."

칼을 보자 아이들은 주춤 뒤로 물러섰습니다.

"자, 덤빌 테면 덤벼 봐라!"

아이들이 어쩔 줄 모르고 서 있을 때 뒤에서 한 아이가,

"난 내 책 보퉁이 가지러 가야겠어."

하고 달려갔습니다. 그 소리에 다른 아이들도 모두 정신이 돌아온 것처럼,

"나도 간다."

"나도……."

러기에 담배는 백해무익[4]이라는 둥 또는 암의 원인이 된다는 둥 말도 많지만, 손쉽게 담배를 끊지 못하는 것도 조그마한 동작에 비해 너무나도 엄청난 즐거움을 주기 때문이리라.

그 자리에 누웠다. 팔베개를 베었다. 차가운 촉감이 등골을 스친다.

푸른 기운이 있는 까만 하늘에 별이 보였다. 드없이 높은 공중에 수없이 명멸[5]한다. 티 없는 소녀의 반짝이는 눈, 청상(靑裳)의 차갑고도 애처로운 눈빛이라고나 할까. 까맣게 채색된 공중에 수없이 깔린 별들이 무슨 신비스러운 사연이라도 속삭이듯 깜빡거렸다.

하늘의 천사, 티 없이 맑고 아름다운 미의 화신, 별들의 속삭임이 온몸을 감쌌다.

얼굴의 긴장이 풀리면서 입가에 미소가 스쳤다. 형용할 수 없는 활짝 핀 웃음이 입가를 물들였다.

산마루에 녹음이 짙어져 풀 내음이 풍성했다.

"야, 어디를 자꾸 가니?"

머슴애는 앞장서서 가는 가시내의 댕기를 보면서 중얼거렸다.

"아무 말 말고 따라오믄 된다. 조금만 더 가믄 말야."

벌써 마을이 보이지 않았다. 산등성을 하나 넘어섰으니, 집이 산 너머에 있지 않은가. 풀이 제법 자라 머슴애의 고무신이 묻혔다. 잡목[6]들은 머슴애의 키를 덮게 컸다. 가시내는 자꾸만 잡목을 헤치면서 앞으로 갔다. 머슴애도 나무 사이를 더듬으며 붉은 댕기를 따랐다.

"애, 같이 가지 혼자만 달아나니? 애!"

머슴애는 좀 겁이 났다. 엄마가 언제나 멀리 가면 용천뱅이[7]가 잡아간다고 한

---

4 백해무익(百害無益) 해롭기만 하고 하나도 이로운 바가 없음.
5 명멸(明滅) 먼 곳에 있는 것이 보였다 안 보였다 함.
6 잡목(雜木) 다른 나무와 함께 섞여서 자라는 여러 가지 나무.
7 용천뱅이 나병, 간질 따위의 병에 걸린 사람을 낮잡아 이르는 말.

말이 머리를 스쳤다.

"혼자 가면 난 모른다. 응……."

좀 떨리는 목소리였다. 금세 눈물이 나오며 울음이 터질 것 같다. 가시내가 저기 가서 꽃도 꺾고 놀다가 오자고 한 말을 곧이듣고 크다고 믿고 따라 나온 것이 잘못이라고 생각했다. 꽃도 꺾어 주지도 않고 혼자만 저렇게 달아나니 말이다. 몇 살 더 먹은 나잇값도 못 한다고 생각했다. 앞에 가던 가시내가 힐끗 뒤를 쳐다보았다.

"같이 가, 꽃도 꺾어 주어야지……."

머슴애는 꽃보다 혼자 가는 것이 무서웠다. 짐승이 튀어나와서 앙 하고 물든지 용천뱅이가 붙잡아 갈 것만 같다.

눈물이 핑 돌았다.

가시내가 서 있었다. 빤히 머슴애의 울보가 될 듯한 얼굴을 쳐다보았다.

"너 울지 않니! 바보 같으니. 무섭기는 내가 있는데 뭐가 무섭니, 얘……."

가시내가 눈을 흘깃하며 머슴애의 어깨에 손을 얹었다.

머슴애는 그 흘깃하는 가시내의 눈길이 곱다고 생각했다. 그래도 화난 얼굴을 했다.

"자 좀만 더 가믄 돼, 거기 가믄 꽃도 있고……."

가시내가 채 말끝을 맺지 못했다. 머슴애의 어깨를 꼭 쥐면서 얼굴이 붉어졌다.

다시 산등성이를 내려갔다.

가시내는 어느새 풀꽃을 따서 머리에 꽂고 있었다. 꽃과 귀가 잘 어울려 보였다.

잡목과 풀이 우거진 등성을 지났다. 소나무가 쭉쭉 서 있다. 잔솔밭이었다. 작은 소나무들이 제법 하늘에 치솟아 귀공자와 같이 서 있다.

그 사이를 돌아들었다.

다시 좀 내려갔다.

환하게 하늘이 트였다. 잔디가 곱게 자라 뫳마당같이 둥글게 보였다. 나무들이 폭 싸여 보이는 데가 없었다.

"애, 여기 좀 쉬어 가자."

"응, 여기가 어디야?"

가시내가 먼저 앉았다.

머슴애는 참 희한한 곳도 있다고 생각했다. 보이는 곳은 하늘뿐이요, 등성에서 좀 내려오고도 풀과 나무에 폭 싸여 눈길이 닿을 데가 없었다.

"야, 앉지 와 이리 서 있니?"

가시내가 머슴애를 빤히 쳐다보았다.

머슴애는 좀 고단하다고 생각했다. 그 자리에 풀썩 주저앉았다. 그리고 가시내의 풀꽃이 꽂혀 있는 옆얼굴을 쳐다보았다. 하얀 얼굴이 달같이 보였다.

"너, 고단하지…… 여기 무섭지 않다, 애……."

가시내가 먼저 저 잔디 위에 누웠다. 머슴애도 잔디 위에 몸을 던졌다.

푸른 하늘이 소나무 사이로 빤히 보였다. 맑은 바람에 풀 내음이 짙게 코를 스며 왔다.

어디선가 꾀꼬리의 경쾌한 울음소리가 피리 소리같이 들려왔다.

머슴애는 재미가 있었다. 이렇게 누워서 꾀꼬리 소리를 들으면서 하늘을 보는 것은 참 처음이라고 생각했다.

"저 소리가 무슨 샌지 아니?"

가시내의 손이 머슴애의 손을 꼭 쥐었다.

"알지, 꾀꼴새지 뭐야."

머슴애의 소리와 같이 가시내는 빙 한 바퀴 둥글어 머슴애의 옆으로 다가왔다.

한쪽 손을 꼭 쥐고 한쪽 손은 어깨 위에 살며시 얹었다.

"너, 이 꽃 줄까!"

가시내의 목소리가 좀 상기됐다.

"니나 가져라, 난 더 좋은 것 꺾을래."

머슴애는 비로소 가시내를 보면서 말했다.

가시내가 상반신을 좀 들어 머슴애의 가슴에 얼굴을 기댔다. 그리고 좌우로 가만히 두서너 번을 흔들었다. 그러면서 입속으로 중얼거렸다.

"넌 참 예뻐……."

머슴애는 좀 무겁다고 생각했다.

가시내는 이번엔 볼을 머슴애에 살며시 기댔다. 뜨거웠다. 그러면서 가슴을 꼭 눌렀다. 솜뭉치같이 몽실몽실한 것이 머슴애의 가슴을 지그시 눌렀다. 그러면서 어깨를 잡은 손을 죄었다. 뚝뚝 하는 가시내의 고동 소리가 머슴애의 몸에 번졌다.

머슴애는 숨이 가빴다. 다 큰 가시내의 몸이 무겁다고 생각하면서 손을 빼어 밀치려고 했다.

"왜 이러니, 야……."

가시내는 더욱 얼굴을 대며 손에 힘을 주어 머슴애의 몸을 눌렀다.

머슴애는 좀 무서워졌다. 온 힘을 주어 몸을 빼려고 했다.

"얘, 너 이쁘지, 고대로 가만 있거라, 응……."

가시내의 목소리가 좀 떨리었다.

"앙! 싫다! 얘, 숨이 막혀!"

또 힘을 주었다. 그 바람에 몸이 한 바퀴 떠굴 하고 돌았다. 가시내는 여전히 꼭 쥐고 머슴애를 끼어안았다.

또 힘을 주었다. 한 바퀴 빙 돌았다. 또 디굴디굴 뒹굴었다. 가시내는 눈을 감고 머슴애를 꼭 껴안고 돌았다.

머슴애는 재미가 났다. 이번엔 두 팔로 가시내를 껴안고 잔디밭을 빙빙 돌았다. 대굴대굴!

"하하하! 얘, 재미있다!"

무엇인가 부시럭[8]했다. 잡초였다. 어느새 잔디밭을 건너 그 옆의 풀 속으로 두 몸이 뒹굴었다.

가시내가 몸을 좀 일으켰다. 머슴애를 뚫어지게 쳐다보았다. 눈이 빛난다. 흩어진 머리채에 잡풀이 가려진 사이로 섬광[9]같이 빛나는 눈이 웃고 있었다. 파란 하늘, 푸른 풀 사이에서 가시내의 맑은 눈이 사뭇 신비스러운 사연을 속삭이었다.

가슴이 고동쳤다. 별들이 더욱 초롱초롱하게 빛났다. 별빛 위에 가시내의 웃음 띤 환한 얼굴이 겹쳤다.

피부가 간지럽게 좀 싸늘한 바람이 스쳐 갔다.

어디선가 두견새의 울음소리가 은은하게 번졌다.

다시 눈을 감아 보았다. 수없이 불빛이 난무했다. 꿈속에서 사라져 가는 애인과 같이, 수없는 불빛이 암흑을 수놓았다. 그 불빛이 섬광으로 변했다. 새파란 산소의 불빛과 같은 불빛, 모든 것을 다 태워 버리기라도 하려는 듯한 섬광이 사뭇 폭포와 같이 내리퍼부었다.

눈을 떴다. 까만 색깔이 짓누르듯 둘러싸고 있다. 온 우주가 가라앉듯 지그시 압박해 오는 흑색의 베일, 그 흑색의 베일 속에서 한 줄기의 찬란한 불빛이 흘렀다. 북극성이었다.

무슨 충격을 받은 사람과 같이 벌떡 일어섰다. 그리고 다시 그 별빛을 보았다. 영롱하게 비치는 그 빛이 은은하게 가슴을 억눌러 왔다.

서서히 발길을 내디뎠다. 양쪽 포켓에 손을 넣고 몇 발자국 걸어가다가 앞으

---

8 부시럭 '부스럭'의 잘못.
9 섬광(閃光) 순간적으로 강렬히 번쩍이는 빛.

로 내달았다. 누구에게 쫓기기라도 하듯 어느새 가스등이 조는 듯이 비치는 동상 앞을 스쳐 갔다.

벌써 10분이 지났다.

아무 소식이 없다. 무슨 말 한마디라도 있을 법한 노릇이다. 제법 세련된 여인의 직업적인 안내의 말이라도 있어야 할 것이 아닌가. 이건 시간이 지나서도 꿀 먹은 벙어리같이 말이 없으니 답답한 일이다.

가스등만이 졸리듯 어둠을 감싸 주고 있다.

많은 사람들이 서성거렸다. 모두가 기둥에 걸려 있는 시계를 바라보며 무어라고 내뱉었다.

혹은 우두커니 서서 담배를 피워 문 사람, 또는 시계의 추 모양으로 그리 넓지도 않은 광장을 왔다 갔다 하는 사람, 발을 동동 구르며 조급해하는 여대생, 모두가 편안한 대로 서서 스피커에 귀를 모으면서 출입구 쪽을 바라보고 있다.

하루에도 수만 명의 사람들이 드나드는 역 광장은 인파로 넘실댔다. 매일같이 수없는 사람이 후조[10]마냥[11] 드나드는 서울의 관문, 머리들이 물에 떠 있는 콩나물 대가리같이 넘실댔다.

초저녁의 불빛에 광장은 좀 분주하게 서성거렸다.

하지만 출입구 쪽의 조그마한 광장의 사정은 달랐다. 모두가 기다리는 사람들뿐이다. 눈이 새까맣게 나오는 사람들을 번갈아 바라보면서 가슴을 졸여야 하는 사람들이다.

또 기둥의 시계를 보았다. 9시 20분이다. 20분이 늦은 셈이다.

갈증이 났다. 기다리는 시간은 뱀과 같다더니[12] 이건 목을 죄는 것 같지 않은

---

10 후조(候鳥) 철새.
11 마냥 '처럼'의 잘못.
12 기다리는 시간은 뱀과 같다 시간은 뱀의 뱃살처럼 깊은 주름을 그리며 몇 겹으로 접혀 있다는 말로, 그만큼 기다리는 시간이 길고 지루함을 의미한다.

가. 더구나 안내원까지 일언반구 말이 없으니 모를 일이다.

또 담배를 피워 물었다. 이럴 때 담배란 위안의 반려자다. 깊이 들이마시며 출입구 쪽을 바라보았다. 아직도 굳게 닫힌 채였다.

기둥에 몸을 기댔다. 좀 편안하다. 앞에 서 있던 아가씨도 좀 피로한 기색이다. 한쪽 팔로 턱을 괴고 또 한쪽으로 턱을 괸 팔의 팔굽[13]을 괴고 서 있다가 팔이 풀어져 버렸다. 그 아가씨가 무료하게 쳐다보았다. 피식 웃는 것만 같았다. 꾹 다문 붉은 입술이 생생했다. 그 입술에 윤기가 없었다. 기다리다가 갈증이 난 모양이다. 그러지 않고야 입술이 번지르르하게 윤기가 넘쳐야 할 나이에 저렇게 메마를 수가 없지 않은가.

출입구가 열렸다.

사람들이 '와' 하고 몰려들었다.

아가씨의 얼굴에도 생기가 돌았다.

사람들 사이를 비비고 여객[14]이 나오기 시작했다. 가방을 든 여인, 짐을 든 신사, 보따리를 인 시골의 아낙네, 정답게 얘기하면서 나오는 사람들, 혼자 뚜벅뚜벅 나오는 대학생…… 양쪽으로 늘어선 사람들 사이로 난 줄을 따라 꾸역꾸역 몰리어 나왔다.

서로 이름을 부르며 손을 잡고 반가워하는 여인, 오빠를 부르는 여학생, 자식의 이름을 부르는 어머니, 조그마한 광장은 활기를 되찾았다.

출입구 옆쪽 철조망 앞으로 갔다. 철조망 사이로 밀려 나오는 여객의 얼굴을 살폈다. 피로한 빛도 없이 나오는 여객들, 아무리 긴 여행이라도 목적지에 와 닿았으니, 좀 생기가 돌아올 것이 아닌가.

눈을 반짝이면서 앞을 보았다. 보이질 않는다.

좀 더 앞으로 다가섰다. 철조망을 꼭 쥐고 앞을 응시했다. 수없는 여객들이

---

13 팔굽 '팔꿈치'의 잘못.
14 여객(旅客) 기차, 비행기, 배 따위로 여행하는 사람.

바삐 나갈 뿐이었다.

그 눈빛은 보이질 않았다. 용광로와 같이 빛나던 그 빛은 가스등 불 아래로 나타나지 않았다.

갈증을 느꼈다. 등허리에서 땀이 나는지도 몰랐다. 입술이 바시시 타 왔다.

철조망에 인영(人影)이 보이지 않았다. 벌써 다 나온 모양이다. 두 줄로 늘어섰던 마중 나온 사람들도 하나둘 차에서 내린 사람을 만나 돌아가고, 만나지 못한 몇몇 사람들이 역내를 기웃거리며 서성거렸다.

출입문이 닫혔다. 집찰[15]하던 역원도 들어갔다.

조그마한 광장이 텅 비었다.

서서히 몸을 돌렸다. 발길이 무거웠다.

앞에 검은 인영이 보였다. 고개를 들었다.

아까 팔굽을 괴고 있던 아가씨였다. 애수 어린 눈매였다. 기둥에 기댄 채 역내를 바라보고 있었다.

"못 만나셨군요!"

누가 한 말인지도 몰랐다. 그저 나지막하게 중얼거리는 소리가 굽어보는 가스등 불을 누볐다.

가슴이 뭉클했다. 그 아가씨의 호젓하고 실망에 겨운 모습에 가슴이 찌릿했다.

발길을 빨리 떼었다. 그 자리에 더 서 있을 수가 없었다.

앞으로 내달았다. 지남철[16]이 끄는 것같이 힘껏 조그마한 광장을 빠져나왔다.

역전 광장엔 불빛이 졸고 싸늘한 바람이 뺨을 스쳐 갔다.

발을 멈추었다. 눈앞이 아찔했다. 몸이 비틀하면서 상반신이 앞으로 거꾸

---

15 집찰(集札) 차표나 입장권 따위를 출구에서 거두어 모음.
16 지남철(指南鐵) 자석.

러졌다.

응 안 되지, 그쯤에 몸을 가누지 못해서야. 정신이 아물아물했다[17].

다시 몸을 일으켰다. 바로 서서 앞을 살폈다.

아스팔트의 길가에 서 있는 집들, 전신주가 서 있다.

다시 눈을 비볐다.

축대[18], 차고, 전신주에 가로등이 켜 있다.

응, 멋지게 사는 친구라 이거지? 차고로 으스대고, 셔터가 반쯤 열려 있으니 아직 들어오지 않은 모양이다…….

발을 내디뎠다. 작부[19]의 말대로 어딘가 집을 찾아가야 한다.

두서너 되는 들이켰다. 그것도 급행으로 말이다. 한 되를 마시자 옆에 서 있던 작부가,

"이 양반이 술 구경을 못했나? 그게 무슨 숭늉으로 아슈."

하며 의아한 표정이었다. 옆에 와 앉았다.

"왜 먹는 것도 시빈가? 달라는 술을 주기만 하면 되는 거야……."

또 한 잔을 들이켰다. 작부가 눈을 치켜뜨면서 빤히 쳐다보았다.

"혼자 먹기가 적적하죠. 잔 좀 돌려 봐요."

작부가 수작을 걸어왔다. 인물은 제법 빤빤하고[20] 입술이 붉게 타오르고 있었다. 보조개를 지면서 입가에 미소를 띠었다. 볼이 붉게 물들어져 있었다. 취기가 있었다.

"이 양반이 구두쇠야. 그렇지 않음 아무리 세상의 인심이 험하기로서니, 그래 술 한 잔을 못 준단 말예요……."

고개를 돌렸다. 눈매가 거슴츠레하게 물들어져 있었다. 아이라인이 좀 짙게

---

17 아물아물하다 정신이 자꾸 희미해지다.
18 축대(築臺) 높이 쌓아 올린 대나 터.
19 작부(酌婦) 술집에서 손님을 접대하고 술 시중을 드는 여자.
20 빤빤하다 생김새가 얌전하며 예쁘장하다.

보였다.

술잔을 빼어 갔다. 주전자를 가져다가 술을 부었다. 한 번 쳐다보고는 쭉 들이마셨다.

"한 잔 드시지. 억지로 술을 빼어 먹는 것 같아서 미안해요."

컵을 코앞에 내밀었다. 입을 삐죽하면서 빤히 눈을 들어 치켜 보았다.

"좋아! 그럼 잔을 돌려 같이 먹는 거야."

치켜뜬 눈을 쳐다보면서 단숨에 마셨다. 목구멍이 따가웠다. 숨이 좀 찼다. 급행으로 단숨에 마시니, 따가운 것도 무리가 아니다.

"잘 마시는데, 미리 빼지는 말고, 어디 한번 실력 발휘를 해 보시지……."

작부도 한숨에 마셨다. 제법 임전 태세[21]가 돼 있다.

주막에 객이라고는 별로 없었다. 아까부터 구석에서 혼자 마시던 신사도 언제 갔는지 보이질 않았다.

술잔이 제법 돌았다.

"이것 몇 된 줄 알아. 서 되째야. 음! 무얼 대단하다고 젠체하는[22] 거지. 없는 거야, 없어. 이 세상에 마음 줄 사람은 없는 거야. 나를 송두리째 태워 버릴 사람은 없는 거야. 없지……."

작부의 눈이 점점 감겨지고 입술이 붉게 타올랐다.

"흥, 세상에서 으스대는 놈들이 뭐 사람이라고 큰소리지. 이 나를 두고 또 누가 있다는 거야? 이래 봬도 자신이 있어. 당신은 맞을 수 있다. 충분한 여인이야! 응, 알겠어?"

작부가 빤히 쳐다보면서 눈을 가늘게 떴다.

"이봐, 나를 천당으로 데려갈 수는 없을까. 이 뭇 사내에게 술이나 따르는 나를 행복하게 해 줄 수는 없느냐 말야, 응…… 젊은이야……."

---

21 임전 태세(臨戰態勢) 전쟁에 임하는 태도와 자세. 어떤 일에 진지하게 열심히 임한다는 의미로 쓰임.
22 젠체하다 잘난 체하다.

작부가 손을 잡았다. 따뜻했다. 불빛이 찬란한 눈이 반짝이었다.

"자신이 없음 내가 마련해 주지. 그 해사한 얼굴에 즐거움이 가득 차게 해 줄 테야. 알겠어? 그 입술과 눈에 웃음이 활짝 피게 해 준단 말야."

손을 잡아끌었다. 눈은 담뿍 요기[23]를 품어 섬광같이 빛났다.

"술이나 가져와. 천당이고 지옥이고 간에 잠꼬대를 그만두고, 술이나 가져오란 말야."

도시[24] 그 빛나는 눈빛을 그대로 빤히 쳐다볼 수가 없었다.

불빛이 더 훤하게 주막을 비췄다.

"알겠어. 나 같은 계집애로는 천당을 갈 수 없다는 말이지. 좋아, 술집 작부는 뭐가 달라서 그러는 거야. 뭐 없는 게 있는 거야, 아니면 같이 살자고 못 살게 굴까 봐서…… 호호호, 그러고 보니 겁쟁이시로군."

"닥치지 못해, 술이나 가져와, 술을 말야. 어서 술을!"

가슴이 타올랐다. 입술이 열병 환자와 같이 타고 목이 말랐다.

"술이라고? 술은 너희 놈들의 위안이나 주기 위해서 있는 줄 아시나 보지. 그러지 말고 같이 캐시밀론[25] 이불 속에서 천당의 꿈이나 꾸자구요!"

작부의 혀 꼬부라진 말소리에 그만 밖으로 뛰어나왔다.

"둘이 어딘가 찾아가자구요, 이 겁쟁이 젊은이!"

가야지, 어딘가 찾아가 이 검은 장막을 헤쳐 나가야지. 앗튀! 작부의 말대로 어딘가에 천당에로의 길은 있을 것이 아닌가.

발을 멈추었다. 환한 불빛이 앞을 가로막았다.

약국의 아크릴이었다. 눈에 익은 듯했다.

저녁에 피로할 때나 잠이 오지 않으면 약을 사다 먹는다고 했지.

---

23 요기(妖氣) 요사스러운 기운.
24 도시(都是) 도무지.
25 캐시밀론 아크릴 계통의 합성 섬유 가운데 하나.

"그리고 그 약방에 무엇이 있는지 아세요? 네, 맞추어 보세요. 그걸 어떻게 아느냐고요. 그만한 센스도 없이 어떻게 젊은이라고 할 수 있어요. 경호 씬 그래서 둔하다는 거예요. 미스[26]가 거리에서 제일 관심을 두는 것이 무엇인지 아시잖아요. 네, 맞았어요. 그거예요, 그거. 멋진 남성을 보는 거예요. 그 약방에도 그거예요. 약제사가 멋있는 친구예요. 그래서 젊은 여성이 단골이 많다고 야단이잖아요."

호들갑스럽게 웃어 대며 말한 약국이었다. 별로 잘 차려진 것 같지도 않다.

골목길로 발을 돌렸다.

미애가 늦었으니 아무 데서나 지체하다가 가라고 끄는 것을 굳이 마다하고 뿌리치고 간 골목이다.

응! 멋있는 사나이가 있는 약국에 모여드는 여성들이 많다고, 좋아, 무슨 진열장으로 아는 모양이지, 앗튀!

창문에 불빛이 훤했다.

발을 멈추었다. 고요했다.

벌써 잠이 들었는지 몰랐다.

그 자리에 우뚝 섰다. 통금[27]이 지났는지 여기저기 호각을 부는 소리가 들렸다. 통금 위반자를 단속하는지도 몰랐다.

하지만 노크를 해서는 안 되는 거야, 미애가 버선발로 뛰어나와서 맞이해 들어간다고 해도 그 창문을 노크해서는 안 되지. 안 돼.

창문을 지그시 응시했다. 별다른 동정이 없었다. 아직 돌아오지 않은 것인가.

경호 씬 나를 원하지 않는가 보죠.

---

26 미스(Miss) 미혼의 여자.
27 통금(通禁) 밤 12시부터 새벽 4시까지 시민들의 거리 통행을 금지했던 '야간 통행금지'를 의미한다. 1945년 해방 이후 치안 유지를 위해 시작되었던 통행금지는 1982년 해제되었다.

그날 밤 울다가 잠이 들었어요.

그렇게 애타게 경호 씰 그리는 한 여인의 애절한 정성을 뿌리친다는 것은 일종의 죄의식을 유발하지 않겠어요. 더구나 마음속으로는 뜨거운 열정을 느끼면서 그 열정에 불꽃이 도화선이 붙을까 두려워하는 것은 스스로 비극을 자인할[28] 수밖에 더 있어요.

이 미애는 알고 있어요. 경호 씨의 그 지극한 사랑을 그 눈에서 볼 수 있어요. 천한 여인이라고 싫다면 그것으로 족해요.

경호 씨! 그렇게 스스로 억제하여 괴로워하지 말고 이 미애의 품에 안기세요. 그리고 저 푸른 하늘을 마음껏 비상하며 삶을 승화시켜요.

싫다는 말 한마디라도 있으면 차라리 단념하겠어요. 일생, 경호 씰 못 잊어 괴로울지라도 말예요. 안녕. 미애가.

벌써 일주일 전이다. 미애가 쉬는 날 미애의 청으로 하루를 소일했다[29].

돌아가는 길이었다. '호야의 집'이라는 조그마한 맥줏집에 들러 좀 과하게 마셨다.

밤이 이슥해서[30] 약국을 지나 미애의 창문 앞에서 발을 멈추었다.

"미애, 잘 자."

잡는 손을 놓고 몸을 돌렸다. 발이 좀 후들후들했다. 미애가 뒤를 따라왔다.

"아니, 통금 직전에 어딜 가려는 거예요. 안 돼요."

손을 잡고 끌었다.

그 눈빛은 반드시 통금에 걸릴 것을 걱정해서만은 아니었다.

지그시 미애를 쳐다보았다. 눈이 빛났다. 승화를 갈구하는 여인의 눈동자 입

---

28 자인(自認)하다 스스로 인정하다.
29 소일하다 하는 일 없이 시간을 보내다.
30 이슥하다 밤이 꽤 길다.

술이 바르르 웃었다. 하지만 그 빛은 아니었다.

"가야 한다. 지금 가야 하는 거야."

미애의 손을 뿌리치고 마구 뛰었다. 알코올 기운이 확 하고 온몸에서 발산했다.

미안쩍어서 나간 '운하'에서 종이쪽지를 놓고 갔다. 그것을 읽으면서 좀 찌릿했다.

'미애! 미안하기는 해요. 하지만 그 눈빛은 없어요. 수없는 실비[31]에 싸여 그 사연을 말하는 맑은 눈빛은 아니잖아. 그것을 찾아야 해, 어딘가에 있을 그 빛을 찾아야 나의 삶이 승화되는 거야. 미애의 그 탄력은 매혹하고 남지. 하지만 그 빛은 없는 거야.'

그때 맞은편 벽에 걸린 액자의 추상화가 웃고 있었다.

창문을 빤히 쳐다보았다.

형광등의 불빛만이 훤할 뿐이다.

'안 돼, 그 빛을 찾아야지, 그것을 찾아내야 돼. 왜 미애의 창문을 응시하는 거지? 미애! 미안해, 잘 자는 거야. 그리고 싫도록 미워하는 거예요. 다시는 사랑이니 뭐니 하는 대사도 집어치우고 오늘의 의미에서 그 빛을 찾아야 하는 거야.'

발을 돌이켰다. 몸이 비틀했다. 정신이 아찔했다. 그 자리에 주저앉았다.

힐 소리가 들려온다고 생각했다.

따그닥 따그닥,

누구의 팔에 끌려갔다. 대문을 여는 삐걱하는 소리가 어렴풋하게 들려왔다.

"이것 놓지 못해? 건방지게 가는 길을 막는 거야!"

눈을 뜰 수가 없었다. 불빛이 훤하게 비쳤다.

"어서 누우세요. 이렇게 취해 가지곤 어딜 간다는 거예요."

---

31 실비 실같이 가늘게 내리는 비.

놀란 미애가 부드럽게 속삭였다.

험한 계곡이었다. 골짜기에 물이 졸졸 흘렀다.

앞은 험한 등성이고 뒤는 녹음이 짙은 숲, 푸른 하늘이 곱게 물들여져 있었다. 숲속에선 쓰르라미가 울었다.

여울물을 건넜다. 돌을 밟으며 서서히 발길을 옮겼다.

앞에 우뚝 솟은 등성이 험상궂게 보였다.

저 산비탈을 올라 산정[32]에 올라서야 했다. 그 위에 올라 지금까지 꿈꾸어 오던 그 보물을 찾아야 한다.

좀 비탈진 길을 오르기 시작했다. 뒤에서 자꾸만 이름을 부르는 소리가 들렸다.

"경호 씨! 가면 안 돼요, 그 길은 위험해요!"

여인의 애끓는 울부짖음이었다. 애소하기도[33] 하고, 또는 성칼진 목소리로 절규하기도 했다.

뒤를 돌아보아서는 안 된다고 생각했다. 우거진 수풀에 녹음이 짙은 향기, 여인의 부름이 발길을 더디게 했다.

하지만 이를 악물고 앞으로 발길을 옮겼다.

가야 돼, 저 정상을 향하여 옆을 돌아보지 말고 가야 된다. 여인의 따스한 부름, 부드러운 손길, 더구나 미소를 띠어 방긋 웃는 입술…….

비탈길을 올랐다. 잡목으로 가리운 험한 길이었다. 잡목을 가린 풀을 헤치고 길을 더듬었다.

길가에 늘어선 잡목의 가지가 얼굴을 할퀴었다. 가지를 헤치고 나가는 손등에 피가 번지기 시작했다.

"경호 씨! 어서 돌아와요. 이제라도 발길을 돌려요. 알겠어요? 그 길은 위험

---

32 산정(山頂) 산꼭대기.
33 애소하다 슬프게 하소연하다.

해요. 그 산 위엔 절벽일 뿐예요…….”

길을 떠나기 전에 여인의 하던 말이 떠올랐다. 하지만 멈출 수는 없다. 산에 올라가기 위한 길을 버릴 수는 없었다.

이번에는 험한 돌길이었다. 울툭불툭하게 돌이 산등성이를 덮고 있었다.

발을 함부로 떼어 놓을 수가 없었다. 돌이 미끄럽기도 하고, 또 모가 나기도 하여 도시 마음 놓고 발을 디딜 수가 없었다. 바닷가의 모래사장에 흩어져 있는 돌부리 같기도 하고, 또는 돌로 되어 있는 산 위에 여기저기 돌이 흩어져 있는 것 같기도 했다.

조심해서 한 발자국씩 떼어 놓았다. 어둔 길을 가듯이 발을 밀었다. 구두를 벗어 던졌다. 내미는 발바닥을 먼저 댄 다음에 몸의 중심을 옮겨 앞으로 나아가는 행동을 반복했다.

갑자기 햇빛이 내리비쳤다. 돌이 뜨거워지기 시작했다. 처음에는 따뜻해지더니 점점 열기가 더해졌다. 뒤를 돌아다보려다 멈추었다.

앞으로 발을 빨리 옮겼다. 두 주먹을 쥐고 힘껏 앞으로 달렸다. 하지만 자꾸 미끄러져 앞으로 나갈 수가 없었다.

이마에서 땀이 번지기 시작했다. 발에서 피가 번졌다. 그래도 달렸다. 이를 물고 앞으로 내달았다. 온몸이 땀으로 목욕을 했다.

따가운 햇빛이 더욱 세게 내리비쳤다. 모든 물기가 금세 증발했다. 눈이 따가워졌다. 아팠다. 목이 말랐다.

눈을 들었다. 산정이 푸른 하늘에 솟아 있다. 손짓을 하는 것만 같았다.

어서 힘을 내어 저 위에 올라가야 한다. 저 산, 산 위에 말야, 또 앞으로 발을 내디뎠다. 돌이 뜨거웠다. 어느새 햇빛에 반사되어 열기를 훅훅 내뿜었다.

숨이 가빠졌다. 갈증이 났다. 숨이 턱턱 막히고 발이 비틀거렸다. 누가 뒤에서 쫓는 것도 아니었다. 위에선 햇빛이 내리비치고, 돌이 발을 헛딛게 하면서, 뜨거워지는 열기로 죄는 것이었다.

맥이 풀리기 시작했다. 목이 말라 더 이상 뛰어갈 수가 없다. 그 자리에 주저앉았다. 목이 콱콱 막혔다.

이마에서 땀이 비 오듯 했다.

"물, 물……물 좀……."

그 자리에 쓰러졌다.

목이 불탔다. 손을 들며 허우적거렸다.

"물…… 물……."

눈을 떴다. 희미한 빛이 보였다. 다시 눈을 두어 번 감았다. 방 안이었다. 옷을 벗고 내의 바람으로 누워 있었다. 고개를 갸우뚱했다. 어딜까?

왼쪽 위에 창문이 보였다. 희미한 빛이 새어 들어왔다.

이마에 비지땀이 흐르고 있었다. 목이 탔다. 칼칼하게 목이 조여드는 것만 같다.

다시 눈을 감았다. 악몽이라고 생각했다. 그 광열[34]은 지독한 것이라고 희미하게 꿈속의 일을 생각했다.

머리가 띵하고 아팠다. 의식이 조금씩 되살아왔다.

"물, 물……."

손을 가만히 내저었다. 닿는 것이 있었다. 스텐 그릇이었다. 액체가 있었다. 들이마셨다. 달콤했다. 아마 설탕을 탄 물인 것 같았다.

다시 자리에 누웠다.

약국 앞은 지나서 빠져나갔을 텐데. 오싹 소름이 끼쳤다. 한기가 꽉 차 들었다. 술이 깨는 모양이다. 이불을 덮었다. 촉감이 좋았다. 입에 넣자마자 녹아 들어가는 꿀과 같이 사르르 온몸을 감싸 준다.

쾌적한 기분이 감쌌다. 옆으로 몸을 돌렸다. 어깨와 얹은 팔을 폈다.

---

34 광열(狂熱) 빛과 열을 아울러 이르는 말.

손에 닿는 게 있다. 탄력이 있다. 손을 더듬어 봤다. 사르르 손바닥이 스쳐 갔다. 더 손을 저어 봤다. 탄력 있는 육감, 여체[35]였다.

눈을 감았다. 머리가 핑 하고 돌았다. 몸을 돌렸다. 여체 옆으로 바짝 다가가 누웠다. 이번에는 위쪽으로 손을 더듬었다. 얼굴이 닿았다.

얼굴을 더듬어 목덜미를 어루만졌다. 한 손으로는 머리를 쓰다듬었다. 머리의 짙은 향기가 뭉클하게 스며 왔다.

침이 꿀꺽 넘어갔다. 온몸에 갈증을 느꼈다.

머리에 볼을 댔다. 부드러운 촉감이 스쳤다. 그 감촉이 전신에 사르르 퍼져 갔다. 머리를 스쳐 눈매를 더듬어 볼을 스쳤다.

여체가 꿈틀하고 움직이었다. 머리를 쓰다듬던 손을 아래로 내려 어깨를 어루만졌다.

볼을 스친 얼굴은 귀를 지나 목덜미로 내려갔다. 어깨를 지난 손에 보드라운 감촉이 따끈하게 느껴졌다. 불룩한 잔등이 유방이었다. 살며시 손으로 눌렀다. 그리고 한쪽 손으로 허리를 휘감으며 입술을 더듬었다.

"으…… 경호 씨!"

여인이 잠에서 깬 모양이었다.

상반신을 가슴 위에 얹으며 지그시 눌렀다. 허리를 감은 손에 힘을 주면서 입술을 포갰다.

여인의 손이 낙지같이 허리를 휘어 감았다. 뜨거운 열이 온몸에 번져 여체가 난무[36]하기 시작했다. 눈을 감으며 난무하는 꿈속의 신비를 찾아 저돌하게[37] 부딪혀 갔다. 그 부딪힘에 여체의 눈에 섬광이 발했다. 그 섬광에 따라 신비의 심연[38]으로 황홀하게 빠져 들어갔다.

---

35 여체(女體) 여자의 몸.
36 난무(亂舞) 엉킨 듯이 어지럽게 추는 춤. 또는 그렇게 춤을 춤.
37 저돌하다 앞뒤 생각하지 않고 내닫거나 덤비다.
38 심연(深淵) 좀처럼 빠져나오기 힘든 구렁을 비유적으로 이르는 말.

다음 날 또 역에 나갔다.

여객의 인파는 여전했다. 사연도 여러 가지이련만, 수없는 길손[39]이 내리고 타고 떠나는 심장부이리라.

가스등이 은은하게 광장을 비치며 오고 가는 인파에게 미소를 보냈다.

시계탑은 벌써 9시를 넘고 있다.

출입구 쪽으로 갔다. 마침 도착한 차의 집찰이 끝나고 철문이 닫혀 있었다.

철조망 앞으로 갔다. 저쪽 너머로 고가 도로의 불빛이 찬란했다. 역을 지나가는 디젤과 고가 도로를 질주하는 차가 교차로를 이루는 셈이다.

차는 또 늦어지는 모양이다. 어제와 같은 열차, 마중 나온 사람들이 그득히 서 있다. 별로 같은 사람이 없다. 이제 오겠다는 사람들은 다 온 것일까. 혹 안 온 사람이 있어도 그대로 포기하고 다시는 나오질 않는 것일까.

모두가 서성거리며 끼리끼리 얘기를 하면서 플랫폼 쪽을 바라보고 있다. 하지만 같이 나온 사람들보다는 혼자 외로이 서 있는 사람들이 많다. 그 누가 온다기에 이렇게 안타까이 기다리고 있는 것일까.

기다리다가 목이 늘어졌다는 옛 동화의 풍경이라고나 할까. 얼굴이 다르고 신분도 가지각색이지만 꼭 한 군데 닮은 데가 있다. 출입구를 쳐다보는 눈빛이다.

좀 적적했다. 주위를 살폈다. 그 아가씨의 그림자도 없다.

"지금 몇 시죠?"

앳된 여인의 목소리에 고개를 돌렸다.

머리를 곱게 빗은 여대생이 눈앞에 서 있다. 얼굴이 곱살스럽고[40] 코가 유난히 돋보였다.

이쪽을 빤히 쳐다보았다. 옅게 화장한 눈매가 시원했다.

---

39 길손 먼 길을 가는 나그네.
40 곱살스럽다 얼굴이 예쁘장하고 얌전한 데가 있다.

"차가 도착할 시간이오."

퉁명스럽게 내뱉었다. 여대생은 그대로 선 채 빤히 쳐다보았다. 맑고 시원한 눈, 눈썹이 속삭이듯 곤두서고 강한 눈빛이 압도해 왔다.

여객들이 밀려왔다. 출입문이 열리고 집찰계원이 나왔다.

종착역에 닿은 착잡한 심회[41]를 안고 밀려오는 여객들, 모두가 피로한 듯하면서도 어딘가 희망에 넘치는 것 같았다.

나오는 사람들을 하나하나 살펴봤다. 역시 오늘도 보이지 않았다. 분명히 상기된 얼굴을 하고 나올 모습이 나타나지 않았다. 철조망 너머로 섬광과 같이 빛나는 눈초리를 하고 입가에 미소를 띠면서 나타나야 할 얼굴이 안 보이는 것이다.

좀 실망의 빛이 서렸다. 오한이 날 때와 같이 전신이 떨리는 듯했다. 허전한 심사가 감싸기 시작했다.

없는 거야, 그 빛은 없는 거야. 어디를 가거나 그 바시시 웃으며 용광로와 같이 불타는 그 눈빛은 없는 거야. 하지만 종착역인 서울역에서 내릴 것은 분명하지 않은가. 저 수많은 인파 속에 없을 리 없다. 분명히 역 집찰구에서 손을 흔들고 바시시 웃으며 나올 것이 틀림없다.

어느새 광장이 텅 비었다. 여객이나 마중 나온 사람들이 각기 흩어져 보금자리를 찾아갔으리라.

발길을 돌렸다. 저만치 그 여대생이 혼자 걸어가고 있었다. 아마 끝까지 기다리다가 돌아가는 모양이다. 그 뒷모습이 힘없어 보였다.

멀거니 그 뒷모습을 바라보다가 화라도 난 듯이 발길을 옮겼다.

화사한 날씨가 계속되었다.

---

41 심회(心懷) 마음속에 품은 생각이나 느낌.

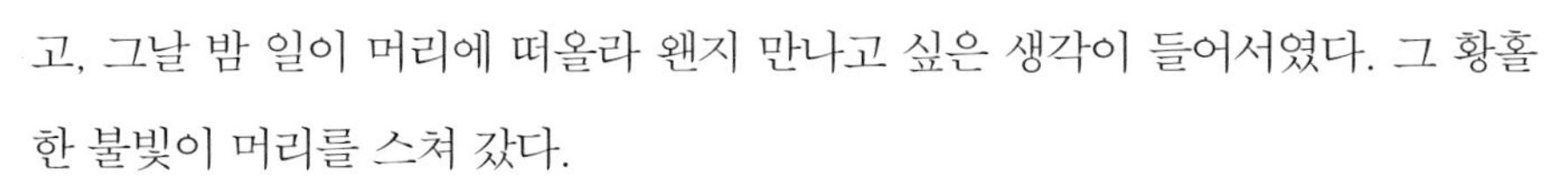

올해는 늦추위 때문에 꽃 소식이 늦게 온다는 보도에도 개나리가 피고, 벚꽃이 상춘객[42]들을 불렀다.

또 며칠이 지났다. 매일같이 역에 나가 기다렸다. 좀 피곤했다.

다방 '운하'에 들렀다. 시간도 좀 이르고, 그날 밤 일이 머리에 떠올라 왠지 만나고 싶은 생각이 들어서였다. 그 황홀한 불빛이 머리를 스쳐 갔다.

미애는 자리에 없었다. 잠깐 외출했다고 했다.

자리에 앉았다. 잘되었다고 생각했다. 미애를 오래 대하기 면구스러워질지도[43] 모르기 때문이다. 미애가 없으니 천천히 자리에 앉아 좀 머리도 식힐 겸 벽에 걸려 있는 그림이라도 바라보고 있으면 되는 것이다.

아직 퇴근 때가 안 되어서인지 사람은 그리 많지 않았다.

홀에는 왈츠곡이 흘렀다. 〈백조의 호수〉였다. 모처럼 듣는 멜로디였다. 마음이 가라앉는 듯했다. 하지만 그 맑고 섬광과 같이 빛나는 눈빛을 찾아야 한다. 푸른 하늘과 잡목 속에 덮여 반짝이던 그 빛을 다시 찾아야 되는 거야. 그것을 찾지 않고는 아무래도 삶의 비약[44]을 기대할 수 없는 거지, 승화를 할 수 없는 거야. 서울역 광장에 꾸역꾸역 나오는 수많은 인파에도 손을 흔들며 나오지 않는 거야. 아가씨나 여대생도 만나지 못한 거야. 어딘가에서 찾아올 거다…….

"허 선생은 무얼 그렇게 생각하세요. 좀 초췌하네요."

레지[45]가 커피를 놓으면서 빤히 쳐다보았다. 안면이 있는 갸름한 여인이다.

"언니가 없어 허전한 모양이죠. 걱정 마세요, 곧 올 거예요."

---

42 상춘객(賞春客) 봄 경치를 즐기러 나온 사람.
43 면구스럽다 낯을 대하기 부끄러운 데가 있다. 민망하다.
44 비약(飛躍) 지위나 수준이 갑자기 빠른 속도로 높아지거나 향상됨.
45 레지(reji) 다방 따위에서 손님을 접대하며 차를 나르는 여자.

의미 있는 미소를 던지고 카운터 쪽으로 갔다.

'하지만 빛이 필요한 거야, 미애의 여체의 황홀보다 그 맑고 불타는 눈빛이 나를 연소시켜야 하는 거야. 목마르게 기다리는 그 빛을 찾는 데 삶이 싹트는 거야.'

'경호 씬 꿈을 꾸고 있는 거예요. 그 눈빛은 아무 곳에도 없어요. 자, 보세요. 모두가 그 빛을 찾는다지만 다 허사가 아니에요.'

미애의 음성이 허공에서 메아리쳤다.

남쪽 창이 다 막아져 실내는 밤같이 은은한 빛이었다. 아늑한 분위기를 만들어 고객을 유치하려는 장식이리라.

도어가 열렸다.

인영이 실내에 미끄러져 들어왔다. 제법 균형이 잡혀 있다고 생각했다.

"언니! 왜 늦었수, 허 선생이 와 계신데."

차를 가져온 레지였다.

"그래? 하두 마음이 답답해서."

좀 당황한 음성, 좀 안정을 잃은 모습이 탁자에 다가왔다.

말없이 의자에 앉았다.

"웬일이에요."

좀 칼칼한 말투다. 원망과 그리움이 뒤섞인 감정일까! 좀 야윈 얼굴이었다.

미애의 얼굴을 더듬듯 시선이 위로 거슬러 올라갔다. 붉게 타오르는 입술, 솟은 코, 거슴츠레한 눈매, 눈이 섬광과 같이 빛났다. 맑고 불타오르는 불빛을 토했다.

빛이다. 그 맑고 섬광과 같이 빛나는 눈빛! 가시내의 그것 같기도 했다.

가슴이 뭉클했다. 서서히 고개를 들던, 이름 지을 수 없는 흥분이 딱 멎었다.

"미애, 가자! 여기를 나가 저 돌산의 정상으로 가자."

눈이 휘둥그레져 미애는 당황했다.

"무얼 머뭇거려, 어서 가잔 말야. 저 하늘 밑 따스한 곳으로 말야."

가슴속에서 불타오르는 섬광 같은 불길을 느끼면서 미애의 손을 잡고 '운하'의 도어를 밀었다.

아직도 해는 중천에 걸려 있었다.

(1971년)

어둠의 혼

김원일

김원일(1942~)

경상남도 김해에서 태어나 1966년 단편 소설 〈1961·알제리아〉가 당선되며 데뷔했다. 김원일은 〈어둠의 혼〉을 통해 이념의 대립이 초래한 민족적인 비극을 소년의 시각을 통해 형상화했다. 그는 대체로 6·25 전쟁을 전후로 한 격동의 시대와 파란많은 삶을 이야기의 소재로 삼아 민족 분단의 비극과 모순을 탐구해 왔다. 주요 작품으로 《노을》《마당 깊은 집》《도요새에 관한 명상》 등이 있다.

아버지가 드디어 잡혔다는 소문이 읍내 장터 마당 주위에 퍼졌다. 아버지는 어제 수산리 그곳 장날 장거리에서 사복 입은 순경에게 붙잡혔다 했다. 어제저녁 늦게 읍내 지서로 오라에 묶여 왔다는 것이다. 장터 마당 주변 사람들은 오늘 중으로 아버지가 총살될 거라고 쑤군거렸다. 지서 뒷마당 느릅나무에 묶여 즉결 처분당할 거라고 말했다.

병쾌 아버지를 포함해서 아버지를 따라다니며 그런 일을 했던 읍내 젊은이 일곱이 그렇게 죽었기에, 그 일에 앞장섰던 아버지야말로 총살을 당할 게 분명하다. 이제 아버지는 연기처럼 자취 없이 사라져 버릴 게다. 사라진 연기를 다시 모을 수 없듯, 이제 우리 오누이는 아버지라 부를 사람이 없게 된다. 그 점이 슬플 뿐, 다른 생각은 나지 않는다. 아버지는 이태[1] 넘이 집을 비웠다. 경찰에 쫓겨 밤을 낮 삼아 어디론가 늘 숨어 다녔다. 산도둑같이 텁석부리[2]로, 선생님처럼 국민복을 입고, 경찰을 피해 문득 나타났다 잽싸게 사라져 버리는 아버지의 요술도 이제 끝났다. 그 요술의 뜻을 내가 미처 깨치기 전에 아버지가 돌아가신다는 게 슬플 뿐, 나는 당장 해결해야 할 절박한 괴로움에 떤다. 배가 지독히 고프다. 어머니는 아직 안 오신다. 양식거리를 구해 오겠다며 나간 지 한참 전이다. 두 시간쯤 되었을 게다. 내가 영어 숙제 하고 있을 때, 어머니가 뒤질 늠은 뒤지더라도 어디서든 양식을 꾸어 오겠다며 대문을 박차고 나섰다. 여러 집에서 양식을 꾸어다 먹었기에 더 꾸어 줄 집도 없을 터이다. 어머니는 믿을 데가 거기뿐

---

1 이태 두 해.
2 텁석부리 짧고 더부룩하게 난 수염이 있는 사람.

이니 이모님 집으로 갔겠거니 여겨진다. 지서에 잡혀 있을 아버지를 두고 이모님께 넋두리를 늘어놓을 게 분명하다. 어머니를 곧잘 닦아세우지만[3] 이모님은 마음씨 착하니, 서방 잘몬 만낸 불쌍한 이것아 하며 쌀 한 되쯤, 보리쌀 두 되쯤 뒤주에서 퍼내어 줄 것이다. 그럼 모레까지 배곯는 걱정은 안 해도 된다. 그 양식으로 죽을 쒀 먹는다면 며칠은 견딜 수 있다. 우리 집은 그동안 이모님 집에서 양식을 많이 가져다 먹었다. 그걸 언제 다 갚을는지 모른다. 몇 해 동안 돈이나 먹을거리를 집에 들여놓지 못한 아버지이긴 하지만, 아버지마저 돌아가신다면 어머니가 이모님 술집 품앗이를 해 준다면 모를까 갚지 못할 빚으로 남게 될 게다. 나도 이제부터 아버지가 없는 소년으로 남을 것이다. 그런데, 아버지가 왜 그 일에 적극 나서게 되었는지 나는 알 수 없다. 사람들이 모두 쉬쉬하며 두려워하는 그 일에 아버지가 왜 발 벗고 나서서 뛰어들게 됐는지 나는 그 내막을 자세히 모른다.

몇 해 전, 해방되던 날만도 아버지는 읍내 사람들과 함께 장터 마당에서 조선이 해방됐다며 만세를 불렀다. 여름 한낮, 태극기 흔들며 기세껏 해방 만세, 독립 만세를 불렀다. 재작년 겨울에 무슨 법이 만들어지고부터 아버지는 갑자기 집에서는 물론, 읍내에서 사라졌다. 지서며 사람을 피해 숨어 다니기 시작했다. 밤중에 살짝 나타났고, 얼굴을 보였다간 들킬세라 금방 사라졌다. 아버지가 무슨 일을 맡아 그러고 다니는지 어머니도 잘 모른다. 장터 마당 주변 사람들이 아버지를 두고 좌익질 한다며 쑤군거렸고, 순경이 자주 우리 집을 들랑거렸지만, 재작년 겨울부터 누구도 아버지를 보았다는 사람이 없었다. 누가 시켜서 하는 일인지, 스스로 무슨 일을 꾸미는지 아버지에 관해서 그 사연을 들려주는 사람이 없었다. 쌀 한 톨 생기지 않는 일에 목숨을 걸고 숨어 다니는 아버지의 요술을 두고 사람들은 쉬쉬하며 귀엣말을 했다. 아버지가 하는 일은 읍내 유식꾼 이모부님조차 알면서 모른 체하는지 입을 아예 봉했다. 봄철이 되면 꽃이 피는 이

---

3 닦아세우다 꼼짝 못 하게 휘몰아 나무라다.

유를, 꽃이 향기를 어떻게 만드는지 내가 모르듯, 이 세상에는 아직 내가 알 수 없는 일이 너무 많았다.

초등학교 2학년 때였다. 나는 아버지와 들로 산책을 나간 적이 있었다. 안개도 자우룩한 초여름 새벽이었다. 이슬에 바짓가랑이를 적시며 아버지와 나는 들길을 걸었다. 종달새가 새벽부터 하늘을 날며 맑은 소리로 울었다. 아버지는 풀잎에서 뛰어오르는 청개구리 한 마리를 잡더니, 손바닥에 올려놓았다. 청개구리의 연두색 등판이 반들거렸고, 얇고 흰 뱃가죽이 팔딱거렸다. 아버지가 말했다. 요 꼬마 놈은 날마다 높이뛰기 연습을 한단 말이야. 첫날은 반 뼘 정도 뛰지만 이튿날은 쬐금 더 높이 뛰거든. 한 달쯤 뒤면 한 뼘쯤 뛰고, 두 달쯤 뒤면 두 뼘을 뛰고, 그 다음다음 달은…… 그럼 나중엔 하늘에 닿겠네요? 내가 물었다. 아니지, 하늘에 닿아 보려 뛰지만 하늘에 닿지는 못해. 왜냐하면 하늘은 끝이 없으니깐. 그럼 청개구리는 죽을 때까지 뛰겠네요? 그렇지, 죽는 날까지 날마다 높이뛰기를 하지. 왜 그런 연습을 해요? 그건 아버지도 몰라, 청개구리만 알겠지. 아버지는 청개구리를 풀잎에 다시 놓아주었다. 아버지 이야기는 재미가 없었다. 심심해서 해 본 말 같았다. 지금 생각하니 아버지가 해 왔던 그런 일이 꼭 청개구리 하는 짓을 닮았다. 죽을 때까지 뛴다던 청개구리의 높이뛰기, 아버지는 얼마만큼 높이 뛰고 언제까지 뛸까. 그때까지만도 나는 아버지가 죽는다고는 상상조차 할 수 없었다.

두렵다, 땅거미가 깔린다. 곧 사방이 어두워질 것이다. 어둠은 두렵다. 깜깜한 밤이 싫다. 벌써부터 내일 새벽이 기다려진다. 금병산 산마루 위로 해가 솟아 날이 훤해질 때까지, 나는 잠을 설칠 거였다. 날이 밝으면, 내 어릴 적에 왜 그런 청개구리 이야기를 들려주었느냐고 묻기 전, 아버지는 돌아가셔 이 세상에 없을 것이다.

자식들이 굶고 기다리는 줄 알면서 어머니가 왜 안 오시는지 모르겠다. 지서로 갔을지도 모른다. 살아 있는 아버지를 마지막으로 만난다면 어머니도 펑펑

울까? 아니, 어머니는 지서에 가시지 않았을 것이다. 어머니는 늘 아버지 험담만 퍼부었다. 조금 전만도 처자식 이렇게 고생만 시키니 죽어도 싸다고, 아버지를 두고 악담을 퍼지르고 나갔으니 지서로 갔을 리 없다.

나는 대문 앞에 쪼그려 앉아 다시 하나, 둘 하고 수를 센다. 옆집 박 선생네 누렁이가 지나간다. 머리와 꼬리를 늘어뜨린 힘없는 걸음이다. 언제 보아도 누렁이는 야위었다. 우리 오누이들처럼 갈빗대가 도드라졌다. 오래 못 살고 죽을는지 모른다. 나는 학교에 갔다 올 때, 갑자기 하늘이 노랗게 보일 적이 있었다. 다리에 힘이 빠져 쓰러질 것 같았다. 조회 시간에나 학교에서 돌아올 때, 나는 몇 차례 쓰러진 적이 있었다. 그럴 땐, 이렇게 죽는구나, 작년 여름 여래못에 빠져 죽은 병쾌처럼 나도 죽는구나 하는 생각이 들곤 했다.

배 속에서 꼬르륵 소리가 난다. 배가 고프면 그런 소리가 났다. 나는 더 참을 수 없다. 오늘도 점심을 굶었다. 찬길이 녀석이 부러웠다. 녀석은 날마다 도시락에 쌀밥을 싸 왔다. 나는 찬길이보다 공부를 잘한다. 박 선생님이 머리를 쓰다듬으며 갑해야, 넌 가정 환경만 좋으면 대학까지도 갈 수 있는데 하고 말한 적이 있었다. 곧 입학할 중학교는 이모부님이 학비를 대겠다고 말씀하셨다.

……아흔아홉, 백. 나는 벌써 백까지 세었다. 어머니는 나타나지 않는다. 나는 장터 마당으로 가는 다리 쪽에 눈을 준다. 나무다리는 바닥에 구멍이 숭숭 뚫렸다. 사람이 지나갈 땐 삐거덕 소리를 낸다. 달구지가 지나갈 땐 찌거덕거린다. 다리 건너에서 만수 동생이 볼록한 배로 혼자 제기차기를 한다. 녀석 집도 우리 집만큼 가난한데 오늘 저녁밥은 오지게 먹은 모양이다. 볼록한 배가 출랑거린다. 우리 집은 왜 가난할까, 하고 생각해 본다. 어머니 말처럼 모두 아버지 탓이다. 아버지는 농사꾼이 아니요, 장사를 하지도 않고, 그렇다고 월급쟁이도 아니다.

울음소리가 들린다. 누나가 운다. 누나와 분선이가 쪽마루에 걸터앉아 있다. 누나는 집이 떠나가란 듯 큰 소리로 운다. 나는 엉거주춤 일어선다. 허리 굽혀 마당을 질러갈 때 다리가 떨린다. 장독대엔 벌써 어둠이 내렸다. 뒤쪽 대추나무는 귀신 꼴이다. 곱실한[4] 가지가 머리카락을 풀어 흩뜨린 것 같아 무섬기를 들게 한다. 어두워진 뒤에 대추나무를 보자, 열흘쯤 전이 떠오른다. 밤이 깊어 잠이 들었을 때였다. 담을 타 넘고 들어왔는지, 순경 둘이 방 안으로 들이닥쳤다. 그들은 구두를 신은 채였다. 순경은 소스라쳐 일어난 어머니 가슴팍에 총부리를 들이대며 소리쳤다. 조민세 어디로 갔어? 이 방에 있는 걸 봤는데 금세 어디 갔냐 말이다. 이년아, 네 서방 어디다 숨겼어? 순경은 어머니 멱살을 틀어쥐며 소리쳤다. 다른 순경이 어머니 허리를 걷어찼다. 호각 소리가 집 주위 여기저기에서 들렸다. 여러 순경이 집 안을 샅샅이 뒤졌으나, 끝내 아버지를 잡지 못했다. 그날 밤, 아버지는 집에 오지 않았다. 순경들은 애꿎은 어머니만 데리고 지서로 갔다. 어머니 머리채를 잡아끌며 순경들이 떠나자, 우리 오누이는 갑자기 밀어닥친 두려움으로, 서로 껴안았다. 그날 밤, 누나는 내내 큰 소리로 울었다. 누나 울음이 무섬기를 덜어 주었다. 누나는 울다 지쳐 잠이 들었다. 분선이와 나는 서로 껴안은 채 밤새 소리 죽여 흐느꼈다. 울기조차 못 했다면 분선이와 나는 기절했을 거였다. 봉창이 환해질 때까지 콧물 눈물이 범벅이 된 채 울며 새운 그 밤의 두려움은 지독했다. 죽어 뿌리라. 어데서든 콱 죽고 말아 뿌리라. 나는 아버지를 두고 속말을 되씹었다. 순경들이 뜬금없이 한밤중에 밀어닥쳐 집 안을 뒤졌다. 그런 날 밤, 나는 아버지가 밉다 못해 원수로 여겨졌다. 이튿날, 학교 갈 생각도 않고 늘어져 누웠을 때, 어머니가 지서에서 풀려났다. 이모님이 어머니를 부축해서 집으로 데려왔다. 어머니 얼굴은 피멍이 들어 있었다. 어머니는 꺼져 가는 소리로 아버지와 순경을 두고 욕설을 퍼부었다. 그러나 이제는 순경들이 집 안으로 밀어닥치지 않을 거였다. 숨어 다니던 아버지가 수산리 장터에서 순경에게 잡혔다. 사람들은 아버지가 총살당할 거라고 말한다. 아버지가 돌아가시고 나면, 사람들은 우리 집을 빨갱이집이라 말하지 않을 것이다.

---

4 곱실하다 **고개나 허리를 가볍게 고푸렸다 펴다.**

대추나무 뒤쪽 하늘은 짙은 보라색이다. 나는 보라색을 싫어한다. 손톱에 들이는 봉숭아 꽃물도, 닭 볏 같은 맨드라미도, 코스모스의 보라색 꽃도 싫다. 어머니 젖꼭지 색깔까지도 싫다. 보라색은 어쩐지 아버지가 바깥에서 숨어 다니며 하는 그 일과, 어머니의 피멍 든 모습을 떠올려 준다. 말라붙은 피와, 깜깜해질 징조를 보이는 색깔이 보라색이다. 옅은 보라에서 짙은 보라로, 세상의 모든 형체를 어둠으로 지우다, 끝내 아무것도 볼 수 없는 밤이 온다는 게 두렵다. 이 세상에 밤이 있음이 참으로 무섭다. 밤이 없는 곳이 있다면 나는 늘 그 땅에서 살고 싶다. 나는 환한 밝음 아래 놀다 그 밝은 세상에서 잠자고 싶다. 아버지는 어둠 속에서 총살당할 것이다. 작년에 지서로 잡혀간 젊은이들도 한밤에 총살당했다.

"언니야, 와 자꾸 우노. 울지 말래이. 어무이 곧 올 끼다. 언니, 니 자꾸 울모 범이 와서 콱 물어 간데이." 분선이가 우는 누나 손을 쥔다.

누나는 더 큰 소리로 운다. 서러운 목소리가 아니다. 언제나 그렇게 소리만 내지를 뿐이다. 울음이라기보다 고함이다. 눈물을 흘리고, 콧물도 흘러내린다. 누나 역시 제대로 먹지 못하는데 눈물 콧물은 어디서 저렇게 많이 나오는지 나는 알 수 없다. 물을 많이 먹어 그럴는지 모른다. 아니다. 천치라서 그렇다. 누나는 바보다. 나는 쪽마루 앞으로, 배가 흔들리지 않게 걸어간다. 이젠 배가 아프거나 고프지 않다. 배가 잠을 자는 모양이다. 빨리 걸으면 배가 잠에서 깰는지 모른다. 잠에서 깬 배가 속이 빈 줄 알면 위벽을 긁으며 뭐든지 건더기를 넣어 달라고 앙탈을 부릴 터이다.

"오빠야, 니는 와 자꾸 밖에 나가노. 니도 언니 좀 달래거라. 내사 증말 몬 살겠데이." 분선이가 나를 보며 어머니 말을 흉내 내어 말한다.

"문 앞에서 어무이 안 기다렸나. 니가 누부야 달래거라. 내사 마 말할 기운도 읎는 기라. 니 자꾸 말 시키이까 배가 잠을 깰라 안 카나."

나는 분선이 옆, 마루에 걸터앉는다. 누나는 자꾸 운다. 상여가 나갈 때 곡하

는 소리 같다. 분선이는 동그란 눈을 힘없이 깜박거리며 대문께를 본다. 나는 누나 울음소리가 듣기 싫다.

"누부야, 저 게 바라. 어무이 쌀자루 들고 오네. 기분 좋아서 덩실덩실 춤추미 오네." 나는 짐짓 거짓말을 해 본다.

누나는 내 말에 속는다. 울음을 그치고 대문을 본다. 어머니가 보일 리 없다. 어둠만 짙다. 화가 난 누나가 더 큰 소리로 운다.

"오빠 니 와 자꾸 거짓말하노. 니 나중에 하느님한테 천벌 안 받는가 보래이." 분선이가 뾰로통해져 말한다.

바람이 분다. 봄을 싣고 오는 바람이라 포근한 기운이 섞였다. 분선이는 어깨를 떤다. 한기를 느끼는 모양이다. 나 역시 으스스하다. 나도 울고 싶어진다. 콧마루가 찡해 온다. 나는 마른침을 삼키며 참는다. 울면 배가 더 고프다. 운다고 금세 밥이 생기지도 않는다. 지난겨울, 그 추위에도 불 지피지 않은 찬방에서 우리 오누이는 저녁밥을 굶고 넘긴 적이 많았다. 분선이가 울지 않는데 내가 울어서는 안 된다.

"지금 무신 달인 줄 아나?" 나는 분선이한테 말을 시켜 본다.

"4월 달이지 머꼬."

"오늘이 무슨 요일인 줄 아나?"

"금요일이지러."

"모레 공일날 나무하러 갈 때, 니도 따라갈래?"

"가꾸마. 인자 쑥은 늙어서 몬 뜯을 끼라."

"그래도 참꽃(진달래)은 다 안 졌을 끼다. 참꽃 따 묵고 칠기(칡)도 캐 묵자. 찰

칠기는 얼매나 맛있다고. 장터에는 벌씨러 칠기 장수가 나왔더라."

"어무이는 와 안 오노. 언니가 이래 울어 쌓는데." 분선이 목소리가 울먹해진다. 분선이가 다시 누나를 달랜다. "언니야, 내 노래 불러 주꾸마, 뜸북새 불러 주께 울지 마래이."

분선이는 참한 애다. 분선이는 4학년으로, 공부를 잘한다. 나는 초등학교 적 반에서 늘 첫째나 둘째를 했고, 분선이는 다섯째 안에서 맴돈다. 밥만 양껏 먹을 수 있다면 나는 늘 첫째를 할 수 있고, 분선이도 부급장을 할 수 있다. 장터 마당 주변 사람들은 분선이를 새처분(예쁜) 가시나라고 칭찬한다. 분선이는 말도 제대로 못하는 아기 같은 누나를 늘 보살핀다. 다른 처자들은 다 시집가도 우리 언니 데리갈 총각은 읎을 끼라 하고 말하며, 분선이는 어른스럽게 혀를 차곤 했다. 오줌을 함부로 흘린 누나의 누런 지도 그려진 속옷을 어머니가 없을 때는 분선이가 빤다. 빨랫방망이를 두드리며 분선이가 빨래할 때, 그 옆에 앉아 히히 웃는 누나가 분선이는 귀여운 모양이었다. 동네 사람들이 모두 누나를 싫어하지만 분선이만이 누나의 착한 동무다.

분선이는 떨리는 목소리로 노래를 부른다. 나는 목이 멘다. 누나보다 분선이가 더 가련하다. 나도 울고 싶어진다. 분선이를 껴안고 울고 싶지만 나는 남자이기에 참는다. 목울대가 떨려 나는 가만 앉아 있을 수 없다. 누나 울음소리가 귀에 거슬린다. 어둠에 묻혀 가는 집도 싫다. 나는 마루에서 일어선다. 천천히 걷는다. ……우리 오빠 말 타고 장에 가시면…… 분선이의 노랫소리가 쓸쓸하고 곱게 퍼져 나간다. 노래가 끊어진다.

"오빠야, 또 어데 가노?"

분선이도 곧 울 거라고 나는 등 뒤로 느낀다. 나는 걷기를 멈추지 않는다. 눈을 감았다 뜨며 분선이 모습을 지우려 애쓴다. 분선아, 나는 니맨쿠로 착하지 몬해. 나는 누나를 달랠 수 읎어. 나는 입속말로 말한다. 분선이의 물기 젖은 눈동자가 내 앞을 막는다. 나는 멈춰 선다.

"어무이 찾으러 안 가나. 퍼뜩 찾아와야 밥해 묵지러. 이모님 집에 가모 어무이 있을 끼라. 내 얼른 모시고 오꾸마. 어무이 오모 우리 쌀밥 해 묵자."

더욱 짙어진 어둠 건너 분선이 얼굴이 희미하다. 배 속이 쓰려 온다. 어둠 속에 분선이 얼굴이 아래위로 끄덕인다. 누나는 기진맥진해진 목소리로 아직 운다. 나는 돌아서서 걷는다. 대문 옆 꽃밭은 음침하다. 애써 구한 씨를 분선이와 함께 뿌린 꽃밭이다. 백일홍, 분꽃, 채송화는 아직 모종 티를 벗지 못했다. 해바라기가 그중 잘 자란다. 숟가락만 한 잎을 벌렸다. 그 꽃밭이 어둠에 묻혀 간다. 꽃밭만은 밤낮을 가리지 않고 밝았으면 싶다. 꽃밭까지 어둠이 삼킨다는 건 하느님이 세상을 만들 때 잘못 만든 듯싶다. 겨울 한 철 빼고 꽃밭은 늘 푸르고 색색의 꽃이 알록달록 피어야 한다. 향기를 뿜고 그 향기를 좇아 나비와 벌이 찾아와야 한다. 아니, 꽃밭 주위만은 겨울이 닥치지 않아야 한다. 잎이 푸르고 꽃은 늘 피어 있어야 한다.

나는 대문을 나선다. 공동 우물터에서 여자들이 떠드는 소리가 들린다. 두레박이 돌벽에 부딪혀 물에 철버덩하고 떨어지는 소리가 들린다. 웃음소리도 들린다. 아낙네와 처녀 들이 무슨 이야기인가 재잘거리고 있다. 장터 마당의 온갖 소문은 우물터에서 퍼져 나갔다. 아버지가 읍내 지서로 잡혀 왔다는 소식도 우물터에서 번졌다. 나는 귀를 기울인다. 갑자기 웃음소리가 끊어진다. 우물터에서 하는 말이 들린다. 그 말이 내 귀에 아프게 박힌다.

"똑똑한 사람 죽는구먼. 우짜모 멫 해 사이 사람이 그렇게 빈해 버릴 수가 있나." "아아들이 불쌍한 기라. 천치 분임이는 두고라도, 갑해랑 분선이가 안 그렇나, 쯧쯧."

나는 그 소리가 듣기 싫어 걸음을 빨리한다. 눈물이 고인다. 아녀자들 말을 듣자, 왠지 아버지가 가여워진다. 배만 고프지 않다면 두렵긴 하지만 지서로 가 보고 싶다. 아버지는 오라에 묶여 매를 맞고 있을는지 모른다. 지서에서 그런 일 했던 사람을 잡아들이면 순경들이 무조건 패기부터 한다 했다. 지서 방공호가 매타작하는 곳이란다. 피 흘리는 아버지 얼굴이 떠오른다. 울부짖는 모습도 떠오른다.

해방되던 해, 가을이 생각난다. 추석날이었다. 어머니는 집에 있고 우리 오누이는 아버지와 함께 성묘를 갔다. 아버지는 누나 손을 잡았고, 나는 분선이 손을 잡고 걸었다. 폐가 나빠 젊은 나이에 세상을 떠나셨다는 할아버지 묘지는 산을 두 개나 넘는 오추골에 있었다. 그곳에는 할머니 무덤, 증조부모님 무덤도 있었다. 산길은 단풍이 고왔다. 내 키보다 더 자란 억새가 눈부신 햇살을 받고 바람에 흔들렸다. 발밑에서 부서지는 낙엽 소리가 듣기 좋았다. 다람쥐도 보았고, 산딸기도 따 먹었다. 분선이는 노래를 불렀다. 오래 걸어도 다리 아픈 줄 몰랐다. 그 산길을 걸으며 아버지가 말했다. ……그래서 말이야. 난 아버지 얼굴도 모르지. 그즈음 우리 집은 살림이 넉넉했어. 네 할아버지가 다섯 해를 앓으시며 온갖 약을 쓰다 보니 많던 전답[5]을 다 팔고, 별세하셨을 땐 겨우 나 하나를 키울 전답과 황소밖에 없었던가 봐. 네 할머닌 머슴과 나를 데리고 청상[6]으로 사시다 돌아가셨지. 내가 일본에서 고학하며 공부할 때, 돌아가셨다는 기별을 받았어…… 아버지가 내게 들려주는 말이었으나 꼭 그렇지만도 않았다. 그적만해도 나는 어렸다. 아버지가 심심하니 그냥 해 보는 말이었다. 내가 청상이란 말뜻도 몰랐을 적이었으니깐. 조선[7]님 무덤마다 절을 하고 벌초까지 끝내자, 아버지와 우리 오누이는 싸 온 떡과 삶은 달걀과 과일을 깎아 나누어 먹었다. 삶은 달걀을 먹을 때, 나는 문득 아버지를 골려 주고 싶었다. 나는 어려운 질문을 꺼냈다. 그 질문은 그즈음 우리 또래에서 이상한 수수께끼로 나돌아 선생을 골릴 때 아이들이 쓰는 질문이었다. 아부지, 이 지구가 생기나고 맨 처음, 달걀이 먼저 나왔게예, 닭이 먼저 나왔게예? 학생들의 이런 질문에 선생님은 맞는 답을 금방

---

5 전답 논과 밭을 아울러 이르는 말.
6 청상 청상과부. 젊어서 남편을 잃고 홀로된 여자.
7 조선(祖先) '조상(돌아간 어버이 위로 대대의 어른)'을 뜻하는 말.

골라내지 못했다. 닭이 먼저라면, 그 닭이 어디서 나왔느냐, 달걀이 먼저라면 그 달걀을 누가 낳았느냐란 연속적인 질문을 학생들이 준비해 두고 있기 때문이었다. 내 질문을 받자 아버지 역시 헛기침을 하며 잠시 당황해했다. 아버지는 무엇인가 곰곰이 생각하는 눈치였다. 아버지가 이윽고 나를 건너다보더니, 내가 알아맞혀 보지 하셨다. 그래예, 맞히 보이소. 나는 아버지 입을 보았다. 답은 간단하지. 닭이 먼저냐 달걀이 먼저냐 하는 답은 말이야, 아무도 몰라. 나는 아버지 대답에 실망했다. 피, 그런 답이 어딨습니꺼, 지도 그런 답은 할 수 있습니더. 내 말에, 아버지가 대답했다. 너도 학교에서 배웠겠지만 닭과 달걀의 조상을 쭉 따라 올라가면, 글쎄, 몇억 년쯤 거슬러 오르면, 암놈 수놈이 한 몸이었을 때가 있었지. 원생동물 시기가 있었거든. 그땐 사람이 생겨나지 않았을 때였어. 그럴 때, 과연 어떤 게 먼저 세상에 나왔는지 아무도 알 사람이 없지. 그러니까 그 답은 모른다는 게 옳은 답이야. 아버지 그 말에 나는 풀이 죽었다. 그래도 어데 모른다는 기 맞는 답일 수 있습니꺼. 나는 조그만 소리로 말했다. 아니야, 넌 답이란 반드시 맞다, 아니면 틀렸다 두 가지뿐인 줄 알지? 아버지가 물었다. 그래예, 모른다는 거는 답도 아이고 아무것도 아이라예. 모른다는 거는 증말 모르이까 모른다고 말하는 기지예. 내 말은 틀린 말이 아니었다. 아냐, 옛날 옛적, 닭과 달걀 중 누가 먼저 생겼느냐란 질문에는 모른다가 답일 수 있어. 더러는 모른다는 답이 100점일 때도 있단다. 너도 이다음에 크면 알게 되겠지만, 이 세상 일에는 참으로 수수께끼가 많지. 어느 게 옳고, 틀린지 정답을 모르는 일이. 모두 제가끔 하는 일만이 옳은 일이라며 열심히 매달리니깐. 어떤 일에는 목숨까지 던져가며 말이다.

다리를 건너면 함안댁, 다음 집이 판쟁이(소목) 집이다. 그다음은 장터 마당이다. 함안댁네 집에서는 구수한 내음이 난다. 떡을 찔 때 나는 내음이다. 오늘은 그런 내음이 나지 않는다. 내일이 진례장이다. 모레가 가숩장, 그다음 날이 진영장 날이다. 진례장은 멀어 함안댁이 내일은 떡을 팔러 가지 않는다. 나는 함안댁 낮은 담 너머로 마당을 들여다본다. 빈 마당이 어둡다. 방문에는 호롱불이 밝다. 가마니를 짜는 판돌이 형 그림자가 보인다. 지난겨울 판돌이 형은 바깥 출입을 거의 하지 않았다. 방에 박혀 가마니만 만들었다. 동네 아낙네들이 우물터에서 판돌이 형을 두고 하던 말을 나도 들은 적 있었다. 나이 열여덟 살밖에 안 된 떠꺼머리[8]가 어째 그래 부지런할꼬. 인자 이태만 지나모 딸 주겠다고 나서는 집이 생길 끼라. 이분 겨울만 해도 밤낮을 쉬지 않고 짠 새 가마이를 장에 내다 팔모 중소 한 마리쯤 느끈히 살 거로. 함안댁 집에서는 가마니틀이 철거덕거리는 소리만 들릴 뿐, 아무 소리도 들리지 않는다.

해방되기 전, 아버지는 역 아래 야학당을 연 적 있었다. 학교에 다니지 못한 총각 처녀를 모아 글을 가르쳤다. 나는 몇 차례 그 야학당에 놀러 갔다. 남포등 아래 스무 명 남짓한 젊은이가 공부하고 있었다. 판돌이 형도 끼여 있었다. 아버지가 말했다. 판돌이는 머리가 좋아. 그렇게 한글을 빨리 깨치는 애는 처음 봤어. 그 야학당도 태평양 전쟁이 한창인 무렵, 문을 닫았다. 그 뒤로 아버지는 집에 있는 일이 별로 없었다. 부산으로, 서울로 무슨 일 때문인지 바깥으로만 나돌았다. 한 달, 또는 두 달씩 집을 비웠다. 불쑥 나타나면, 며칠이 못 가 다시 떠났다. 집에 있을 때도 두툼한 책만 읽었다. 어머니가 이모님한테 말한 적이 있었다. 갑해 애비가 아마 그때부텀 그늠으 사상인지 먼지에 미쳤나 바예. 사람이 어째 그래 빈할 수가 있어예. 사람이 벙어리 아인 다음에사 어째 그래 말이 읎을 수 있겠습니꺼. 메칠 꼼짝 않고 방구석에 박혀 책을 펴놓고는 입에 검구(거미줄) 치고 지내지 멉니꺼. 그라다가 마실 나가듯 온가 간다 말읎이 사라져 뿌이. 서방이 미쳐도 보통 미친 기 아인 기라예.

함안댁 집에 어머니가 있을 리 없다. 이제 함안댁은 우리 집에 좁쌀이나 보리쌀을 빌려주지 않을 터이다. 지난주에 함안댁과 어머니가 대판 싸웠다. 꾸어다

---

8 떠꺼머리 장가나 시집갈 나이가 된 총각이나 처녀가 땋아 늘인 머리. 또는 그런 머리를 한 사람.

먹은 보리쌀을 갚지 않는다고 싸웠다. 분선이나 나는 함안댁한테 떡을 자주 얻어먹었다. 함안댁은 어머니와 사이가 좋지 않지만 아이들을 좋아했다. 나는 자주, 정 많은 함안댁이 어머니였으면 하고 바라기도 했다. 언젠가, 함안댁을 보고 어머니라 불러 본 꿈도 꾸었다.

판쟁이 집 앞을 지나다 나는 끝순이를 만난다. 밥상을 만들어 파는, 온몸에 문신을 그려 넣은 술주정뱅이 추씨 막내딸이다. 끝순이는 눈이 조그맣고 코가 밋밋하다. 분선이와는 같은 반이다.

"갑해야, 분선이 집에 있지러?" 끝순이가 묻는다.

나는 머리를 끄덕인다. 분선이한테 또 산수 숙제 공책을 빌리러 가는 모양이다. 나는 바람 넘치는 장터 마당으로 들어선다. 장터 마당에는 흙먼지가 날린다. 휴지와 지푸라기가 흙먼지에 휩쓸린다. 으스스하게 추워 나는 목을 움츠린다. 장터 마당 어둠 속에서 아이들이 뛰논다. 칼칼한 고함으로 보아 저녁밥을 먹은 모양이다. 가건물이 서 있는 쪽은 벌써 깜깜하다. 초승달이 떠서 거기만 더 어둡게 보인다. 가건물 쪽에서 합창으로 불러 대는 유행가와 하모니카 소리가 들린다. 밤송이처럼 머리칼에 기름을 바른 애젊은[9] 녀석들이 처녀애를 꾀어내려 수작을 부리고 있다. 나는 천천히 걷는다. 장터 마당 아래쪽으로 내려간다. 이모님은 술장사를 한다. 장터 마당에 있는 몇 개 주막 중에 큰 주막이다. 술방이 따로 있고 손님 옆에 앉아 술을 따라 주는 색시도 있다. 나는 담뱃집 앞을 지난다. 찬수 아저씨가 담배를 사고 있다. 찬수 아저씨는 서울에서 대학을 다니다 태평양 전쟁 말기 학도병으로 남양 전쟁터에 끌려갔다. 해방이 되자 외팔이가 되어 돌아왔다. 그 뒤부터 하는 일 없이 날마다 술만 마시고 지낸다. 찬수 아저씨가 담뱃갑 껍질을 입으로 물어뜯는다. 한 개비를 빼어 입에 문다. 내 쪽을 힐끔 돌아본다. 담뱃집에서 내비치는 호롱불빛에 아저씨 취한 눈이 번들

9 애젊다 앳되게 젊다.

거린다.

"이 자슥아, 니 애비가 죽는데 넌 지금 어델 홰질러 댕겨?" 찬수 아저씨가 꾸짖는다.

나는 대답을 못 한다.

"미친늠으 세상. 뭣 때메 싸움질인지 몰라. 죽어라 죽어. 뒈질 놈은 뒈져 버려. 극좌 극우가 없어져야 편안한 세상이 될 테이깐." 찬수 아저씨가 내뱉는다.

찬수 아저씨 집은 읍내에서 부자다. 기와집이 번듯하고 전답도 많다. 방앗간도 있고 과수원도 있다. 찬수 아저씨가 비틀거리며 아래쪽으로 내려간다. 잠시 걷더니 담벽에 기대어 선다. 나도 멈춰 선다. 찬수 아저씨가 토하기 시작한다. 손가락을 입에 쑤셔 넣고 토한다. 초저녁인데 벌써 꽤나 술을 마신 모양이다.

"제가 무신 볼셰비키라고 오뉴월 개처럼 재물이 되겠다는 기고. 차라리 항일 운동이나 하다 순국하지, 해방된 마당에서 동포 손에 개값도 못 하고 와 죽어……."

나는 다시 아버지를 생각한다. 아버지는 무슨 죄를 졌기에 왜 도망만 다니는지 알 수 없다. 빨갱이란 얼마나 나쁜 사람이기에 잡기만 하면 총살시키는지, 나는 제대로 알지 못한다. 재작년 가을, 밀양 조선모직회사에서 번진 노동자 폭동이 있고부터 순경들이 눈에 불을 켜고 아버지를 찾기 시작했다. 사람들은 말했다. 빨갱이 짓을 하면 무조건 죽인다고, 빨갱이 짓 하려면 숫제 삼팔선을 넘어가야 마음 놓고 할 수 있다고. 그런 말을 사람들이 쉬쉬하며 소곤거린다. 그런데 아버지가 왜 그런 일에 나서게 되었을까에 대해선 아무도 말해 주지 않았다. 나도 나이 들면 언젠가 알게 될 것이다. 달걀이냐, 닭이냐에 대한 질문에서 아버지가 대답한 답을 깨칠 때쯤이면, 나도 그 모든 진상을 알게 될 거였다.

찬수 아저씨가 이모님 주막 유리문을 연다. 나는 이모님 주막 유리문이 아닌 대문 쪽으로 들어갈까 하다, 유리문이 닫히기 전 찬수 아저씨 뒤를 얼른 따라 들어간다. 안은 구수한 선짓국 내음으로 찼다. 침을 돌게 하는 김이 보꾹[10]에 자욱하다. 남포등 두 개가 부유스름한 빛을 내비친다. 술청[11]에는 술꾼 서넛이 술을 마신다. 한 사람이 갈라진 목소리로 노래를 부른다. 다른 사람은 젓가락으로 술상을 친다. 찬수 아저씨는 그들과 한패가 아니다. 외딴 자리에 앉는다. 문 옆에 섰던 색시가 찬수 아저씨 빈 잔에 술을 따른다.

"화자야, 술 좀 따라라. 오늘 지녁에 한판 쥐모 니 하나쯤은 하이야(택시)에 태아 마산서 메칠 호강시켜 줄 수 있데이." 판쟁이 추씨가 어벌쩡[12]을 떤다.

색시는 늘 하는 빈말이란 듯 팔짱을 낀 채 코웃음만 친다.

"추중걸이 이래 바도 목통[13] 크고 활량이다. 내 신소리 하는 거 아니데이."

"노름 좋아하는 인간치고 그 정도 허풍 몬 떨모 숫제 손가락 끊는기 낫제." 색시가 말한다. 분을 뽀얗게 바른 색시가 나를 본다. "갑해구나. 앞으로 너그들 우째 살라카노?"

"우리 어무이 여기 있지예?"

색시가 내 알밤머리를 쓰다듬는다. 분 내음이 코를 찌른다. 내 배 속에서 소리가 난다. 더 참을 수 없게 배가 고프다. 나는 안채로 들어간다. 마당 건너 안채 마루 기둥에 남포등이 걸렸다. 어머니가 무슨 말인가 하고, 이모님이 장죽[14]을 빨며 듣고 있다. 어머니를 보자 가슴이 뛴다. 아니다. 어머니 앞에 놓인 자루를 보자 가슴이 뛴다. 큼지막한 자루다. 쌀이든 보리쌀이든, 어쨌든 양식인 모양이다. 히부죽이 웃을 누나 얼굴이 떠오른다. 기운이 난다. 저 자루를 가져가 밥을 짓게 된다면, 부엌 앞에 쪼그려 앉아 부지깽이로 솔가리를 밀어 넣으며 노래 쫑알거릴 분선이의 불그림자 일렁이는 발그레한 얼굴이 떠오른다. 진땀이 나고 맥이 풀린다. 이젠 살았구나, 하는 생각이 든다. 나는 어머니와 이모님 사이에

---

10 보꾹 지붕의 안쪽. 곧 지붕 밑과 천장 사이의 빈 공간에서 바라본 천장을 이른다.
11 술청 주로 선술집에서 술잔을 놓기 위하여 쓰는, 널빤지로 좁고 기다랗게 만든 상.
12 어벌쩡 제 말이나 행동을 믿게 하려고 말이나 행동을 일부러 슬쩍 어물거려 넘기는 모양.
13 목통 재물을 푸지게 쓰는 태도를 비유적으로 이르는 말.
14 장죽 긴 담뱃대. 곰방대.

섞여 들기가 멋쩍다.

"성님, 인자 우리는 우예 살꼬예. 밉든 곱든 서방인데, 저래 죽고 나모 세 자식 데불고 우예 살꼬……." 흐느끼는 어머니 목소리가 높아 간다.

마침내 어머니는 훌쩍거리며 운다. 나도 서러워진다. 눈물이 돌고 콧마루가 시큰하다.

"네 형부가 지서로 갔구마는 그런 큰 죄를 졌으이 무신 할 말이 있겠노. 시집 한분 잘몬 간 죄로 니가 이래 험한 꼴을 당하는구나." 이모님이 어머니를 달랜다.

"아이고. 내가 전생에 무신 죄를 많이 졌다꼬 이런 생고생을 당할꼬. 성님, 내 팔자가 와 이래 험한교. 어무이는 내 귓밥 커서 살아생전 벨 탈 읎이 잘살 끼라 카더마는, 와 이래 요 모양 요 꼴로 망쪼가 들었을꼬……." 어머니 흐느낌이 높아진다.

"어무이."

광목 치맛자락으로 눈두덩을 훔치던 어머니가 나를 본다. 울상이던 어머니 얼굴에 노기가 서린다. 눈을 부릅뜬다. 어머니는 눈이 커서 겁이 많다. 나는 어머니 눈을 닮았다. 나도 겁이 많다.

"이늠으 빌어묵을 자슥아. 집에 처박히 안 있고 머 하로 나왔노."

"불쌍한 아아가 무신 잘못을 저질렀다고, 쯧쯧. 갑해야, 여게 온나." 이모님이 내 편이 되어 준다.

나는 이모님 옆으로 다가간다. 이모님이 댓돌에 장죽 물부리[15]를 턴다. 내 어깨를 토닥거린다.

"갑해야, 배고프제? 니는 여게서 밥 좀 묵고 가거라. 갑해야, 갑해야. 니사 얼매나 똑똑하노. 그라이께 이모부가 니 중핵교 공부시키 줄라 안 카나. 크거들랑 큰사람 되거래이. 니 애비맨쿠로 미친 짓 하지 말고. 열두 대문 담장 치고 살거

---

15 물부리 담배를 끼워서 빠는 물건.

래이. 니 그래 장하게 되는 거 볼 때꺼정 내가 살아얄 낀대……."

이모님의 단 입김이 내 귓밥에 스친다. 술 냄새가 풍긴다. 손님이 주는 술을 받아 마신 모양이다. 이모님은 술만 마시지 않으면 참 좋은 분이다. 조금만 마셔도 괜찮다. 취하면 아무한테나 욕설을 퍼부어 욕쟁이 술주모로 불린다. 아니면 방바닥을 치며 큰 소리로 운다. 자식 하나 두지 못하고 쉰 나이를 바라보는 신세를 한탄한다.

"이놈으 팔자, 나는 와 이래 서방 복도 읎노. 자슥새끼들마 읎어도 헌서방이나따나 얻어가지러. 아이구, 내 팔자야. 설움도 많고 한도 많데이." 머리칼이 부스스한 어머니가 다시 읊조린다.

"마 치아라, 이것아." 이모님이 어머니 우는 꼴을 흘깃 눈으로 본다. 입술을 비죽거리며 핀잔을 준다. "자슥들이 불쌍치도 않나. 어서 가거라. 가서 밥이나 해 믹이라. 니사 그래도 부모 덕에 한창 클 때 배사 안 곯았지러. 아아들이 무신 죄가 있노. 그 미친갱이 서방이사 큰물 질 때 떠내려 보냈다 치고 악착같이 살 생각은 않고 무신 탄식이 그래 많노. 인자 허리끈 졸라매고 머든지 해 바라. 발 벗고 나서모 산 입에 금구 치겠나. 니도 함안댁 쁜 좀 바라. 해방되던 해, 호열자[16]로 서방 잃고 판돌이 데불고 얼매나 야무지게 사노. 떡판 짱뱅이[17]에 이고 장터마다 댕기느라 소꼿(속옷) 가랑이 성할 날 읎어도 설 지내고 밭 한 마지기 또 안 샀나. 이것아, 니도 악심 안 묵으모 장래 팔자 더 험할 끼데이."

그 소리를 듣자 어머니는 물코를 힝 하고 풀며 일어선다. 옆에 놓인 자루를 든다. 그 자루에 든 양식이 쌀이든 보리쌀이든, 나는 기분이 좋다. 어머니가 든 자루를 내가 받으려 할 때, 눈앞에 별이 번쩍한다.

"빌어묵을 밥통아. 그래 머슴아라는 기 밤이모 집 지킬 줄 모르고 지집아 둘 놔뚜고 머 하로 나왔노. 에미가 서방 정해갈까 바 찾아댕기나, 도둑질하로 갈까

---

16 호열자(虎列剌) '콜레라'의 음역어. 괴질.
17 짱뱅이 '머리'의 방언.

바 찾아댕기나."

머리꼭지로 연신 떨어지는 알밤에 나는 숨도 못 쉬고, 참을 수밖에 없다. 서러움보다 아픔 때문에 눈물이 고인다. 어머니는 곧잘 화풀이를 내게 하는 버릇에 익숙하다. 이모님이 어머니와 나 사이를 막는다.

"갑해 너무 쥐어박지 마래이. 니나 얼른 가서 기다리는 딸년들 밥해 믹이라. 갑해는 여기서 선짓국에 밥 한술 말아 믹이고 보내꾸마."

"니 쪼매 있다 집구석에 들오기마 해 바라. 뼈 가죽을 안 남길 끼다." 어머니는 숨을 몰아쉬며 말한다.

어머니가 이모님 집을 나선다. 나는 눈물을 닦으며 마루에 걸터앉는다. 이모님은 연방 혀를 차며 지서 있는 쪽에 눈길을 준다.

"갑해야, 배고푸제. 쪼매마 기다리레이. 내 얼른 국밥 한 그륵 맹글어 오꾸마." 이모님이 말한다.

이모님은 마당을 질러 술청으로 간다. 나는 입맛을 다시며 조갈증[18]에 떤다. 입에 침이 가득 괸다. 알머리에는 혹이 생겼는데 아프지도 않다. 집에 오면 뼈 가죽을 안 남기겠다던 어머니 말도 까먹었다.

잠시 뒤, 이모님이 김이 오르는 선짓국밥 한 그릇을 가져온다. 나는 고맙다는 말도 없이, 국밥을 금세 먹어 치운다. 국물까지 남김없이 마셔 버린다. 김치가 있었으나 젓가락질을 해 보지 않았다. 내가 생각해도 너무 빨리 먹었다. 내 먹성을 혀 차며 지켜보는 이모님 보기가 쑥스럽다.

"더 주까?" 이모님이 측은하다는 듯 묻는다.

"마 갠찬습니더. 이모님, 자알 묵었심더."

나는 더 먹고 싶었으나, 머리를 흔든다. 이마의 땀을 훔치며 이모님을 보고 웃는다. 기분이 좋다. 이제 살 것 같다. 기운이 난다. 오늘은 무사히 넘겼구나 싶

---

18 조갈증(燥渴症) 입술이나 입안, 목 따위가 몹시 마르는 느낌.

다. 그제야 어머니 얼굴이 떠오른다. 지금 집으로 들어가면 부지깽이로 닦달을 당하게 될 거였다. 누나와 분선이는 지금 얼마나 배고파할까, 하는 생각이 든다. 어머니가 자루를 들고 오는 걸 보면 배고픔도 잊겠거니 여겨진다.

"갑해야, 니 지서에 한분 가 바라. 이모부님 지서로 내리갔으이께 거게 있을 끼다. 니 애비 우예 됐는고 소식 알아 온나."

"그라게예."

나는 이모님 말뜻을 금방 알아차린다. 지서에는 아버지가 잡혀 있다. 지서 주임과 가까운 사이인 이모부님이 지서에 계시다. 지서 주임과 이모부님은 성도 같고 항렬까지 같은 먼 친척붙이다. 이모부님은 다리를 전다. 해방 전 일본에서 살았는데 관동 지방 대지진 때 일본 사람들 몽둥이에 맞아 다리뼈가 부러져 절름발이가 되었다. 그 통에 식구 모두가 죽었다 했다. 해방되기 전 고향으로 돌아왔다. 이모님은 술장사를 하고 이모부님은 허구한 날 놀고 지낸다. 읍내 사람들은 이모님이 이모부님 후처라고 말했다.

이모부님은 점잖은 분이시다. 이모님은 욕쟁이로 술장사를 하지만, 동네 사람들은 이모부님을 학자님으로 떠받든다. 이모부님은 중학교 한문 선생보다 한자를 더 많이 아신다. 하루에 몇 차례씩 큰 소리로 어려운 한서를 읽는다. 붓글씨도 잘 쓴다. 난초와 대나무도 잘 그린다. 활터에 활도 쏘러 다닌다. 그런데 이모부님은 술장사하는 이모님과 함께 산다. 말수 적고 점잖은 이모부님이, 목소리 크고 성질 괄괄한 이모님과 어떻게 한솥밥 먹고 살게 되었는지 나는 모른다. 어머니와 아버지만 해도 그렇다. 아버지는 일본에 가서 대학 공부까지 했다. 그런데 어머니는 한글도 제대로 읽을 줄 모른다. 아버지가 어머니와 어떻게 맺어졌는지 나는 모른다.

지난겨울이었다. 나는 어머니가 아버지에게 고함지르며 대드는 소리를 들은 적 있었다. 밤중인데 오줌이 마려워 눈을 뜨니, 놀랍게 아버지가 방구석에 앉아 있었다. 수염이 더부룩한 아버지가 언제 나타났는지 담배를 피우고 있었다. 아버지는 남루한 회색 바지저고리에 개털 모자를 쓰고, 목도리를 하고 있었다. 어머니가 울면서, 아아들 데불고 부산이든 서울이든 떠나서 살자고 아버지께 말했다. 이젠 지서로 더 불려 가 매질당할 수 없고, 남 손가락질 받고 살 수 없다고 울부짖었다. 아버지는 방문 쪽만 살피며 말이 없었다. 나는 오줌 눌 생각도 잊은 채 이불깃 사이로 아버지를 훔쳐보며 귀를 모았다. 두려웠다. 곧 순경이 들이닥칠 것만 같았다. 지서에 자수하든, 멀리 도망가든 한길을 택하란 말임더. 그래, 임자가 사람 탈을 쓴 인간인교, 아니모 짐생인교. 짐생도 지 식구를 이래 내삐리지는 안 할 낌더. 어머니 목소리가 높아 갔다. 아버지는 아무 말이 없었다. 어머니가, 사상에 미친 작자, 떠돌아댕기는 거리 구신 들린 서방이라고 욕설을 퍼붓기 시작했다. 아버지는 슬그머니 자리에서 일어났다. 날 쥑이고 가, 쥑이고 가란 말이다. 이 미친 사내야, 자슥새끼들하고 날 쥑이고 내빼. 내 죽어서 혼백이라도 임자 따라댕기미 망하게 하고 말 끼다! 어머니는 아버지 바짓가랑이를 잡고 늘어졌다. 그늠으 짓이 처자슥보다 그래 중하모 일찍 불알 떼 놓고 그 짓 하제 멋때메 처자슥 이 꼴 만들고 그늠으 사상에 미쳐! 아버지는 우리 오누이 쪽에 잠시 눈을 주다 어머니 손을 뿌리쳤다. 아버지는 뒷문으로 날쌔게 달아났다. 어머니가 뒤좇아 나갔다. 나도 오줌을 누려 일어났다. 마당으로 나와 오줌독에 소변을 보자 아니나 다를까, 호각 소리가 들렸다. 잡아라! 저쪽이다. 활터 쪽이다! 순경들 고함이 들렸다. 연달아 총소리가 터졌다. 쥑이라, 쥑여! 갈겨 버려! 순경들 고함이 차츰 멀어졌다. 나는 떨며 소변을 마쳤다. 어느 사이 나는 울고 있었다. 잉크빛 하늘에 걸린 달을 보며, 나는 소리 죽여 울었다. 찬 뺨에 뜨거운 눈물이 흘러내렸다. 왜 아버지가 목숨 걸고 도망만 다녀야 하는지, 나는 알 수 없었다. 오직 쑥대밭처럼 되어 버린 집안 꼴이 서러웠다. 아버지에 대한 증오와 연민이 함께 뒤섞여 이빨에 앙다물었던 울음이 소리가 되어 터져 나왔다. 바람을 타고 먼 산에서 산짐승 울음소리가 들렸다. 마을 개들이 짖었다. 얼룩진 눈에 차가운 별빛이 어룽졌다. 그날 밤, 아버지는 잡히지 않았다. 아버지를 놓친 순경들이 집으로 들이닥쳤다. 순경들은 장롱이며 벽장을 닥치는 대로 뒤졌다. 누나와 분선이와 내가 한 몸이 되어 껴안고 울 때, 어머니는 지서로 끌려갔다.

나는 활기차게 지서로 걷는다. 배를 채우고 나니 이젠 춥지 않다. 비로소 아버지가 보고 싶은 생각이 간절하다. 무싯날[19]에도 전을 펴는 저자 앞을 지난다. 예배당만 지나면 지서이다. 지서가 가까워질수록 내 가슴이 뛴다. 아버지가 순경들로부터 매를 맞고 있겠다 싶다. 그 옆에서 이모부님이, 아버지를 용서해 달라고 통사정하고 있을는지 모른다. 형무소에 처넣고 죽도록 고생시키더라도 죽이지만 말라고 지서장한테 통사정하고 있을지 모른다.

지서 건물 이마에 켜진 전등불빛이 보인다. 지서 앞 초소에는 늘 의용 경찰대원이 지키고 있다.

"아제예, 우리 아부지 말입니더…… 우리 아부지 우예 됐어예?" 나는 입초[20] 선 의용 경찰원한테 조심스럽게 묻는다.

의용 경찰원은 내가 누구 아들인지 금방 알아본다. 작년 봄이 떠오른다. 지서 노 순경이 나를 꾄 적 있었다. 학교에서 돌아오는 길에 순경이 내게 사탕 한 봉지를 주며, 아버지가 언제쯤 집에 오느냐고 물었다. 나는 모른다고 대답했다. 아버지가 언제 집에 올는지 정말 나는 몰랐다. 순경은 앞으로 친하게 지내자며 한사코 뿌리치는 내 손에 사탕 봉지를 쥐여 주었다. 나는 사탕이 먹고 싶었지만 그 봉지를 수채에 버렸다. 그런 사탕을 먹어서는 안 된다고 다짐했다.

"빨갱이 자슥 늠이구나. 아부지 찾으러 왔다 이 말이제? 니 아부지는 버얼써 골로 갔어."

"죽었어예?"

"그래, 뒈졌어."

"울 아버지가 벌씨러 총살당해 뿌렀다 이 말이지예?"

---

19 무싯날 정기적으로 장이 서는 곳에서 장이 서지 않는 날.
20 입초(立哨) 한 지역에서 움직이지 아니하고 보초를 서는 일. 또는 그런 사람.

내 되물음에 의용 경찰원이 너부죽이 웃다, 어깨에 멘 장총을 벗어 내려 나에게 겨눈다.

"니도 죽고 싶나? 죽기 싫으모 퍼뜩 집에 가. 가서 이불 둘러쓰고 잠이나 자!"

순경이 장난질로 총을 겨눈 줄 알지만, 나는 깜짝 놀란다. 손을 가슴 앞에 모으고 몇 발 물러선다.

"아닙니더. 이모부님 찾으러 왔심더." 내 목소리가 울먹인다.

그때, 이모부님이 어깨를 늘어뜨린 채 절룩거리며 지서 정문을 나선다. 나는 달려가 이모부님 두루마기 자락에 매달린다.

"이모부님요, 증말로 우리 아부지 총살당해 뿌렀습니꺼?"

이모부님은 대답이 없다. 훌쩍거리는 내 손을 잡는다.

"갑해야, 니 아부지는 이제 이 시상 사람이 아이다. 먼 데로, 아주 먼 데로 영원히 가 뿌렀어." 이모부님이 말한다.

"증말 죽었습니꺼? 순사가 총으로 쏴 쥑이 뿌랬습니꺼……."

나는 흐느낀다. 눈물과 콧물이 쏟아진다. 이모부님이 들먹이는 내 등을 쓸며 내 손을 더욱 힘 있게 쥔다.

"갑해야." 이모부님이 나를 부른다. 이모부님이 무엇인가 결심한 듯, 빠르게 말한다. "가자, 니 아부지 보이 주꾸마."

이모부님은 내 손을 끌고 지서 뒷마당으로 간다. 잎순이 터지려는 느릅나무 잔가지가 바람에 떤다. 뒷마당에는 달빛만 어슴푸레 비친다. 갑자기 두려운 생각이 든다. 이모부님은 말이 없다. 어둠 속에서 나는 무엇인가 찾으려 두리번거린다. 내 가슴이 방망이질하듯 뛴다. 눈을 닦고 아버지 모습을, 죽은 아버지 몸뚱이를 찾으려 나는 이곳저곳을 살핀다.

느릅나무 밑, 거기에 가마니에 덮인 무엇이 눈에 들어온다. 이모부님이 걸음을 멈춘다. 가마니 밑으로 발목과 함께 닳아빠진 찌까다비(농구화)가 비어져 나왔다. 시신은 정강이부터 머리까지 가마니에 덮였다. 나는 숨을 멈추고 이모부님 허리를 잡는다. 온몸이 떨린다.

"이거다. 이기 니 아부지 시신이데이. 똑똑히 보거라. 이렇게 죽었으이께 앞으로는 아부지를 절대 찾아서는 안 된다. 인자 알겠제?"

이모부님이 내 손을 놓더니 가마니를 뒤집는다. 나는 달빛 아래 희미하게 드러난 아버지 얼굴을 본다. 아버지 얼굴은 피 칠갑을 한 채 표정이 찌그러져 있다. 눈을 부릅떴다. 턱은 부었고, 입은 커다랗게 벌어졌다. 아버지가 저렇게 변해 버렸다는 걸 나는 믿을 수 없다. 아버지가 아닌, 다른 사람만 같다. 낡은 검정색[21] 국민복 단추가 풀어진 사이로 보이는 아버지 가슴은 내가 어릴 적, 그 무릎에 앉아 재롱을 떨던 가슴이다. 이제 아버지 가슴은 그 두려운 보라색으로 변하고 말았다. 두 팔과 다리는 아무렇게 내던져졌다. 아버지는 분명 잠을 자는 게 아니다. 나는 그 자리에 더 서 있을 수 없다.

"아부지가 …… 이렇게 돌아가시다이, 이렇게 죽고 말아 뿌리다이!"

나는 흐느낀다. 이모부님이 내 팔을 잡는다. 나는 이모부님 손을 뿌리치고 내닫는다. 내 눈에 이모부님도, 보초 선 의용 경찰원도 보이지 않는다.

"아부진 거짓말쟁이다. 거짓말만 하다 돌아가싰어. 아이다, 죽지 않았어! 거짓말처럼 죽은 체하고 있는 기라!"

나는 헐떡거리며 집과 반대쪽 철길 아래 들녘으로 내닫는다. 숨이 턱에 닿는다. 달빛에 뿌옇게 드러난 강둑이 보인다. 땀과 눈물로 찝찔한 눈 주위를 닦는다. 강둑에 올라서자 나는 숨을 가라앉힌다. 강물이 흐른다. 언제 보아도 강물은 쉬지 않고 흘러간다. 달빛을 받은 강물이 비늘처럼 번뜩인다. 강 건너 키 큰 미루나무가 아버지 모습 같다. 강 건너에서 빨리 건너오라고 손짓하는 것 같다. 나는 그 강을 헤엄쳐 건널 수 없다. 어릴 적, 아버지와 나는 이 강둑을 거닐며 많은 말을 나누었다. 언제인가, 아버지는 이렇게 말했다. 쉬지 않고 흐르는 강처럼 너

---

21 검정색 '검은색'의 잘못.

도 쉬지 않고 자라거라. 다음에 크면 어떤 길이 우리 모두에게 행복과 평등을 가져다주는 길인지 배우고 깨우쳐야 한다……. 그러자, 아버지가 죽었다는 실감이 비로소 내 마음에 소름을 일으키며 파고든다. 이제부터, 앞으로 영원히 아버지는 내게 그런 말을 들려줄 수 없다. 나는 홀연히 떨기 시작한다. 서른일곱 살 나이로 연기처럼 사라져 버린 아버지. 이제 내가 죽기 전 만날 수 없게 된 아버지. 어린 나에게 너무 어려운 수수께끼를 남기고 돌아가신 아버지의 길지 않은 인생을 더듬을 때, 나는 알 수 없는 두려움에 떤다. 두려움과 함께 어떤 깨달음이 내 머리를 세차게 친다. 그 느낌은, 살아가는 데 용기를 가져야 하고 어떤 어려움과 슬픔도 이겨 내야 한다는, 그런 내용이다. 보이는 것, 보이지 않는 모든 것이 안개 저쪽같이 신기한 세상, 내가 알아야 할 수수께끼가 너무 많은 이 세상을 건너갈 때, 나는 이제 집안을 떠맡은 기둥으로 힘차게 버티어 나가지 않으면 안 된다. 이런 결심이 내 가슴을 적신다. 눈물을 그 느낌이 달랜다.

아버지가 돌아가신 그해 초여름, 이 땅에 전쟁이 났다. 이모부님은 남쪽과 북쪽이 싸운 그 전쟁이 지금의 휴전선 부근에서 밀고 당길 이듬해 가을, 갑자기 별세하셨다. 나는 성년이 된 뒤까지 이모부님이 왜 그때 아버지 시신을 내게 확인시켜 주었는지에 대해 여쭈어 볼 기회를 놓치고 말았다.

(1973년)

※ 1973년 <월간문학>에 작품을 발표한 이후, 2005년 10월 작가가 부분 수정하였다.

양

윤흥길

윤흥길 (1942~)

전라북도 정읍에서 태어나, 1968년 소설 〈회색 면류관의 계절〉이 당선하여 문단에 데뷔했다. 〈양〉은 전쟁 시기 어린아이를 희생양으로 삼는 어른들의 이기심을 비판함으로써 개인과 사회의 밀접한 관계에 대한 통찰을 보여 주는 작품이다. 윤흥길은 이 작품에서처럼 왜곡된 역사 현실로 인한 부조리한 삶의 모습을 그리는 한편, 이를 극복하려는 인간의 노력까지도 두루 형상화한 소설가이다. 〈장마〉 〈황혼의 집〉 《아홉 켤레의 구두로 남은 사내》 《완장》 《에미》 《꿈꾸는 자의 나성》 등 다수의 작품을 썼다.

"그 웬수녀르 것 아직도 안 뒈졌다냐?"

윤봉이를 두고 하는 말이었다. 외출했다 돌아오면 어머니는 늘 이런 식으로 막내의 안부를 묻곤 했다. 윤봉이는 홍역을 앓고 있었다. 어머니의 이런 소리를 들을 때마다 나는 가슴 한쪽이 뜨끔했다. 그러면서 우리 집안이 그래도 행복했던 시절에 일찌감치 그 몹쓸 병을 앓아 둔 것에 감사했다. 하기야 따지고 보면 그것은 괜한 걱정이었다. 윤봉이와 나와는 엄연히 입장이 달랐다. 때문에 7년 전으로 거슬러 오르면서까지 내게 쏟아졌을지도 모를 구박을 상상할 필요는 조금도 없었다. 오히려 나는 그럴수록 자신을 가지고 어머니의 심정에 공감하는 편이었다. 어머니와 완전히 한통속이 되어 막내의 투병이 제발 비극으로 끝나기를 소망하고 있었다. 할 수만 있다면 내 손으로 죽이고도 싶었다. 차마 그럴 수는 없으니까 스스로 알아서 죽어 주기를 바라는 것이었고, 역신(疫神)[1]에 기대를 거는 점에 있어선 어머니 쪽이 훨씬 더 성급했다. 네 살짜리 꼬마 악마. 그는 채 네 돌을 맞기 전에 죽는 것이 너무도 당연했다. 이미 집안에 없는 사람이 된 아버지를 제외한 우리 식구 모두는 윤봉이가 하루속히 죽어 없어지기를 노골적으로 고대하고 있었다. 그리고 우선은 윤봉이가 우리의 기대를 배반해 가면서 끈질기게 버티고 있지만 끝내는 바라는 대로 되고야 말리란 걸 아버지를 제외한 우리 식구 모두는 철석같이 믿고 있었다. 날로 악화의 길을 치닫는 여러 징후가 우리의 믿음을 실감 나게 밑받침해 주고 있었다.

---

1 역신 천연두나 홍역 등의 역병(전염병)을 주관한다는 신.

우리가 이해 못할 어떤 잘못이 있어 아버지를 번번이 곤경에 빠뜨려 왔다. 그리고 그 곤경은 언제나 아버지 혼자 몸에서 끝나지 않았다. 아버지에 딸린 하나하나의 목구멍들인데 우리라고 무사할 리 없었다. 불행은 항상 아버지의 신상에 어떤 위해를 가하는 방식으로 우리 집 대문을 똑똑 두들기는 것이었다. 밤중에 술을 잔뜩 마시고 시비를 벌인 끝에 아버지는 당시 목숨만큼이나 소중하다는 양민증[2]을 압수당했다. 그런 지 며칠 안 되어 가두[3] 불심 검문[4]에서 그만 된통으로 걸려 버렸다. 어머니의 푸념대로 하자면, 돈도 없고 빽도 없고, 없는 돈 빽만큼이나 재수도 없는 비슷한 처지의 다른 사내들과 함께 아버지는 시내 복판에 있는 심란스러운 창고 속에 수용되었다. 일선으로 노무자[5]를 실어 나를 수송열차 편을 기다리기 위해서였다.

아버지가 돌아오지 않게 된 날부터 우리들이 맞는 밤은 유난히도 길었다. 낮 동안도 물론 그랬지만 특히 밤이 되면 고통의 편편들이 더한층 견딜 수 없는 무게로 우리를, 특히 나를 무섭게 억누르는 것이었다. 낮이 소유하지 못한 그 무엇을 그때 분명히 밤은 지니고 있었다. 뭐랄까, 그것은 보리밭에서 내 간을 노리며 부는 문둥이의 피리 소리와 같았고, 때로는 선잠에서 깨어 변소를 향하다가 달빛 아래 딱 마주친 하얀 빨래에서 느끼는 전율과도 같은 성질의 것이었다. 아버지 일 때문에 아침밥을 지어 놓기 무섭게 어머니는 밖으로 나돌아야만 했다. 대문을 나서기 전에 언제나 내 몫이라고 어머니가 손에 쥐여 주는 한 움큼의 한숨이 있었다. 그걸 나는 한나절의 시간 위에다 데굴데굴 굴리면서 아무쪼록 어머니가 좋은 소식을 가지고 귀가하기만을 기다렸다. 그러나 밤이 늦는데도 어머니는 기척이 없었다. 내 몫의 한숨은 야금야금 어둠을 빨아들여 언덕을 굴러 내

2 양민증(良民證) 신분증명서. 일제 강점기 및 해방 직후에 쓰였던 것으로, 현재의 주민 등록증과 유사한 기능을 했던 증서.
3 가두(街頭) 도시의 길거리.
4 불심 검문(不審檢問) 경찰관이 수상한 거동을 하거나 죄를 범하였거나 범하려고 하여 의심받을 만한 사람을 정지시켜 질문하는 일. 주로 범인 체포, 범죄 예방, 정보 수집 등을 목적으로 행한다.
5 노무자(勞務者) 육체노동을 하여 그 임금으로 살아가는 사람.

리는 눈 뭉치처럼 부풀기 시작했다. 어느새 그것은 아픔으로 심각한 두려움으로 변해서 조만간에 내 몸뚱어리마저 먹어 치울 거라는 환상으로부터 좀처럼 벗어나기 어려웠다. 이럴 적에 내가 바라는 건 오직 등에 업혀 울어 보채는 막내가 바위에 제동이 걸린 눈 뭉치처럼 산산조각으로 부서져 버리는 일이었다. 고통과 두려움을 쫓기 위해 나는 고래고래 소리를 지르거나 아니면 터무니없이 큰 소리로 울었다. 그러다가 지칠 대로 지쳐 모르는 사이에 어렴풋이 잠이 들었다. 밖에서 돌아온 어머니가 이런 말로 깨울 때까지 내게 머물던 평안은 너무 짧았다.

"그 웬수녀르 것 아직도 안 뒈졌다냐?"

네 살짜리 악마. 언제부터인가 묘한 미신이 우리를 지배하기 시작했다. 그런 식 말고는 연거푸 닥치는 숱한 불행들을 달리 해석할 도리가 없었다. 우리를 혹심한 가난과 낙담 속으로 몰아넣은 아버지의 시련— 거기에는 반드시 윤봉이가 깊은 관련을 맺고 있었다. 녀석이 항상 유령의 그림자처럼 배후에 도사리고 앉아 한 톨 한 톨 놀부의 박씨를 물어다 떨어뜨리는 것이었다. 가정 전체를 파멸로 이끌도록 악마가 시켜서 보낸 우리 윤봉이. 그의 백치다운 허여멀건 얼굴과 천진스럽기 그지없는 웃음 저편에서 우리는 똑똑히 검은 날개를 볼 수 있었다. 더듬거리는 그의 연설 흉내와 군가 재롱 속에서 널름거리는 비수의 혓바닥을 찾아내는 건 그리 어렵지 않았다. 네 살짜리 꼬마 악마, 우리 윤봉이.

아버지 자신은 그걸 처음부터 부인했다. 단순한 부인에만 그치지 않고 윤봉이를 겨냥해서 일제히 퍼부어지는 냉대와 구박의 과녁 역할을 자신이 직접 감당하려 했다. 하지만 일삼아 벌이는 노력에도 불구하고 윤봉이에 대한 주위의 평판은 조금도 개선될 기미가 안 보였다. 콩 심은 데서 팥을 거둘 수는 없는 법이었다. 우선 아버지의 직장 문제만도 그랬다. 오랫동안 별다른 사고 없이 근무해 온 군청에서 납득할 만한 이유도 없이 별안간 감원 대상에 오른 것이다. 출처 불명의 얼토당토않은 소문들이 꼬리를 물어 능욕하듯 아버지의 고지식에 가까운 성실성을 형편없이 유린[6]해 놓았다. 이를테면, 공금 횡령의 혐의가 덮씌워지거나 인공[7] 치하에서의 행적이 불투명했다는 오해로 은근한 내사[8]를 받거나, 무능하다는 등으로 아버지를 요모조모로 괴롭혀 온 갖가지 불순한 혐의들은 군청을 완전히 그만두는 날까지 진드기처럼 붙어 다녔다. 그런 다음 취중의 귀갓길에서 빼앗긴 양민증으로 아버지는 이미 초주검[9]을 당한 꼴이 되었던 것이다. 이 모든 것을 아버지는 그저 자신의 부덕한 소치로 돌리면서 지지리도 운이 없음을 한탄만 했다. 그렇지만 우리 보기에 적당한 간격을 두고 순서 정연히 진행된 이와 같은 일들의 연속을 우연임이 명백한 양 체념하고 넘기기엔 뭔가 억울한 느낌이었다. 틀림없었다. 그것은 일사불란한 한 개의 끈에 의해서 조종된 계획적인 범죄 행위나 마찬가지였다. 그리고 그 끈의 한쪽을 단단히 붙잡고 있는 사람이 바로 윤봉이었다. 판단을 내림에 있어 우리는 결코 원족[10]이라도 떠나는 기분으로 경솔하게 굴지는 않았다. 철부지 어린것의 행동이 곧바로 한 가정을 곤궁 속에 몰아넣은 불행의 사단이었다고 확신하기까지엔 대개 한 번쯤들 말로 못할 고통을 겪어야만 했다. 한참의 주저와 죄책감이 없이는 대뜸 윤봉이 녀석을 지목할 수가 없었던 것이다. 그러나 어쩌랴. 전후 사정이나 눈에 보이는 증거들이 전부 우리 윤봉이 쪽에 불리한 것들뿐이고, 또 어머니를 비롯해서 그 애보다 나이 한 살이라도 더 먹은 우리 형제들이 모두 무언의 합의하에 내린 그것은 소위 양심의 절차를 충분히 밟은 후에 도달한 움직일 수 없는 결론인 것을 어쩌랴.

애가 본시 좀 모자라는 편에 속했다. 생긴 모양은 제법 멀쩡해서 공들여 찾아보면 한두 군데 귀여운 구석도 없지 않았다. 그러나 잠시만 주의 깊게 살펴볼라치면 게게 풀린 눈동자에서 그 애의 타고난 바보를 손쉽게 잡아낼 수 있었다.

---

6 유린(蹂躪) 남의 권리나 인격을 짓밟음.
7 인공(人共) '인민 공화국'의 줄임말.
8 내사(內査) 겉으로 드러나지 아니하게 몰래 조사함.
9 초주검 두들겨 맞거나 피곤에 지쳐서 거의 다 죽게 된 상태.
10 원족(遠足) 소풍.

두 돌이 가깝도록 겨우 한다는 소리가 아무 때나 분수없이 졸라 대는 그놈의 '맘마' 정도였다. 걸음마를 시작한 것도 겨우 그 무렵이어서 아무튼 변변한 사람 구실 하긴 아예 일찌감치 떡 쪄 먹었다는 게 이웃의 중론[11]이었다. 가슴 아픈 일이긴 해도 아버지 어머니 역시 그걸 시인하고 있었다. 마음대로 안 되는 일은 막무가내 울음으로 다 해결하려 하고, 한번 울음을 터뜨렸다 하면 도대체 끝이 없고, 욕구가 어느 정도 충족되어 가까스로 울음을 그치고 나면 이번엔 언제까지나 잠만 퍼 자는 그 애를 대할 적마다 어른들은 수심에 잠겼다. 모자라는 게 분명해진 이후로 그 애는 숫제 가족들의 동정 속에서만 자랐다. 그러다가 남달리 드센 고집이 나타나고부터는 그 동정마저 차츰 잃어 갔다. 손도 댈 수 없는 고집통이[12]로 머리 쓰다듬어 주는 사람 아무도 없는 속에서 저 혼자 그래도 꼼지락꼼지락 자라는 모습이 죄로 갈 말로, 가관이었다. 그러자 전쟁이 일어났고, 인민군이 내려와 마을에 주둔하기 시작했다.

소년티를 채 벗지 못한 인민군 병사 하나가 있었다. 그의 거동이나 맡은 임무가 상당히 독특한 것이어서 오자마자 우리들 눈에 금방 띄었다. 마을 안팎을 어정어정 돌아다니며 하루 종일 우리 같은 조무래기들이나 상대하는 게 일이었다. 총 대신 그는 때 묻은 목판을 허리 높이로 안고 다녔다. 그리고 목판 위엔 목에 쇠줄을 맨 앙증스러운 짐승 한 마리가 대뚝 올라앉아 있었다. 그것이 예리한 발톱으로 판자를 닥닥 긁어 대며 적의를 품은 눈으로 아무나 잔뜩 노려보는 꼴을 보려고 애들이 그 소년 병사의 뒤를 쫄래쫄래 따라다녔다. 애들을 모으기 위한 수단이었다면 그는 첫날부터 벌써 목적을 충분히 달성한 셈이었다. 그러나 그가 하는 말을 우리는 여간해서 믿으려 하지 않았다. 고양이 크기의 그것이 산에서 잡아 온 호랑이 새끼라고 설명할 때마다 우리는 절반만 믿고 절반

11 중론(衆論) 여러 사람의 의견.
12 고집통이 고집이 센 사람. 고집불통.

은 그냥 웃어넘겼다. 평야부[13]에서 나고 자란 우리에게 새끼 호랑이와 어미 고양이의 구별은 쉬운 일이 아니었다. 아이들의 의심을 풀어 주기 위하여 어느 날 그는 일을 꾸몄다. 우리는 그가 시키는 대로 움직였다. 목판 위의 그것보다 몸집이 약간 큰 강아지를 끌어다가 승찬이네 닭장 안에 가두었다. 준비가 진행되는 동안 멀찍한 곳에 잠시 피해 있던 그가 예의 그 짐승을 안은 채 느린 걸음으로 나타났다. 그러자 우리들 눈앞에서 기묘한 일이 벌어지기 시작했다. 벌 떼처럼 모여든 아이들의 아우성에 오금이 굳어 닭장 구석에서 옴쭉도 못 하던 강아지가 갑자기 낑낑거리는 것이었다. 주둥이를 땅에 박고 냄새를 맡다가 점점 다가서는 그를 보더니 마침내 강아지는 미쳐 날뛰기 시작했다. 그는 쇠줄을 느슨히 쥔 다음 짐승을 닭장 앞으로 던져 놓았다. 주인의 손을 떠난 그것은 단 한 차례의 눈부신 도약으로 훌쩍 닭장 철망 앞에 섰다. 쇠줄을 팽팽히 당기면서 낮게 으르렁거린 다음 앞발로 땅을 파헤쳐 보얗게 흙먼지를 일으켰다. 앙증스러운 몸집에 비해 얼굴의 줄무늬를 뒤틀며 이리저리 내닫는 품이 상상 이상으로 사납고 재빨랐다. 닭장 안을 노리는 두 개의 눈망울에서 내뿜는 살기로 대낮의 일광[14]이 오히려 무색할 지경이었다. 위협에 질려 중심을 못 잡고 갈팡질팡하던 불쌍한 강아지는 저보다 덩치가 작은 적이 재차 도약해서 철망에 달라붙는 순간 덩달아 한 차례 저도 폴짝 뛰더니 처참한 부르짖음을 마지막으로 땅바닥에 고꾸라져 그대로 까무러치고 말았다. 여름날 백주[15]의 야만 행위는 뙤약볕이 쏟아지는 승찬이네 마당 한 모퉁이에서 순식간에 끝나 버렸다. 이제 그것은 의심의 여지가 전연 없는 완전무결한 한 마리의 맹수였다. 한바탕 불량을 떨고 나서 호랑이 새끼는 도로 주인의 품에 안겼다. 눈 깜짝할 사이에 한 마리의 맹수에서 어느새 어미 고양이와 별반 다를 게 없는 앙증스러운 모습으로 둔갑하여 더럽

---

13 평야부(平野部) 들판. 산지가 별로 없는 지역.
14 일광(日光) 햇빛.
15 백주(白晝) 대낮.

힌 발바닥을 혀로 깨끗이 소제[16]하고 있었다. 그러나 우리는 아무도 그것에 속지 않았다. 생김새는 제법 깔끔한 척 저래도 마음만 먹으면 아무 때든지 상대를 습격해서 목줄기를 물고 늘어질 수 있다는 걸 분명히 보았기 때문에 아무도 입을 열지 않았다. 선불리 입을 놀릴 수가 없었다. 간담이 서늘해지던 광경의 장면 하나하나를 머릿속에 자꾸만 되새기면서 잠자코 침묵을 지켰다. 한낮의 불볕 아래 땀을 흘리며 우리는 꼼짝도 않고 서 있었다. 이때 우리는 갑작스레 터져 나오는 경망스러운 웃음소리를 들었다. 내 겨드랑이 밑에서 나는 웃음소리였다. 그 소리가 아니었다면 내 겨드랑이에 거의 매달리다시피 윤봉이가 붙어 있다는 걸 나는 까맣게 잊었을지도 모른다. 윤봉이는 인민군 병사의 품에 안긴 새끼 호랑이를 정신없이 올려다보고 있었다. 그러면서 벌린 입으로 연신 히히하고 웃는 그 바보스러운 웃음이었다. 난생처음 본 광경의 충격이 여태껏 잠만 자고 있던 윤봉이의 무딘 공명판[17]을 힘껏 난타했을 것이었다. 그래서 다소 뒤늦은 느낌이나마 깜냥[18]엔 반응을 보인다는 게 그 모양일 것이었다. 그러나 내가 듣기에 그것은 엄숙히 날로 씨로 달여 짜낸 칙칙한 휘장 같은 분위기를 서슴없이 찢는 방자한 웃음이었고, 인민군 병사와 새끼 호랑이의 권위에 대한 모독이었다. 일제히 윤봉이 쪽으로 쏠리는 시선들을 느끼며 공연히 불안해졌다. 녀석이 저지른 실수 탓에 애먼 사람까지 화를 당하지 않을까 걱정이었다. 그런데 아무 일도 일어나지 않았다. 호랑이는 윤봉이의 목덜미를 물어 찢지 않았고, 인민군의 입에서 떨어지는 호통도 없었다. 예상을 뒤엎고 되레 그 소년병은 윤봉이를 향해 관대한 웃음을 지었다. 득의[19]의 실험에 맨 먼저 반응을 나타낸 웬 바보에 대해 우정을 보내는 눈치였다. 막내의 실수는 그것 한 가지로 그치지 않았다. 우리 조무래기들을 상대로 그 소년 병사는 드디어 벼르고 별러 온 연설을

---

16 소제(掃除) 청소.
17 공명판(共鳴板) 소리를 진동시키는 상자의 구실을 하는 나무 판. 피아노의 떨림판, 현악기의 겉판과 뒤판 따위이다.
18 깜냥 스스로 일을 헤아림. 또는 헤아릴 수 있는 능력.
19 득의(得意) 일이 뜻대로 이루어져 만족해하거나 뽐냄.

시작했다. 그는 자기네의 수령[20]을 호랑이에 비유해서 동화식으로 이야기를 꾸몄다. “영용하신[21] 수령 동지께서…….” 하고 그는 주먹을 부르쥐며[22] 힘차게 외쳤다. 그러자 윤봉이 녀석이 제꺼덕 끼어들어 “엉넝하신 수령 동지께서…….”라고 흉내 내는 것이었다. 어눌한 흉내가 주는 희극적인 효과 때문에 웃지 않을 수가 없었다. 아이들은 간지럼이라도 타는 듯 까르르 웃음판을 벌였다. 점점 우쭐해진 윤봉이는 연설이 고조되는 대목만 나오면 어김없이 흉내를 내는 것이었고, 그럴 때마다 연사인 소년병 자신도 어쩔 수 없이 사람 좋게 웃어 보였다. 번번이 윤봉이가 중동[23]을 자르고 덤비는 바람에 청중을 휘어잡을 수가 없는 탓인지는 몰라도 어째 썩 잘하는 연설 같지가 않았다. 아무튼 되풀이되는 방해 속에서 그래도 가까스로 연설을 끝낸 그가 우리 윤봉이 앞으로 뚜벅뚜벅 걸어왔다. 그는 새끼 호랑이 대신 윤봉이를 번쩍 안아 올렸다. 윤봉이의 볼에 맨숭맨숭한 턱을 비비대는 나어린[24] 인민군을 보고 우리는 환성을 울렸다. 지천꾸러기[25]로만 자란 우리 윤봉이로서는 그야말로 찬란한 날의 시작이었다. 제가 화제의 주인공이 되어 난생처음 사람들로부터 주목을 받던 날의 찬란한 기억을 아마도 우리 윤봉이는 죽는 그날까지 잊을 수가 없었을 것이다.

돌아오지도 않을 아버지를 생각해서 행여나 하고 아래쪽 이부자리 밑에 묻어 둔 잡곡밥 한 그릇이 있었다. 이제 그걸 처분해야 할 시간이 다가오고 있었다. 동생 애들은 시계 이상 가는 비상한 육감으로 절정적인 순간의 도래를 거의

---

20 수령(首領) 한 당파나 무리의 우두머리. 여기서는 당시 북한의 최고 지도자인 김일성을 가리킨다.
21 영용하다 영특하고 용감하다.
22 부르쥐다 힘을 들여 쥐다.
23 중동 가운데. 중간 부분.
24 나어리다 나이가 어리다.
25 지천꾸러기 '천덕꾸러기'의 방언. 남에게 꾸지람만 듣는 사람.

깔축없이[26] 알아맞히는 것이었다. 아니나 다를까, 언덕 너머 남바웃동네 모롱이[27] 후미진 철길을 지나는 야간열차의 기적이 길게 울렸다. 그 기적 소리가 동생 애들의 눈에 번쩍 불을 달아 놓았다. 나하고 두 살 터울인 윤석이와 하나뿐인 계집애 동생 성자가 눈에 그렇게 불을 켜고 앉아서 내 눈치를 살폈다. 으레 어머니는 기적의 여운이 사라지는 무렵 마침내 결심했다는 듯 무겁게 고개를 끄덕이는 것으로 우리에게 자비의 신호를 베풀곤 했었다. 아버지의 귀가가 늦은 이유는 대개 억척으로 마시는 술 때문이었다. 그리고 술에 취해 밤늦게 돌아온 날은 저녁을 뜨지 않은 채 그냥 잠자리에 들기가 예사였다. 아버지가 자주 취해서 되도록 비틀걸음으로 들어오기를 바라는 건 다아 그만한 속셈이 있어서였다. 밤도 어지간히 깊은 때였다. 노무자로 잡혀 수용소에 갇힌 아버지가 이런 시간에 다시 돌아올 가망은 거의 없었다. 그 애들의 눈에 붙은 불을 꺼 줄 사람은 어머니가 아니고 나였다. 어머니가 그랬듯이 어머니를 대리하여 나는 마침내 자비의 고갯짓으로 허락을 내렸다. 아버지가 노무자로 잡혔다는 소식도 윤봉이의 숨다급한 생떼거리 울음도 그것들의 식욕을 꺾지 못했다. 전쟁의 꼬리에 묻어 찾아온 흉년의 계속이 아이들을 자꾸 탐욕의 덩어리로 만들고 있었다. 야속스럽게도 그것들은 잡곡밥 한 그릇을 순식간에 먹어 치웠다. 배고픔에 시달리는 사람이 저희들뿐만이 아닌데도 그것들은 밥풀 하나 남기지 않았다.

"종국이가 그러는디 노모자덜은 날마다 쌀밥만 먹는디야."

소맷부리로 입언저리를 썩썩 문지르고 나서 윤석이가 다소 멋쩍은 듯 엉뚱한 소리를 했다. 나는 대꾸하지 않았다.

"울 아버지도 그럼 오널 저녁 쌀밥 먹었겠네?"

성자 년이 방정맞게 툭 차고 나섰다. 아까부터 내가 잔뜩 부어 있다는 걸 그것들이 알아주길 바라면서 나는 부러 그것들의 입가심 소리에 끼어들지 않

---

26 깔축없이 조금도 축나거나 버릴 것이 없이.
27 모롱이 산모퉁이의 휘어 둘린 곳.

왔다.

"그럴 거여. 울 아버지도 아매 쌀밥 먹었을 거여."

"그럼 니알 아침도 쌀밥이겄네?"

"그럴 거여. 쌀밥일 거여."

"즘심도 쌀밥? 저녁도 쌀밥?"

"그려. 끄니때마다 쌀밥이여."

그것들은 아주 진지했다. 그것들은 '쌀밥'이란 말에 유난히 힘을 주어 무슨 그리운 사람의 이름이거나 놓으면 깨지는 물건인 양 소중스럽게 부르고 있었다. 윤봉이야 울어 보채건 말건 그렇게 태평스러운 잡담으로 언제까지고 노닥거릴 작정들인 것 같았다. 그러나 그것들은 식곤증에 졸음까지 겹쳐 머리를 두어 번 꾸벅이다가 금세 쓰러져 버렸다. 다 하지 못한 쌀밥 얘기를 꿈속에서 마저 나누려는 것처럼 마주 보는 자세로 누워 어느새 콜콜 잠이 들었다. 나는 띠를 대어 등에 업은 윤봉이를 어르면서 좁은 방 안을 사람 없는 자리로 골라 디디며 이리저리 서성거렸다. 윤봉이는 눈 하나 제대로 못 떴다. 눈은 딱 감은 채로 입만 간신히 살아 아직도 죽지 않은 값을 톡톡히 해내느라고 무섭게 칭얼거렸다. 아침 무렵만 해도 안면 부위에만 머물러 있던 열꽃이 점차 아래쪽으로 번지더니 인제는 불티[28]를 뒤집어쓴 듯 숫제 전신이 빨긋빨긋했다. 처음 시작할 때만 해도 환절기에 흔히 나도는 감기쯤이려니 하고 모두들 예사로 여겼었다. 그런 일에 경험이 많은 어머니마저 깔밋잖은[29] 게 무슨 고뿔[30]이냐며 손쓸 마음조차 안 먹었다. 그러던 것이 사나흘 고열에 시달리면서 심상찮은 조짐을 보이기 시작하자 뒤늦게 홍역이란 걸 알았다. 한약방에 갈 약값은 고사하고 미음 쑬 쌀 한 주먹 구할 돈도 없었다. 병치레를 하는 것이 윤봉이 아닌 다른 사람이었다면 좀

---

28 불티 타는 불에서 튀는 작은 불똥.
29 깔밋잖다 모양이나 차림새 따위가 깔끔하지 않다.
30 고뿔 '감기'를 일상적으로 이르는 말.

더 나은 치료법을 썼을지도 모른다. 그런데 불행이 엎치고 덮쳐 가래가 찢어지게 어려운 처지인 데다 대상이 다름 아닌 우리 집 지천꾸러기 막내였던 것이다. 잠시의 궁리 끝에 민간요법을 택하면서 어머니는 그런 따위들이 우리 형편에 쓸 수 있는 최선의 방책이라고 분명히 못을 박았다. 어머니는 살아 꿈틀거리는 가재를 한 중발[31]이나 되게 어디서 구해 왔다. 그걸 확 속에 넣어 찧고 갈아 생즙을 짜서 먹였다. 그래도 열이 안 내리니까 이번에는 댓잎[32]에 무슨 넌출[33]인가를 섞어 달여 먹여도 보았다. 가재와 댓잎 덕분인지는 모르지만 아무튼 어느 정도 차도가 보이는 듯했다. 그러나 그런 효험도 잠시뿐, 겨우 하루를 빤히 넘기고 나서 한풀 꺾이는 것 같던 신열[34]이 어느새 다시 치솟고 있었다. 고장 난 육감으로나마 저도 뭔가를 눈치챈 것 같았다. 유일하게 저를 역성들어 주던 아버지가 미구[35]에 전쟁터로 끌려가게 된 것을 용히 알아차린 모양이었다. 손발을 쉴 새 없이 꼬물거리며 줄창 보채는 소리였고, 그럴 적마다 꽁꽁 동여맨 띠 속에서 몸뚱이 전체가 아래로 자꾸만 흘러내리려 했다. 어머니는 아직껏 돌아오지 않고 있었다. 예상이 빗나갈 경우 나중에 올 커다란 실망에 대비하느라고 나름대로 어머니가 돌아옴 직한 시간을 내 쪽에 훨씬 불리하게 점쳐 놓았는데도 매번 그것은 무참히 어겨졌다. 윤봉이 녀석보다 외려 내가 먼저 죽을 것만 같은 갑갑하고 지루한 시간의 단위를 나는 자꾸만 흘러내리는 몸뚱이를 다시 고쳐 업는 동작으로 내내 헤아려 왔다. 또 속은 셈치고 더 양보를 해서 앞으로 열 차례 띠를 고쳐 맬 때까지만 기다리기로 마음을 질기게 가졌다. 그 열을 세는 동안에 어느덧 통금 시간이 넘어 버렸다. 윤봉이를 추스를 기운은 고사하고 이젠 내 몸 하나 지탱할 수도 없게 흠씬 지쳐 버렸다. 아무렇게나 방바닥에 픽픽 쓰러져 세상모르게 잠든 것들을 내려다보면서 느끼는 분노와 졸음과 무릎이 금방 절반으로 접

---

31 중발(中鉢) 밥그릇.
32 댓잎 대나무의 잎.
33 넌출 길게 뻗어 나가 늘어진 식물의 줄기. 등의 줄기, 다래 줄기, 칡 줄기 따위.
34 신열(身熱) 병으로 인하여 오르는 몸의 열.
35 미구(未久) 얼마 오래지 아니함.

힐 듯한 피로 때문에 소리 내어 울고 싶은 심정이었다. 그럴수록 막내 녀석은 이리저리 보채는 가운데 점점 몸이 부풀어 쌀가마만 해졌고 두엄 더미만 해졌고 노적가리[36]만 해졌고 나중에는 아예 집채만 해졌다. 집채에나 견줄 만큼 엄청난 무게로 등덜미를 타 누르는 것이었다. 굶고 주려 언제나 비리비리한 형제들 중에서 산송장이나 매한가지인 막내를 업을 만한 기력을 가진 건 그래도 나 혼자였다. 더구나 그 일을 감당할 사람이 우리 집안에 더는 없다는 사실을 자각할 줄 아는 유일한 인물 또한 나였다. 그래서 어머니가 집을 비우는 동안 윤봉이 녀석을 도맡아 숨통을 서서히 졸라매는 일은 죽으나 사나 내 소관으로 남아 있었던 것이다. 누워 있는 것들이 밟히지 않도록 애써 빈자리를 골라 디뎌 가며 나는 잠시도 멈추지 않고 서성거렸다. 그렇게 서성거리면서 이 오밤중에 어머니가 어디서 뭘 하는지를 곰곰 생각해 보았다. 도덕적인 의혹이 슬그머니 머리를 디민 것은 바로 이때부터였다. 나는 어머니를 부쩍 의심하기 시작했다. 우리를 내팽개치고 멀리 달아나 버릴지도 모른다. 아니 벌써 달아났을지도 모른다. 여태까지 돌아오지 않는 걸 보면 그게 틀림없다. 전에 승찬이네 어머니도 그랬다. 승찬이네 아버지가 노무자로 붙잡혀 떠난 다음 며칠간은 보퉁이를 머리에 이고 행상을 다니는 척하다가 영영 돌아오지 않고 말았다. 그날 저녁 승찬이는 젖을 갓 뗀 승복이를 등에 업고 캄캄한 고샅길[37]을 동네가 떠나가도록 울면서 밤새껏 헤매고 다녔다. 그때 애들이 불쌍타며 남의 일 같잖게 도망친 여자를 욕하던 우리 어머니가 똑같이 그런 짓을 하다니. 그러고 보니 내일 당장 승찬이를 만날 일이 꿈만 같았다. 녀석은 내 비아냥거림에 대한 보복으로 그때보다 훨씬 더 많은 애들 앞에서 내가 주었던 것보다 몇 배나 더한 비아냥거림을 마치 퉤퉤 침이라도 뱉듯 내 면전에 되돌려 줄 것임이 너무도 뻔했다. 그런 수모를 당하기보다는 차라리 일찍 죽어 버리는 게 나았다. 차라리 나는 죽어 버리고 싶었다. 죽고 싶다

36 노적가리 한데에 수북이 쌓아 둔 곡식 더미.
37 고샅길 시골 마을의 좁은 골목길. 또는 골목 사이.

는 생각이 속에서 자꾸만 울음으로 바뀌어 목구멍을 치받쳐 오르고 있었다. 누군가 우리 집 대문을 탕탕 두들기고 있었다. 누군가 내 이름을 큰 소리로, 한 번도 아니고 몇 번씩이나 아까부터 계속해서 부르고 있었다. 달아났던 우리 어머니였다. 우리를 버리고 달아난 줄만 알았던 어머니가 어서 문을 열라고 성질 사납게 재촉하는 소리였다.

"그 웬수녀르 것 아직도 안 뒈졌다냐?"

문턱을 넘어서면서 어머니가 피곤에 지친 소리로 짜증스럽게 물었다. 그 말에 나는 대꾸하지 않았다. 그것보다 먼저 어머니와 나 사이에 분명히 해 둬야 할 일이 있었다. 무슨 수를 써서든 확실한 언질을 받아 내고 싶었다. 늦게나마 돌아와 준 데 대한 감사의 정과 아직도 말끔히 가시지 않은 의혹이 나를 퍽 조급하게 만들었다.

"아버지 만나 봤어?"

"만나 봤다."

"아버지 말고 따른 사람 아무도 안 만났어?"

"노무자 가는 디서 빼내 돌라고 예배당 장노님도 만나고 느 애빈가 뭣인가 허는 사람 친구덜도 여럿 만나고 오는 질이다."

"그러고 또 따른 디는 안 댕겼어?"

다잡아 족치듯 묻는 서슬이 아무래도 좀 지나쳤던 모양이다. 윤봉이를 받아 들던 어머니의 눈이 별안간 완연한 세모꼴로 바뀌었다. 그러나 아직도 많이 참는 눈치였다.

"내가 만날 사람이 이 밤중에 누가 또 있겄냐."

"증말?"

"아아니, 이 오구라질 연석이!"

눈앞이 갑자기 캄캄해졌다. 그동안 참고 참았던 짜증과 부아가 어머니의 주먹 끝으로 몰려 내 등으로 머리통 위로 방망이질하듯 사정없이 떨어지고 있었다. 눈에서 불이 번쩍 일도록 귀쌈을 갈겨 준 어머니에게 진정으로 감사하고 감사하다가 간신히 잠이 들었다.

호랑이 사건 이후부터 윤봉이에겐 커다란 변화가 생겼다. 연설 흉내만이 아니라 군가를 부르는 데도 그 특이한 재주를 발휘하여 잠깐 사이에 우리 마을의 명물로 등장했다. 어른 아이 할 것 없이 마을 어디를 가나 윤봉이의 인기가 대단한 것에 가족들인 우리까지 놀라지 않을 수 없었다. 아주 내놓은 바보로 이제까지 거들떠도 안 보던 사람들이 우리 윤봉이를 구경하기 위해 일부러 마을 정자마당에 들르는 것이었고 길을 가다가도 꼭꼭 불러 세우곤 했다. 그러나 솔직히 얘기해서 이처럼 엄청난 인기에 값할 만큼 윤봉이의 재간[38]이 하루아침에 눈부시게 급성장해 버린 건 아니었다. 발음은 여전히 어눌했고, 중간중간을 잘 까먹어 수없이 더듬거렸다. 더구나 노래 도중에 헤프게 흘리는 멀건 웃음과 굼뜬 몸놀림은 그가 여전히 어쩌지 못할 바보의 상태로 머물러 있음을 증명하고도 남았다. 그럼에도 불구하고 사람들의 극성이 윤봉이의 꽁무니에 졸졸 매달려 다닌다는 건 대뜸 이해가 안 가는 일이었다. 결국 그 점에 관해선 아버지의 견해가 옳은지도 몰랐다. 윤봉이가 근심될 때마다 아버지는 곰을 이야기했다. 본디 우매한 동물이기 때문에 사람들이 곰에 거는 기대는 늘 최저의 수준에서 시작되었다. 훈련에 의해 그 최저의 수준을 한 치라도 넘어선 행동을 보일 때 사람들은 그것을 굉장한 재주로 여기고 곡마단의 곰에게 박수를 보내게 된다. 윤봉이는 한 마리의 곰이었다. 곰이 되어 가는 윤봉이를 슬퍼하는 사람은 아버지 혼자였다. 아버지는 슬픔을 넘어 분개하고 있었다. 동네 사람들의 극성 뒤에 감추어진 불순한 저의를 개탄하고 있었다. 철부지 어린애를 방패막이로 삼아 자기네들이 인민군을 환영하고 공산당에 적극 동조한다는 사실을 은근히 드러내는 데 이용하려 한다는 것이었다. 아버지가 가진 남모를 괴로움은 어머니에 의해 번번이

---

38 재간(才幹) 어떤 일을 할 수 있는 재주와 솜씨.

무시당하곤 했다. 마침 잘된 일이지 뭐유, 하면서 오히려 어머니는 윤봉이를 대견한 눈으로 바라보는 것이었다. 아버지의 고민을 알 리 없는 윤봉이는 사람들이 보내는 박수를 먹으며 마냥 신명이 났다. 인민학교가 끝나면 나는 항상 윤봉이 손을 잡고 마을 정자 마당으로 향했다. 나어린 인민군 병사의 지휘에 맞추어 우리는 여름 한철을 매미처럼 내내 노래만 부르며 보냈다. 그리고 그 소년병이 숙련된 조련사처럼 우리 윤봉이를 맹훈련시키는 걸 곁에서 성의껏 도우면서 나는 보람을 느꼈다. 가사를 틀리지 않게 외도록 만드는 일방[39] 발음도 정확에 가깝게 조금씩 수정해 나갔다. 웬만한 열의가 아니고는 해내기 힘든 작업이었다. 맨손으로 물잠자리를 잡는 것에나 비길 인내심이 필요했다. 그 결과, 비겁한 놈아 갈 테면 가라 어쩌고 하는 마지막 구절까지 제법 그럴듯하게 뽑을 만큼 솜씨가 표 나게 향상되었다. 한 곡조가 끝날 때마다 사람들은 어제의 바보를 찬탄의 눈으로 보면서 박수를 아끼지 않았다. 소년병은 우리 막내가 귀엽고 대견해 죽겠다는 표정으로 무동을 태운 채 정자 둘레를 한 바퀴씩 돌곤 했다. 어느 누구도 감히 우리 형제를 괄시하지 못했다. 남들이 모두 알아주는 동생을 가졌다는 건 바꾸어 말해서 웬만큼 거들먹거려 봐도 별로 흉잡힐 일이 안 되는 거나 마찬가지였다. 윤봉이는 유혹에 약했다. 사람들은 마음만 먹으면 언제든지 윤봉이를 움직일 수 있었다. 몇 마디 칭찬의 말로 태엽을 감아 주기만 하면 되었다. 같은 연설, 같은 군가를 몇 번이고 되풀이하는 품이 흡사 구조는 단순하나 어지간히 뒹굴려서는 고장도 안 나는 튼튼한 축음기와 같았다.

"이것이 마지막이다. 인자는 더 잽혀 먹을 옷 나부랭이도 없다."

아버지가 노무자로 잡힌 지 사흘째 되는 날, 시집올 때 가져왔다는 낡은 고리짝 뚜껑을 닫으며 어머니는 자못 처량한 낯빛으로 이렇게 말했다. 우리더러 들으라고 하는 소리였다. 우리들의 왕성한 식욕에 대한 뼈아픈 비난이면서 동시

---

39 일방(一方) 한편.

에 협박이었다. 어머니의 떨리는 두 손 위에 무늬도 고운 뉴똥[40] 한복감 한 벌이 제단에 바쳐지는 산짐승처럼 애처롭게 들려 있었다. 아버지가 실직한 후로 돈줄이 끊어져 정 다급한 지경에 다다르면 어머니는 낡은 고리짝을 뒤졌다. 우리를 모조리 밖으로 몰아낸 다음 방 안에 혼자 남아 비장의 옷감을 하나씩 꺼내는 것이었다. 그리고 애들이 함부로 손댈 수 없게 고리짝을 잘 건사해 놓은 다음에야 우리를 다시 불러들이는 것이었다. 어머니는 눈물 자국을 보이지 않으려고 고개를 외로 숙이면서 꺼낸 옷감을 보자기에 쌌다. 그러면서 "이것이 마지막이다."라고 선언하는 걸 매번 잊지 않았다. 그러나 다른 애들은 몰라도 나만은 알고 있었다. 마지막 다음에도 다른 마지막이 언제까지 계속되리라고 나는 믿고 있었다. 내 눈으로 직접 바닥을 보지 않는 한 그 속에서 얼마든지 숙고사[41]도 만들어 낼 수 있고 모본단[42]도 만들어 낼 수 있는, 말하자면 그것은 동화로 들은 알라딘의 등잔처럼 요술을 부리는 보물단지였다. 그런데 그날 어머니는 우리가 보는 앞에서 처음이자 마지막으로 고리짝을 속까지 열어 보였던 것이다. 어머니가 말한 그대로 바닥이 드러나 있었다.

옷감과 맞바꾼 돈으로 어머니는 모처럼 솜씨를 부려 음식을 푸지게 장만했다. 현금이나 마찬가지인 우리 집 마지막 재산이 그런 식으로 녹아 버리는 걸 나는 처음부터 원치 않았다. 그것은 분명히 낭비였다. 우리 형편을 생각할 때 그것은 분에 넘치는 호강이었다. 그리고 오랜만에, 정말 오래간만에 대해 본 그 먹음직스러운 음식 모두가 온전히 아버지 한 사람만을 위하여, 아버지에게 차입[43]될 사식[44]으로 마련되었다는 건 견디기 어려운 슬픔이었다. 그러나 내게는 차라리 그 편이 나았다. 윤봉이를 업고 진종일 부대껴야 하는 고역에서 풀려날 수만 있

---

40 뉴똥 빛깔이 곱고 보드라우며 잘 구겨지지 아니하는 명주실로 짠 옷감. 흔히 여자들의 치맛감이나 저고릿감으로 사용된다.
41 숙고사(熟庫紗) 삶아 익힌 명주실로 짠 고사. 봄과 가을 옷감으로 쓴다.
42 모본단(模本緞) 비단의 하나. 본래 중국에서 난 것으로, 짜임이 곱고 윤이 나며 무늬가 아름답다.
43 차입(差入) 교도소나 구치소에 갇힌 사람에게 음식, 의복, 돈 따위를 들여보냄. 또는 그 물건.
44 사식(私食) 교도소나 유치장에 갇힌 사람에게 사사로이 마련하여 들여보내는 음식.

다면 그보다 더한 일도 참을 수 있었다. 나는 어머니의 심부름에 응하기로 작정했다. 음식이 그득 담긴 대바구니를 들고 집을 나섰다. 노무자 수용소까지는 굉장히 먼 길이었다. 타박타박 옮기는 걸음에 맞추어 바구니를 덮은 보자기 밑에서 포개 놓은 그릇들이 서로 맞부딪쳐 달그락거리는 소리가 끊임없이 울렸다. 어머니가 신신당부하던 말을 되새기면서 들길을 지났다. 산도 넘었다. 일껏[45] 심부름을 맡겨 놓고도 어머니는 나를 끝내 못 미더워했다. 절대로 보재기를 열어봐서는 안 된다. 만약 짐치 쪼가리 하나라도 손대는 날이면 입 주딩이를 짝짝 찢어 놀라니께 그리 알어라. 내가 방금 뭐라도 집어먹는 걸 봤다는 듯이 문밖까지 뒤쫓아 나오며 어머니는 험악한 얼굴로 똑같은 말을 수없이 되뇌고 있었다. 무덤과 묘비가 많은 숲 언덕에 이르렀다. 인공 치하에서 거의 씨를 말리다시피 화를 당한 우리 마을 곰배[46] 정 씨네 선산이었다. 누렇게 시들긴 했어도 키를 넘을 듯 무성하던 여름의 흔적이 아직 그대로인 잡초와 소나무 둥치 사이로 언덕 아래 풍경이 내려다보였다. 어떤 가뭄에도 물이 마른 적이 없었다는 정 씨네 층계논에서 분명히 정 씨 아닌 마을 부녀자들이 어울려 가을걷이를 하고 있었다. 쉴참의 샛밥[47] 대용인 듯 그네들은 벼를 베다 말고 낫으로 무엇인가를 깎아 먹었다. 밭에서 방금 뽑아 왔는지 빨간 황토가 묻은 왜무를 우적우적 씹어 먹는 모습들이 눈에 띄자 갑자기 머릿속이 어지러워졌다. 면도날로 도려내는 것 같은 공복감이 허리 이쪽저쪽을 관통하고 지나갔다. 애당초 집을 나설 때 보자기를 벗겨 볼 생각 같은 건 아예 먹지도 않았었다. 그런데도 어머니는 지레 못 미더워하지 않아도 될 말, 해서는 안 될 말들을 가리지 않고 쏟았었다. 미리 무슨 일이 벌어지도록 암시해 준 거나 다를 바 없는 태도였다. 앞으로 무슨 일이 생긴다 해도 그건 결코 내 책임이 아니었다. 짐치 쪼가리 하나라도 손대는 날이면 입 주딩

---

45 일껏 모처럼 애써서.
46 곰배 곰배팔이. 팔이 꼬부라져 붙어 펴지 못하거나 팔뚝이 없는 사람을 낮잡아 이르는 말.
47 샛밥 곁두리. 농사꾼이나 일꾼들이 끼니 외에 참참이 먹는 음식.

이를 짝짝 찢어 놀라니께 그리 알어라. 어머니의 당부 아닌 당부를 마음으로 되새기면서 나는 바구니 위에 덮씌운 보자기를 벗겼다. 처음에는 그저 무엇무엇이 들었는가만 확인해 보고 도로 덮어 둘 작정이었다. 그리고 맛보기로 조금 뺀 달걀부침의 둥근 갓 이상은 절대로 축내지 않을 작정이었다. 내 책임이 아니었다. 밥은 더욱 그랬다. 사발 위로 수북이 솟은 부분만 한 꺼풀 걷어 낸 다음 입을 씻으려 했다. 그런데 본래대로 감쪽같이 수습해 놓으려던 게 어느새 절반가량이나 빈자리가 생겨 버렸다. 결코 내 책임이 아니었다. 육미붙이[48]나 누름적[49]들의 맛이 무짠지 따위와 같을 수 없었다. 더구나 우리의 주식이 되다시피 한 지게미죽과 밀기울개떡, 그리고 때로는 그것도 궁해서 뚝새풀 이삭을 빻아 뜬 수제비들이 감히 혀끝에서 기름처럼 녹는 햅쌀밥과 비교될 수는 없었다. 어머니도 그쯤은 미리 생각하고 다른 조처를 취했어야 옳았다. 처음부터 무조건 열어 보지 말라고만 윽박지를 일이 아니었다. 결코 내 책임이 아니었다. 그러나 달걀부침을 담았던 빈 접시를 보았을 때 아버지가 지을 착잡한 표정이 얼핏 떠오르자 나는 갑자기 뒤라도 마려운 듯한 당황을 느꼈다. 순간적인 충동에 못 이겨 나는 엉겁결에 그만 접시를 집어 던지고 말았다. 곰배 정 씨네 선산 비석에 맞아 접시는 쨍그렁 소리도 요란하게 산산조각으로 깨져 버렸다. 이제 증거가 없어졌으니 아버지도 섭섭히 생각할 건덕지가 없을 것이었다. 그러자 어머니의 얼굴이 떠올랐다. 쨍그렁 소리의 여운이 채 사라지기도 전에 나는 벌써 후회하기 시작했다. 내가 한 짓이 얼마나 어리석은 행동인가를 깨달았다. 접시를 어쨌느냐고 추궁하면 뭐라고 대답할 것인가. 차라리 잡초 더미 속에 묻어 두었다가 돌아오는 길에 슬그머니 도로 담아 가는 게 훨씬 나을 뻔했다. 그러나저러나 이미 엎질러진 물이었다. 산에서 많이 지체했으므로 나중에 가외[50]로 더 혼나지 않으려

48 육미붙이 각종 짐승의 고기를 통틀어 이르는 말.
49 누름적 고기나 도라지 따위를 꼬챙이에 꿴 뒤 달걀을 씌워서 지진 음식.
50 가외(加外) 일정한 기준이나 정도의 밖.

면 점심시간에 늦지 않게 대어 가야 했고, 그러려면 급히 서둘러야만 했다. 발걸음을 빨리했다. 가랑이에서 불이 일 정도로 부지런히 걸었어도 집을 나선 지 근 한 시간이나 되어서야 겨우 시내에 들어설 수 있었고, 곧 시내 복판에 있는 그 심란스러운 창고에 도착했다. 창고 앞마당에 몰려서서 웅성거리는 사람들 사이를 뚫고 들어가면서 나는 주위에 감도는 어쩐지 긴박한 분위기를 피부로 느꼈다. 아버지가 진짜 노무자가 되어 진짜로 일선으로 떠날 시간이 임박했음을 비로소 실감할 수 있었다. 때마침 점심시간이었다. 넓은 마당에 말뚝을 박고 새끼줄을 쳐 노무자로 끌려갈 사람과 면회 온 가족 사이를 갈라놓았고, 그 둘레를 총을 든 헌병들이 사방에서 지키고 있었다. 인파 틈에 끼여 새끼줄 밖에서 아버지를 찾았다. 돈도 없고 빽도 없고, 없는 돈빽만큼이나 재수도 없는 수많은 사람들이 길게 줄을 서서 보리가 많이 섞인 주먹밥 한 덩이씩을 탈 차례를 기다리고 있었다. 그들은 수염이 까칠하고 옷차림이 한결같이 추저분한 것 말고도 우선 눈에 띄는 공통점으로 아랫도리가 흘러내릴까 봐 앉으나 서나 괴춤[51]을 단단히 쥐어 잡고들 있었다. 도망가지 못하게시리 허리띠를 모조리 압수한 모양이었다. 모두들 그 사람이 그 사람 같아 쩔쩔매는 판인데 줄에 선 아버지가 먼저 알아보고 한쪽 손을 높이 들어 보였다. 차례가 되어 주먹밥을 타던 아버지가 새끼줄 있는 데로 다가왔다. 새끼줄 너머로 건네주는 바구니를 받아 들면서 아버지는 어설프기 짝이 없게 피식 웃었다. 보자기를 벗기는 순간 맨 처음 보일 반응을 놓치지 않으려고 나는 필요 이상으로 긴장한 채 하회[52]를 기다렸다. 모든 것이 짐작했던 대로였다. 무심코 밥사발 뚜껑을 열어 보던 아버지가 눈을 휘둥그렇게 떴다. 아버지는 바구니 속에서 못 볼 것이라도 본 듯이 황급히 보자기를 뒤덮어 버렸다. 그러고는 타 가지고 온 주먹밥 한쪽을 맨손으로 뚝 떼어 입에 넣었다. 주먹밥 한 덩이가 죄 없어지기까지 아버지는 아무 말도 없이 그저 여물 새기는 소

---

51 괴춤 '고의춤'의 준말. 고의(남자의 여름 홑바지)의 허리를 접어서 여민 사이.
52 하회(下回) 윗사람이 내리는 회답. 또는 어떤 일이 있은 다음에 벌어지는 일의 형태나 결과.

처럼 느릿느릿 입을 놀렸다. 한옆으로 밀어 놓은 바구니엔 두 번 다시 눈을 돌리지 않았다. 내내 아버지 얼굴에서 떠나지 않는 비참한 표정 때문에 고개를 바로할 수가 없었다. 공복감보다 더 아픈 포만감이 뭉친 주먹이 되어 부른 배 속을 제멋대로 이사 다니는 바람에 자꾸만 뒤가 마려워 변소로 달려가고 싶었다.

"너 시장허쟈?"

아버지가 말했다. 아버지는 웃으면서 말했다. 뜻밖의 그 웃음이 내게는 어쩐지 비굴한 것으로, 자칫하면 나 같은 것한테 던지는 일종의 아첨이라고 오해될 만큼 파격적으로 느껴져 나는 몹시 당황해 버렸다.

"가져오니라고 욕봤다만, 나는 더 생각이 없다. 기왕 가져온 거니께 너나 먹거라."

바구니 것에 조금도 미련이 없음을 보이려고 나는 강하게 도리질을 했다. 아버지는 다시 시무룩한 표정으로 돌아가 시선을 떨구었다. 아버지의 시선이 오래 머무는 곳에서 나는 파란 가을 하늘이 내려앉을 정도로 번쩍번쩍 광이 나는 헌병의 구둣발을 보았다. 그리고 바로 그 옆에 방금 피우다 버린 담배꽁초가 실낱같은 연기를 뽑아 올리고 있었다. 아버지가 원하는 것이 무엇인지를 나는 알았다. 나는 아버지의 소원을 풀어 주었다.

"너더러 누가 이런 것 줏어 달랬냐!"

아버지는 상당히 노여운 음성으로 이렇게 책망하듯 말했다. 그러나 책망에 앞서 아버지의 눈에서 순간적으로 번쩍인 감사의 빛이 내게 이미 전달된 뒤였다. 그것으로 나는 충분했다. 나한테서 느꼈던 실망이나 불신이 그것으로 말끔히 스러졌기를 바라면서 가슴 깊숙이 연기를 빨아들이는 모습을 지켜보았다.

"윤봉이는 지금도 잘 있냐?"

나는 그렇다고 대답했다.

"아직도 무사허다니 다행이다. 느 에미한테도 누차 당부혔다만, 좋지 않은 일이 일어나지 않게 너도 니 심껏 윤봉이를 위혀야 된다."

아버지는 숨도 안 쉬고 빠금빠금 담배를 빨아 댔다. 그리고 일껏 달디달게 빨아들인 연기를 한꺼번에 모아 아주 쓰디쓰게 내뿜는 것이었다.

"너도 아다시피 그 어린것한티 무신 죄가 있겄냐. 죄가 있다면 애비 잘못 만난 것배끼 더 있냐? 털끝만침도 허물이 없는 윤봉이기다가 당최 함부로 혀서는 못쓴다. 내 말 알어들었냐?"

내 입에서 대답 소리가 나올 때까지 아버지는 내 눈을 똑바로 응시했다. 그러고 나서 시선을 땅바닥에 떨구었다. 이때 점심시간이 끝났음을 알리는 호루라기 소리가 울리고 여기저기서 감때사납게[53] 지르는 헌병들의 고함이 들렸다. 흩어져 있던 사람들이 한군데로 모이기 시작했다. 말을 마치려고 아버지는 몹시 서둘렀다.

"수용소가 꽉 들어찬 걸 보니께 아배 떠날 날도 머잖은 모양이더라. 느 에미가 아모리 줄을 놔 봐도 인자는 다아 틀린 일이다. 어쨌피 나는 떠나야 헐 몸이다. 집에 가걸랑 에미보고 씨잘디 없이 여그저그 싸댕길라 말고 집에 들앉아서 윤봉이 구완[54]이나 잘 허라고 허드라고 단단히 일러라."

마지막 한 모금을 길게 빨아들인 다음 아버지는 잡을 자리도 없게 짧아진 꽁초를 땅에 던졌다. 흘러내리는 바지춤을 붙잡고 어기적 걸음으로 멀어져 가는 아버지의 뒷모습을 보자니까 자꾸 눈물이 쏟아지려 했다. 어떤 보이지 않는 커다란 손이 우리 집을 보호하고 있어 다른 사람 다 노무자로 끌려가도 우리 아버지만은 요행수[55]로 빠질 거라는 여태까지의 막연한 믿음이 여지없이 무너지는 순간이었다. 모두가 윤봉이 탓이었다. 아버지 앞에서는 어쩔 도리 없이 머리를 끄덕였지만 새끼줄 바깥에 나 혼자 서 있는 지금 생각하는 우리 집안의 불행은 죄다 윤봉이 녀석이 악마하고 손을 잡은 데서 비롯되는 재앙이었다.

---

53 감때사납다 사람이 억세고 사납다. 또는 사물이 험하고 거칠다.
54 구완 아픈 사람이나 해산한 사람을 간호함.
55 요행수(僥倖數) 뜻밖에 얻은 좋은 운수.

수복[56]이 되어 인민군이 쫓겨 가고, 쫓겨난 그 자리의 공백을 메운 경찰이 기능을 되찾아 완전히 치안을 확보하기까지 우리 마을도 예외 없이 격심한 북새[57]를 치렀다. 어른들이 많이 피를 흘리고 상처를 입었다. 자고 일어나서 아직 자기가 무사한 것에 감사할 줄 모르는 사람이 있다면 그건 우리 어린애들뿐이었다. 잡아가도 도망치고 죽임을 당하는 험악한 소동은 언제나 어른들 선에서 그쳤다. 우리들 세계에까지 어떤 직접적인 피해가 미쳤다는 얘긴 들은 적이 없다. 그런데도 우리는 스스로 제 앞자락을 조심할 줄을 알았다. 입 한번 잘못 벙긋하는 날이면 어떤 꼴이 된다는 걸 어른들의 경우에서 간접으로 체험했기 때문이다. 그러나 관성의 법칙이란 무서운 것이어서 그렇게 조심하는 가운데도 때로는 머리끝이 쭈뼛해지는 수가 많았다. 혼자서 고샅길을 걷거나 애들끼리 모여 놀 때 저도 모르게 흘러나오는 것이 이미 뇌리에 박혀 버린 그놈의 인민군가였다. 그걸 부르다가 퍼뜩 제정신이 들어 본능적으로 주위를 살핀 것이 여러 번이지만, 누구보다 기겁을 하는 사람이 우리 어머니였다. 큰일 날 짓을 한다면서 무섭게 책망하는 것이었다. 어머니가 말하는 큰일은 곧바로 죽음을 의미했다. 다시는 내 입에서 그런 노래가 못 나오도록 어머니는 악몽보다 더 끔찍스러운 광경을 상기해 주려고 애를 썼다. 사실은 그럴 필요가 별로 없는 새삼스러운 노력이었다. 나는 꼭 그만한 길이의 뱀이 되어 무릎을 꺾인 영구네 큰아버지의 맨등허리에 철썩철썩 휘감겨서 연방 살껍질을 벗겨 내던 기다란 자전거 체인을 기억하고 있었다. 심야의 마을을 뒤흔들던 즉결처분[58]의 총소리와 비명도 생생히 기억하고 있었다. 새끼 호랑이를 다루는 소년 병사가 흰 것을 검다고 혹은 검은 것을 희다고 뇌리 저 밑바닥에 깔아 놓은 혼돈을 완전히 제거하기까지엔 상당한 시간이 걸렸다. 몇 고비를 넘긴 다음에야 비로소 우리는 인민군가 대신 학

---

56 수복(收復) 잃었던 땅이나 권리 따위를 되찾음.
57 북새 많은 사람이 야단스럽게 부산을 떨며 법석이는 일.
58 즉결처분(卽決處分) 잘못이 있는 자를 골라내 즉각 총살형에 처하는 것.

교에서 배운 새 노래로, 화랑 담배 연기 속에 사라진 전우를 소리 높여 부를 수 있게끔 되었다. 그런데 문제는 윤봉이었다. 세상이 완전히 뒤바뀌었음을 그 애한테 이해시키기란 참말이지 장대로 보름달을 따는 것보다 더 불가능한 일이었다. 녀석은 저를 그토록 귀애해 주던 나어린 인민군 병사가 왜 갑자기 떠나 버렸는지를 이해하지 못했다. 그리고 제 노래에 박수와 칭찬을 아끼지 않던 마을 사람들이 약속이라도 한 듯이 하루아침에 마음을 바꾸어 바보 윤봉이로 통하던 당시처럼 다시 거들떠도 안 보게 되었는지 그 까닭을 전연 몰랐다. 하기야 녀석 입장에서 본다면 구태여 그걸 알고 이해할 필요가 없는 노릇이었다. 녀석의 머릿속에서는 여전히 축음기판이 돌아가고 있었다. 마음이 내킬 때마다 그걸 틀기만 하면 되었다. 그걸 틀고만 있으면 빛나던 시절 화려한 기억이 저한테서 떠나지 않고 머무는 줄로 알았다. 딱한 일이긴 해도 시간이 지나면 자연히 고쳐지는 병이려니 생각하고 크게 신경들을 안 썼다. 다만, 인제는 내놓을 만한 게 못 되는 그 버릇이 아무 데서나 불쑥 튀어나올까 봐 되도록이면 집 안에서만 놀도록 배려를 했다. 그러나 어림도 없는 일이었다. 시간이 흐를수록 우리의 예상이 자꾸만 빗나감을 느끼고 당황하기 시작했다. 달래도 보고 혼뜨검[59]도 내 보았지만 다아 소용없는 짓이었다. 녀석은 누구로부터 칭찬받고 싶은 욕구가 동할 때마다 때와 곳을 가리지 않고 인민군가를 기운차게 부르는 것이었다. 그걸 들을 때마다 온몸에 소름이 돋았다. 그것은 피를 부르는 소리였다. 뺨 한 대 얻어맞은 과거를 찌르면 등 쪽까지 꿰뚫리는 죽창으로 앙갚음하는 세상이었다. 비단 인공 치하[60]에서 거의 씨를 말리다시피 된 곰배 정 씨네뿐만이 아니라 여차하면 당장에라도 좇아올 성싶은 사람이 마을 안에 여럿 있었다. 그들 앞에서 눈곱만치라도 공산당에 관계된 흔적을 내보이지 않으려고 마을 사람 누구나 혀를 호주머니 속에 넣고 다니듯 하는 판국이었다. 집에 자주 놀러 오던 어머니 연

59 혼뜨검 단단히 혼남.
60 인공 치하 인민 공화국 통치 시절에. 북한군이 마을을 점령 및 통치하던 때.

배의 마을 아낙네들도 한두 번 윤봉이의 연설 흉내와 군가를 들은 뒤로는 녀석과 마주치는 걸 꺼리는 눈치가 완연해졌다. 지금이 어떤 세상인데, 하면서 그네들은 어머니한테 넌지시 충고까지 하는 것이었다. 결코 무리가 아니었다. 누가 듣겠다 싶으면 어머니는 윤봉이 입을 손바닥으로 틀어막곤 했다. 하지만 아무리 수단을 다해 봐도 녀석의 고집을 꺾을 수는 없었다. 말리면 말릴수록 더욱더 기를 써 가며 이미 물거품이 돼 버린 지난날의 명성을 놓치지 않으려고 안간힘을 다하는 것이었다. 난생처음 수많은 사람들로부터 관심의 대상이 되던 날의 찬란한 기억을 몰아내고 대신 다른 것으로 채워 줄 적당한 선물이 우리에겐 없었다. 끼니때가 되면 밥을 달라는 뜻으로 목청껏 군가를 부름으로써 어머니가 저를 주목해 주길 바랄 정도였다. 결국 어머니 입에서, 이 웬수녀르 것아, 라는 말이 빈번히 쏟아져 나오기 시작했다. 그리고 동네 안에 차츰 소문이 번져 전번과 다른 각도에서 윤봉이는 재차 유명해졌다. 위태위태한 명물이 된 아들에게 아버지는 놀랍게도 아주 관대했다. 철부지 어린애 장난인데 그걸 가지고 시비할 사람이 누가 있겠냐면서. 사실 아버지 주장대로 아직은 윤봉이를 탈잡아 자전거 체인이나 죽창을 꼬나 쥔 채 우리 집에 나타난 사람이 아무도 없긴 했다. 그러나 아직 안 나타났다는 것과 언제 나타날지 모른다는 것과는 엄연히 뜻이 통하는 말이었다. 어느 때부터인가 불행이 아버지 신상에 슬금슬금 어떤 위해를 가하는 방식으로 우리 집 대문을 넘보기 시작했다. 그리하여 불행을 불러들인 흉물로 우리는 마침내 윤봉이를 지목하기에 이르렀다.

아버지의 당부를 어긴 채 어머니는 또 외출을 했다. 다 죽어 가는 윤봉이는 갈데없이 또 내 손에 맡겨졌다. 어머니가 찾아다니는 사람은 교회 장로일 것이 뻔했다. 그 사람이라면 널리 알려진 지방 유지니까 아버지를 빼내는 데 힘이 될 수도 있을 것이었다. 어머니가 한때 지성으로 교회에 다닌 적이 있었다. 외국 자선 단체에서 보내오는 구호물자가 심심찮게 나오던 무렵이었다. 무슨 이유에선지 어머니는 그토록 신심 깊게 나가던 교회를 갑자기 그만두고 조금의 미련도 없다는 눈치로 매주 일요일을 집에서 하는 일 없이 지내 왔다. 이제 다급해진 마당에 뻔질나게 김 장로님을 찾아다니는 건 만일 일이 뜻대로 잘될 경우 구호물자에 구애됨이 없이 다시 교회에 출석하겠다고 결심을 굳혔음이 분명했다. 간밤에 귀띔해 준 얘기로는 김 장로님의 활약에 어느 정도 가능성이 비쳐 어머니는 거기에 전적으로 기대를 걸고 있는 모양이었다. 어머니는 거의 절박한 상태에 다다른 윤봉이의 병세를 살피고 나갔다. 윤봉이는 숨결이 고르지 못했다. 그리고 끓는 물주전자처럼 후끈후끈 단김을 입으로 불규칙하게 내뿜었다. 숫제 아무것도 입에 대지 않은 지 이미 오래여서 손으로 받쳐 들면 증발해 버린 만큼의 체중을 쉽게 가늠할 수 있었다. 버찌나 오디를 게걸스럽게 먹은 입처럼 파랗게 질린 입술이 가늘게 떨렸고, 입술에서 시작된 경련은 곧 전신으로 퍼져 간단없이[61] 수족을 푸들거렸다. 어머니가 속수무책이었듯이 나 역시 어찌할 도리가 없었다. 나는 윤봉이를 등에 업고 하루해[62]를 꼬박 보냈다. 윤봉이가 깨어 보챌 때는 다독거리기 바빴고, 다시 잠이 들어 잠잠해지면 흐트러진 생각들을 나름으로 정리하기 바빴다. 나는 줄곧 두 가지 경우를 놓고 그 가능성을 저울질해 보았다. 우리 집안의 불행이 앞으로 더 계속되고 더 확대되는 경우, 그리고 전쟁이 일어나기 전처럼 우리가 다시 행복한 시절로 돌아가는 경우. 그런데 우세하리라고 예상되는 건 항상 불행한 쪽이었다. 나는 아무런 대책도 세울 수 없는 암담한 시점에서 그저 무턱대고 만일의 경우만을 생각하며 혼자 몸서리를 쳤다. 만일 아버지가 그대로 끌려간다면, 만일 아버지가 전쟁터에서 죽는다면, 만일 어머니가 우리를 버리고 도망치는 일이 생긴다면, 만일 우리가, 만일, 만일, 만일……. 승찬이 말을 믿는다면, 노무자라 해서 꼭 위험한 것만은 아니었다. 뒷전에서 탄약통이나 나르다가 전투가 끝나면 부상병과 시체를 치우는 작업이니까 다 죽으란 법은 없었다. 때가 되면 소련군처럼 어깻죽지서부터 팔목에까지

61 간단없이 계속하거나 이어져 있던 것이 끊이지 아니하게.
62 하루해 해가 떠서 질 때까지의 동안.

시계를 주렁주렁 차고 부자가 되어 돌아온다며 승찬이는 끝내 고독한 주장을 고집했다. 믿어지기는커녕 비웃음 사기 똑 알맞은 허세로 몰려 애들로부터 번번이 지청구[63]를 먹곤 했다. 그런데 내일이나 모레쯤이면 그와 꼭 같은 주장을 하는 아이가 마을에 하나 더 생길 판이었다. 설마 우리 아버지가 노무자로 붙잡혀 갈 줄 누가 짐작이나 했겠는가. 그걸 미리 알았더라면 승찬이한테 그렇게 함부로는 절대로 대하지 않았을 것이다.

어둡기 시작하면서 윤봉이의 상태는 아주 나빠졌다. 간헐적[64]으로 잠깐씩 찾아오던 혼수상태의 빈도가 점차로 잦아지고 시간도 따라서 길어졌다. 그렇게 혼수상태에 빠져 사그라지는 소리로 뭔가를 자꾸 중얼거렸다. 거의 알아들을 수도 없는 헛소리였다. 그러나 주의 깊게 들어 보면 거기엔 수상쩍은 운율과 일정한 강약의 흐름이 묻어 있었다. 맞다. 나는 그것이 무엇을 의미하는 건지 쉽사리 짐작이 갔다. 그것은 군가였다. 맞다. 그것은 피를 부르는 노래였다. 그것은 그를, 녀석을 한때 빛나게 하고, 한때 자랑스럽게 만들던 군가, 인민군가였다. 그것을 그로부터, 녀석으로부터 그 자랑스러움과 빛남을 송두리째 거두어 타고난 바보, 손댈 수 없는 고집통이로 재빨리 되돌려 놓고, 다시 엄청난 불행 속으로 고삐를 끌어 지금 와서 파멸 직전에 놓이게 만든 노래, 피를 부르는 노래였다. 기진한 상태에서 그래도 본능을 다하여 누군가 전처럼 다시 저를 주목해 주기 바라며 부르는, 또는 제정신이 아니게 토해 내는 그것임이 틀림없었다. 그러는 윤봉이를 차마 내려놓을 수가 없어 그대로 업고 있었다. 업고 서성거릴 때는 그래도 좀 다소곳한 듯하다가 방바닥에 내려놓는 기미만 보이면 어떻게 그리 알아차리는지 꼼지락거리며 보채는 품이 용하기도 했다. 다른 동생 애들은 저녁을 먹기 무섭게 벌써들 쓰러져 잠이 들었다. 내가 짊어진 피곤과 고통에서 나를 구해 줄 오직 한 사람은 지금 집에 없는 어머니였다. 나는 어머니가 어서 속

---

63 지청구 꾸지람. 또는 까닭 없이 남을 탓하고 원망함.
64 간헐적(間歇的) 얼마 동안의 시간 간격을 두고 되풀이하여 일어나는 것.

히 돌아오기를 싹싹 빌었다. 그러나 어머니는 또 귀가가 형편없이 늦어지고 있었다. 야간열차가 길게 기적을 깔아 놓으며 남바웃동네 후미진 철길을 지나갔다. 그 속에 시방 아버지가 타고 있을지도 모른다는 생각이 얼핏 머리를 스쳤다. 그러자 일껏 사라지려던 기적 소리가 확 낚이어 귓바퀴에 던져진 듯 별안간 쟁쟁히 되살아나 언제까지고 머무르려 했다. 밤이 깊을수록 고래귀신이 잡아끄는 다리가 점점 뻣뻣이 굳어 장작개비처럼 말을 제대로 안 들었다. 한차례씩 윤봉이가 몸을 뒤척일 때마다 등으로 전달되는 무게가 자꾸 달라졌다. 그렇게 몸이 부풀어 윤봉이는 잠깐 사이에 쌀가마만 해졌고 두엄 더미만 해졌는가 하면 어느새 노적가리만 해졌고 또 나중에는 집채만 해져서 엄청난 기세로 잔등을 짜부라뜨리려 했다. 주체스럽게[65] 대고 밑으로 흘러내리는 몸뚱이를 추슬러 고쳐 업으면서 그것을 낱낱이 숫자로 헤아렸다. 예상되는 어머니의 귀가 시간에다 고쳐 업는 동작의 숫자를 포개어 천천히 세어 나갔다. 속는 셈치고 양보를 해서 몇 번씩 그 짓을 되풀이해 봤으나 어머니는 여전히 돌아올 기척도 안 보였다. 어느덧 통행금지에 가까운 시간이었다. 나는 문득 옛날이야기를 기억해 내었다. 나하고 비슷한 처지의 한 소년이 주인공으로 등장하는데, 그가 사용한 방법이 내 것보다 훨씬 현명했음을 깨달았다. 묵은 이야기 속에서 소년도 나처럼 자꾸 울어 보채는 동생을 달래며 애타게 어머니를 기다리고 있었다. 건넛마을 잔칫집에 일 봐주러 간 어머니가 밤이 이슥하도록 돌아오지 않고 있었다. 소년은 동생을 타일렀다. 지금쯤 어머니는 잔칫집 대문 밖을 나섰을 거라고, 일해 주고 얻은 떡과 과일을 함지[66]에 그득 담아 돌아올 거라고 속삭였다. 그렇다. 우리 어머니도 지금쯤 시내 변두리를 다 벗어나 시골길을 바람같이 달려오고 있을 것이었다. 그러자 내게도 실오라기만 한 희망이 비치기 시작했다. 한참 후에 소년은 또 속삭였다. 어머니가 지금 마악 고개턱을 넘어서는 중이라고 동생을 다독

---

65 주체스럽다 처리하기 어려울 만큼 짐스럽고 귀찮은 데가 있다.
66 함지 나무로 네모지게 짜서 만든 그릇. 높이는 조금 깊으며 밑은 좁고 위는 넓다.

거렸다. 해방(海防) 바람에 맞아 중동이 부러진 왕소나무 밑을 지나 어머니는 곧장 곰배 정 씨네 선산 경계에 접어들고 있었다. 한참 후에 소년은, 어머니가 동구 밖 공동샘을 지났다고 속삭였다. 어머니는 마을 바로 앞 실개천 징검다리를 한달음에 건너뛰었다. 이제 조금만 있으면 똑똑 소리 나게 문을 두드릴 차례였다. 그러나 어머니는 아직도 모습을 나타내지 않았다. 소년은 울어 보채는 동생을 연방 달래 가면서 잔칫집 대문서부터 새로 시작했다. 나도 시내 어떤 집 추녀 밑에서부터 다시 시작했다. 반복할 때마다 징검다리 근처까지는 오기가 수월한데 그 이후로는 언제나 감감무소식이었다. 그러다가 소년네 오두막에서는 마침내 문 두드리는 소리가 났다. 그런데 소년이 문을 열어 주자 뛰어든 것은 고갯마루에서 어머니를 잡아먹고 어머니 옷으로 변장한 호랑이였다. 나는 순간적으로 빠져든 의심의 늪에서 좀처럼 헤어날 수가 없었다. 여태까지 안 오는 걸 보면 우리를 팽개치고 멀리 달아났음이 분명했다. 전에 승찬이네 어머니도 그랬다. 그러지 않으려 했는데 속에 맺힌 설움이 소리에 풀려 자꾸만 눈물로 비어져 나오고 있었다. 한바탕 시들어지게 울고 나자 속이 웬만큼 가라앉는 듯했다. 그리고 곧이어 졸음이 밀려왔다. 꿈결인 듯 생시인 듯 나른한 속에서 무엇이 쿵쿵 벽에 부딪치는 소리를 이따금 들었다. 끙끙 앓는 신음 소리도 들었다. 화들짝 놀라 정신을 차리고 보면 나는 한쪽 어깨를 벽에 의지해 버티고 서 있었고, 동체[67]에서 곁노는 윤봉이의 머리가 포대기 밖으로 축 처져 까불거리는 것이었다. 간신히 윤봉이를 추스르고 나서 강력한 수면욕(睡眠慾) 앞에 솜처럼 지친 나를 송두리째 내맡겨 버렸다. 그렇게 옹색스러운[68] 자세로 얼마를 졸았을까. 대문을 두들기며 부르는 소리에 퍼뜩 정신이 들었다.

"그 웬수녀르 것 아직도 안 뒈졌다냐?"

만사가 다 귀찮다는 듯 착 까라진 음색에서 나는 이미 글러 먹은 일임을 직감

67 동체(胴體) 중심 부분.
68 옹색스럽다 자리가 비좁고 답답한 데가 있다.

했다. 어머니는 방바닥에 퍽석 주저앉으며 문풍지가 떨리게 한숨을 쉬었다.

"밤차로 떠났다." 저고리를 벗어 던지며 어머니가 중얼거렸다. "느 애빈가 뭣인가 허는 사람 아까막시 밤차로 떠나 버렸다." 어머니는 치마마저 훨훨 벗어 던지며 이렇게 중얼거렸다. "밤차로 떠나는 걸 눈 번히 뜨고 보다가 오는 질이다."

어머니는 쉬엄쉬엄 언성을 높여 갔다. 어머니는 헌병을 저주했다. 경비가 허술한 틈을 노려 내빼는 걸 눈감아 준다는 조건으로 돈을 암만이나 처먹고도 약속을 안 지킨 헌병에게 저주를 퍼부었다. 그리고 친구를 구해 내는 일에 쩨쩨하게 군 아버지 친구분 모두를 저주했다. 그리고 아버지한테도 무서운 저주를 퍼부었다. 아울러 돈 없고 빽 없어 전쟁 마당에 끌려가기나 하는 못난 사내들, 처자식 딸린 세상의 모든 얼간이 남편들을 저주했다. 마지막으로 어머니는 무심한 하느님에게 저주의 말을 쏟다가는 허겁지겁 물을 찾았다. 찬물 한 대접을 죄 비우고 나서야 겨우 좀 진정이 되는 모양이었다. 비로소 생각이 윤봉이한테 미친 듯 내 등 쪽을 보는 눈이 도로 시들해졌다.

"어따 그 작것 어서 인내라."

어머니가 돌아왔는데도 아까부터 꼼짝도 하지 않는 것이 그저 깊은 잠에 빠진 탓이거니 생각하고 있었다. 그런데 윤봉이를 받아 들던 어머니의 손이 별안간 주춤했다.

"아아니, 이게 무신 재변[69]이랴!"

포대기에 싸인 윤봉이를 와락 끌어당겨 어머니는 한참이나 눈여겨보았다. 나 역시 놀라지 않을 수 없었다. 눈은 꼭 감고 입은 맥없이 벌린 채 윤봉이는 잿빛이다 못해 시꺼멨다. 그와 같은 얼굴은 전에 여러 번 본 적이 있었다. 그것은 무수히 죽창에 찔려 밭둑에 함부로 나뒹굴던 사람의 얼굴이었다. 그것은 사지를 포박당한 채 구덩이 속에 절반쯤 파묻혀 있던 사람의 얼굴이었다. 어머니가 나

---

69 재변(災變) 재앙으로 인하여 생긴 변고.

있는 쪽으로 천천히 고개를 돌렸다. 삼킬 듯이 노려보는 얼굴이 더욱더 험악하게 일그러졌다. 어머니가 보인 뜻밖의 반응은 실로 나를 당황하도록 만들었다. 칭찬 같은 건 기대하지 않았었다. 그러나 입때[70]까지의 입버릇으로 보아 그것은 비록 모르는 사이에 밤도둑처럼 찾아온 죽음이어서 잠시 놀라긴 했을망정 당연한 순서로, 어쩌면 어렵게 이룬 소망으로 다소곳이 받아들일 줄만 알았다. 그런데 그게 아니었다. 어머니가 덜미를 움켜 동댕이치는 바람에 나는 방구석에 넉장거리로 끌어 박혔다. 헐떡거리는 숨결이 얼굴을 덮었다.

"웬수야, 이것아!" 어머니는 닥치는 대로 꼬집고 할퀴었다. "어쩌자고 동상놈 숨넘는 종도 모르고 업고만 있었냐!" 어머니는 남정 같은 억센 주먹으로 아무 데나 쥐어박았다. "누구 춤추라고 니 동상 잡어먹었냐, 이 웬수녀르 것아!" 어머니는 마침내 통곡하기 시작했다.

동생 애들이 잠에서 깨어 아직은 무슨 영문인지도 모르면서 일제히 울음을 터뜨렸다. 잠시 후에는 울음소리를 듣고 바로 이웃집 아주머니가 속곳 바람으로 달려왔다. 가까운 데 사는 아낙네들이 하나둘 우리 집 마당으로 모여들었다. 새로운 사람이 나타날 때마다 어머니는 꼭 나를 손가락질하면서 울었다.

"저 웬수가 윤봉이를 잡아먹었다네. 시상에 이럴 수도 있당가. 우리 윤봉이를 잡어먹었다네."

"내가 안 쥑였어!" 억울해서 견딜 수가 없었다. 가만있다가는 살인의 누명을 뒤집어쓸 판이었다. 나는 항의를 되풀이했다.

"내가 쥑인 게 아니란 말여!"

"니놈이 안 쥑였으면 누가 쥑였냐? 우리 윤봉이를 쥑인 게 누구란 말이냐, 이 놈아!"

어머니는 내 입에서 항의가 나올 때마다 달려들어 한바탕씩 두들겨 패곤 했

---

70 입때 지금까지. 또는 아직까지. 여태.

다. 나는 결코 윤봉이를 죽인 적이 없다. 그러나 누가 죽였느냐고 묻는 데는 달리 대답할 말이 없었다. 나는 결국 입을 다물고 말았다. 동네 사람들이 나를 쳐다보며 혀를 끌끌 찼다.

"낭중에라도 우리 집 양반이 살아서 돌아오면 뭐라고 대답헌디야. 뭐라고 둘러댄디야."

방바닥을 때려 가면서 어머니는 몹시 서럽게 울었다. 울음 반 넋두리 반으로 어머니는 그 밤을 꼬박 밝혔다.

물속에서 허우적거리는 사람이 지푸라기라도 붙잡는 심정 그대로였다. 헌병이 남기고 간 마지막 말에 어머니는 일루[71]의 희망을 걸고 있었다. 대전 못 미처 어떤 고개를 느릿느릿 넘을 때 소피[72]를 보겠다고 아버지가 사정을 한다. 헌병 아저씨는 못 이기는 척하면서 출입구를 약간만 열어 준다. 그러면 아버지는 달리는 화물 열차에서 잽싸게 뛰어내리고 뒤에서 헌병이 공포를 쏜다. 이런 식으로 무슨 활극 영화의 한 장면 같은 약속이 되어 있는 모양이었다. 천행으로 아버지가 돌아올 것에 대비해서 어머니는 하룻밤 더 윤봉이를 집 안에 두었다. 그러나 기다릴 만큼 기다려 봐도 아버지는 돌아오지 않았다. 돌아오지 않을 것이 십중팔구 확실해지자 어머니는 마을에서 삯꾼[73]을 두 사람 얻었다. 거적때기에 덮여 지게로 실려 나가는 윤봉이 뒤를 따라가지 못하도록 어머니가 한사코 말렸다. 뺨에 와 닿는 가을바람이 한층 선선하게 느껴지는 밤이었다. 집 모퉁이를 돌아가면 마을 뒷산은 바로 지척[74]이었다. 해마다 복날만 되면 개를 매달아 불에 그을리던 솔숲이 어둠 속에서 어렴풋이 가늠되었다. 그곳에서 화톳불[75]이 활활 타오르는 광경을 나는 그저 멀거니 바라보고 있었다. 치솟는 화광 위를 우리 윤봉이는 제 몸을 살라 제가 지녔던 바보와 고집으로 뒷산을 채우고 들을 가득 채

---

71 일루(一縷) 한 오리의 실이라는 뜻으로, 몹시 미약하거나 불확실하게 유지되는 상태를 이르는 말.
72 소피(所避) '오줌'을 완곡하게 이르는 말.
73 삯꾼 삯을 받고 임시로 일하는 일꾼.
74 지척(咫尺) 아주 가까운 거리.
75 화톳불 한데다가 장작 따위를 모으고 질러 놓은 불.

우고 그게 모자라 나중에는 하늘마저 빼꼭 채우려 하고 있었다. 그 대신 불이 우리 윤봉이한테 덤벼들어 손과 발을, 동체와 머리를 그리고 언제나 엉터리로만 세상을 바라보던 두 눈과, 군가를 흉내 내던 어눌한 입을 남김없이 아귀아귀 삼키고 있었다. 그러자 나는 속으로 무엇이 울컥 치밀어 오름을 느꼈다. 심한 욕지기와 함께 나도 모르는 사이에 눈물이 쏟아져 나왔다. 입에 손가락을 넣어 먹은 걸 꾸역꾸역 토해 내면서 나는 드디어 울음을 터뜨리고 말았다. 동생을 죽였다는 누명이 아무래도 분하고 억울해서 나는 불이 다 사그라져 다시 어둠 속에 온전히 휩싸인 마을 뒷산을 앞에 두고 소리 내어 울었다.

(1974년)

카메라와 워커

박완서

박완서(1931~2011)

1931년 경기도 개풍에서 태어나 1950년 서울대 국문과에 입학했으나 그해 6·25 전쟁을 겪고 학업을 중단했다. 1970년 불혹의 나이에 《나목》이 〈여성동아〉 장편 소설 공모에 당선되어 작품 활동을 시작한 이래 40여 년간 수많은 걸작들을 선보였다. 〈카메라와 워커〉는 훈이의 진로와 취업이라는 상징적 의미를 통해 6·25 전쟁의 상처를 치유하고자 하는 노력과 그 노력의 좌절을 드러낸다. 그 외 대표작으로 《그 여자네 집》《나목》《그해 겨울은 따뜻했네》《그 많던 싱아는 누가 다 먹었을까》《그 산이 정말 거기 있었을까》 등이 있다.

나에게는 조카가 하나 있다. 가끔 나는 내가 내 아이들보다 조카를 더 사랑하고 있는 게 아닌가 하고 생각할 때마다 조카가 생후 4개월, 내가 스무 살 때 겪은 6·25 사변을 생각 안 할 수 없다. 그때 며칠 건너로 오빠와 올케가 차례로 참혹한 죽음을 당하자 어머니와 나는 어린 조카를 키울 일이 도무지 막막하기만 했다. 우유는 고사하고 밥물이라도 끓일 몇 줌의 흰쌀을 구할 주변머리도 경황도 없었다. 어머니는 푸성귀하고 보리하고 끓인 멀건 국물을 아기 입에 퍼 넣었다. 설탕도 못 넣은 이런 국물을 아기는 도리질하며 내뱉고 밤새도록 목이 쉬게 울었다. 어머니는 쯧쯧 불쌍한 거 할미 젖이라도 빨아 보렴 하며 자기의 앞가슴을 헤쳤다. 담벼락 같은 가슴에 곧 떨어져 버릴 병든 조그만 열매처럼 매달린 젖꼭지를 아기는 역시 도리질로 거부했다. 아기는 젖꼭지를 물어도 보기 전에 조그만 손으로 가슴을 더듬어만 보고도 알았던 것이다. 결코 젖줄을 간직한 가슴이 아니란 것을.

"늙은이 젖도 자주 빨면 젖이 나온다던데."

어머니는 아기가 젖을 물기만 하면 자기 젖에서 당장 젖이 펑펑 쏟아질 텐데, 아기가 안 빨아서 아기 배가 곯는 양 안타까워하다가 드디어는 아기의 엉덩이를 두들기기 시작했다. 토실한 엉덩이에 어머니의 손가락 자국이 선명히 솟아오르고 아기는 목이 쉬어서 차마 들을 수 없는 이상한 소리를 내면서, 울음을 토했다 숨이 깔딱 막혔다 했다.

그때 나는 별안간 내 가슴에 퍼진 실핏줄들이 찌릿찌릿하면서 뿌듯해지는 걸 느꼈다. 아니, 실핏줄이 아니라 바로 젖줄이다. 나는 그렇게 확신했다.

나는 올케가 해산하고 나서 아기에게 젖을 주려고 처음으로 사람들 앞에서 헤친 가슴의 잔뜩 분 탐스럽고 단단한 젖보다 훨씬 더 아름답고도 풍만한 젖가슴을 갖고 있었다. 이 젖이 돌기 시작하고 있다고 나는 확신했다.

젖이 들 때는 가슴이 찌릿찌릿하면서 뿌듯해진다는 건 올케한테 들은 소린데 그것까지 똑같지 않나.

나는 어머니로부터 아기를 거칠게 빼앗아 안았다. 그러고 서슴지 않고 앞가슴을 헤쳤다. 아기의 손이 내 살찐 젖무덤을 더듬더니 이내 울음을 뚝 그치고 다급하게 "흐응, 흐응." 하며 허겁지겁 온 얼굴로 내 가슴으로 파고들었다.

그러나 내 젖꼭지가 채 아기의 마른 입술에 닿기도 전에 어머니의 거친 손에 나는 아기를 빼앗기고 말았다. 어머니의 얼굴은 딸의 간음 현장이라도 목격한 것처럼 분노와 수치로 핏기마저 가셔 있었다.

"세상에, 망측해라. 처녀 애가, 없는 일이다. 암 없는 일이고말고."

아기는 코언저리가 새파랗게 질려 사색이 돌 만큼 자지러지게 울기 시작했지만 목이 잠겨 늙은이 가래 끓는 소리같이 기분 나쁜 소리가 끊겼다 이어졌다 했다.

나는 아기의 이런 울음소리를 듣자 느닷없이 가슴에서 젖줄이 넘쳐, 정말로 펑펑 넘쳐 옷섶을 흥건히 적시고 있는 것처럼 느끼며 이런 풍요한 젖줄과 목마른 아기를 굳이 떼어 놓는 어머니에게 격렬한 적의마저 품었다.

그런 일은 오빠와 올케의 죽음이 정리되기도 전, 그러니까 상중의 일이었으니 상중의 일치곤 그리 대단한 일은 아닐지도 모른다. 난리 중에 벼락 맞듯 두 참사를 한꺼번에 당한 집안 사정이 오죽했으며, 그런 일을 당하기까지의 사연인들 오죽했을까만, 나는 유독 조카의 목마름, 배고픔의 광경만을 딴 일과 뚝 떼어서 밑도 끝도 없이 선명하게 기억한다.

설사 난리 중이 아닌 평화 시라도 졸지에 엄마를 잃은 아기는 당분간은 배고프고 내팽개쳐지는 게 스스로가 타고난 박복이 아니겠는가. 그런데도 그때의 그 일이 차마 못할 짓의 기억으로 아직도 생생하니 아프다.

그것은 아마 젖줄이 솟은 것 같은 신기한 기억 때문일 것이다. 그때 내가 젖을 물릴 수 있었다손 치더라도 젖이 나왔을 리 없다는 걸 그 후 나도 알긴 알게 되었다. 그렇지만 그때 가슴이 찌릿찌릿하니 뿌듯하게 옷섶을 적시며 넘치던 게 전연 아무것도 아니었다고는 도저히 생각할 수 없다. 조카에 대한 고모 이상의 것, 이를테면 모성이 아니었던가 싶다.

그 후 아기는 푸성귀하고 보리하고 끓인 푸르죽죽한 국물도 잘 받아먹게 되었다. 때로는 그것보다는 좀 나은 아기의 먹을 것을 장만할 수 있을 때도 있었다. 그러나 나는 자주자주 어쩔 줄을 몰라 했다. 딱딱한 놋숟갈을 착살맞도록[1] 쪽쪽 핥는 아기의 부드러운 입술에 젖을 물리고 싶다는 생각과 처녀가 젖을 빨린다는 건 아주 망측한 일이란 생각 사이에 억눌려서 어쩔 줄을 몰랐던 것이다.

그 후 수복이 되고, 나는 미군 부대 하우스걸 같은 걸 하면서 아기에게 우유를 먹일 수 있었고 놋숟갈 대신 고무젖꼭지를 물릴 수 있었다. 피란을 다니면서도 아기에겐 미제 우유를 먹일 수 있었다. 나는 자유를 위해 피란을 가는 게 아니라 돈만 있으면 우유를 살 수 있는 세상을 따라 남으로 움직였다.

조카는 잔병치레 하나 안 하고 잘 컸다. 천덕꾸러기란 다 그렇게 크게 마련이라고 어머니는 말했지만 나는 그 말이 듣기 싫었다. 어머니라고 당신 앞에 남겨진 이 집 대를 이을 단 하나의 핏줄인 손자가 소중하지 않을 리야 없겠지만 난지 백날 만에 애비 에미를 잡아먹은—어머니는 이런 끔찍스러운 말을 썼다.—손자를 가끔가끔 불길스러운 듯 구박을 했다. 아아, 어머니는 왜 이 조그만 아기의 팔자 따위가 그 6·25 사변같이 엄청나게 큰 불길스러운 일을 일으킬 수 있다고 생각한 것일까.

조카는 말을 배우면서 아줌마 소리를 제일 먼저 했지만 아기들 말이 으레 그

---

1 착살맞다 하는 짓이나 말 따위가 얄밉게 잘고 다랍다.

렇듯이 발음이 정확지 않아 '아윰마', 조금 응석을 부리면 '암마'로 들렸다. 어머니는 그걸 몹시 싫어해서 '아줌마' 대신 '고모'라는 말을 가르치기 시작했다. 잘못해서 아윰마 소리가 나오면 엉덩이를 맞아야 했다. 어머니는 "이 경을 칠 녀석, 또다시 그런 소릴 할런 안 할런." 하며 엉덩이를 모질게 찰싹찰싹 때렸다.

그리고 나한테는 조카를 너무 귀여워하는 게 아니라고 했다. 모르는 사람이 보면 꼭 모자지간같이 보인다는 거였다. 실제로 누구도 그러고 아무개도 그러는데, "따님하고 외손주하고 사시는구만, 사위는 군인 나갔수? 납치당했수?" 하더라는 거였다. 그만큼 그 시절엔 집에 장정 남자 식구가 없는 건 조금도 이상스럽지 않았다.

그러다가 혼인길 막히는 거 아닌지 모르겠다고 어머니는 근심했다. 조카는 최초의 말 "암마" 소리를 엉덩이를 맞아 가며 부정당하고부터는 말 없는 아이로 자랐다. 그리고 나는 혼인길이 트이어 시집을 갔다. 마치 자식을 떼어 놓고 개가해 가는 과부처럼 청승맞은 기분으로 죄의식조차 느끼며 시집을 갔다. 부부만의 단출한 살림이고 보니 친정 출입이 잦았다.

방마다 세를 들인 커다란 낡은 집 안방의 옴두꺼비 같은 구식 세간들 사이에서 할머니하고 단둘이 살아야 하는 어린 조카가 문득 불쌍한 생각이 나면 곧장 달려가곤 했다. 새로 난 장난감도 사 가고 주전부리할 것도 사 가지고 가서 한바탕 유쾌하게 수선을 떨다 왔다. 이런 나를 어머니는 시집을 가도 하나도 철이 안 난 주책바가지라고 나무라며 못마땅해하고, 사위에겐 미안쩍어 하기도 했지만, 나는 그게 아니었다. 나는 친정집의 곰팡내 나는 음습한 분위기로 해서 조카의 동심에까지 곰팡이가 슬까 봐 내가 햇빛이고자 바람이고자 그렇게 하는 거였다. 실제로 나를 맞는 조카의 얼굴은 음지가 양지로 변하는 것처럼 환하게 변했다.

나도 첫 애기를 낳게 되었다. 꼭 둘째 아기를 낳는 기분이었다. 둘째 아기를 낳는 엄마라면 누구나 하는 근심, 아우에게 사랑을 빼앗긴 맏이의 상처받은 동심을 어떻게 위무할 것인가 하는 근심과 똑같은 근심을 나는 내 조카 때문에 했으니 말이다.

내 첫애는 딸이었고, 나는 내 딸이 엄마 아빠 소리보다 오빠 소리를 먼저 할 만큼 따로 사는 친정 조카를 우리 식구처럼, 식구라도 상 식구처럼 키우는 데 지나칠 만큼 신경을 썼다. 남편이 딸애를 주려고 과자를 사 와도 "이건 오빠 거." 하며 우선 몇 개 집어 두었고, 신발을 한 켤레 사려도 "이건 오빠 거, 이건 혜란이 거." 매사를 이런 식으로 했다.

마침내 조카가 국민학교에 들어가게 됐다. 나는 꼭 첫애를 국민학교에 보내게 된 젊은 엄마처럼 흥분해서 어쩔 줄을 몰랐다. 매일 딸을 데리고 따라가서 "혜란아 오빠 찾아내 봐, 조오기, 조오기 있지. 우리 혜란이 오빠가 제일 잘하네. 노래도 제일 잘하고 유희도 제일 잘하고, 그치 혜란아." 하며 수선을 떨었다.

그러나 고모는 고모지 아무려면 엄마만 할 수야 있겠는가. 나는 지금도 조카의 첫 소풍날을 잊을 수 없다. 그때도 국민학교 1학년 첫 소풍은 창경원[2]이었다.

어머니는 아침부터 줄창 조카를 따라다니기로 하고 나는 점심을 싸 가지고 나중에 가서 창경원 속에서 만나기로 했다. 만나는 장소는 연못가로 하여 행여 어긋나는 일이 있을까 봐 나는 용의주도하게 남편이 결혼 전에 차던 팔목시계[3]까지 어머니 팔목에 채워 드렸다. 그러고도 나는 어머니가 못 미더워 골백번도 더 "11시 정각에, 연못가." 소리를 했더랬다. 그런 내가 한 시간이나 더 늦게 가고 말았다. 도시락도 요리책을 봐 가며 좀 멋을 부려 봤지만, 내 모양을 내는 데 분수없이 시간을 잡아먹었다. 미장원에 가서 머리도 새로 했고, 화장도 정성 들여 했고, 옷도 거울 앞에서 몇 번을 갈아입어 봤는지 모른다. 그때만 해도 내 용모에 어느 만큼은 자신이 있을 때라 나는 군계일학처럼 딴 엄마들 사이에서 뛰어나길 바랐었다. 그래서 조카까지가 그런 우월감으로 엄마 대신 고모라는 서

---

2 창경원 일제 강점기에 창경궁 안에 동·식물원을 만들면서 불렀던 이름.
3 팔목시계 '손목시계'의 방언.

운함을 메울 수 있기를 바랐었다. 그러다가 그만 한 시간이나 지각을 하고 만 것이다.

어머니는 미련하게도 그 한 시간 동안을 줄창 연못가에서 나만 기다리느라 정작 아이들이 해산하는 것도 모르고 있었다. 부랴부랴 어머니를 몰아세워 아이들이 집합해서 단체 놀이를 벌이던 곳으로 갔으나 아이들은 이미 뿔뿔이 헤어져 가족들과 점심을 먹고 있었다. 거의 한 시간이나 넘어 창경원 안을 미친 듯이 헤맨 끝에 조카를 만났다. 조카는 그때까지 그래도 국민학교 1학년생으로서의 체면상 가까스로 참았던 울음을 내 치마폭에 얼굴을 묻자마자 서럽게 터뜨렸다. 철들고 나서 그렇게 몹시 운 것은 처음이어서 나는 당황했다. "고모가 나쁘다, 나쁜 년이다." 나는 정말 내가 나를 때리는 시늉까지 해 가며 달래다 못해 같이 울어 버리고 말았다.

점심시간은 엉망일 수밖에 없었다. 워낙 몹시 운 끝이라 울음을 그치고 나서도 흑흑 흐느끼느라 김밥 하나를 제대로 못 넘겼다. 내 조그만 허영이 불쌍한 조카의 1학년 첫 소풍의 추억을 이렇게 슬프게 얼룩져 놓고 만 것이다.

내가 그애의 엄마라면 뭣 하러 그런 허영을 부렸겠는가. 내가 내 아이들보다 조카를 더 사랑한다는 느낌에는 그런 허영과도 공통된 과장과 허위가 있음직도 하다.

조카는 자랄수록 죽은 오빠를 닮아 갔다. 아들이 애비 닮은 것은 당연한데도 어머니와 나는 그게 못마땅하고 꺼림칙했다. 외모가 닮은 건 어쩔 수 없다손 치더라도 말이 없는 것까지 닮은 걸 보면 속까지 닮았을까 봐 제일 그게 걱정이었다.

오빠는 늘 침울한 편이었고 너무 말이 없었다. 그래도 가끔 친구들과 어울릴 때면 도맡아 떠들어 댔던 것으로 미루어, 본래의 성품이 그랬던 게 아니라 집안 식구와 공통의 화제가 없었더랬는 게 아닌가 싶다. 집안 여자들이 흥미 있어 하는 살림 걱정, 살림 재미, 친척의 소문, 계절의 변화 등에 오빠는 도무지 무관했다. 오빠는 일제 말기에 전문학교까지 나온 주제에 해방되고도 직장이라곤 가져 본 적이 없다. 나는 이런 오빠를 막연히 빨갱이라고 생각했었다. 오빠 방의 책이 맨 그런 책이었고, 친구들과 떠드는 소리를 엿들어 봐도 누가 들으면 큰일 날 불온한 소리였기 때문이다.

나는 어머니에게 오빠가 빨갱이일 거라고 일러바쳐 어머니를 전전긍긍하게 했다. 어머니는 서둘러서 오빠를 장가들였다. 외아들이니 빨리 손을 봐야겠기도 했지만, 처자식이 생기면 자연히 책임이란 것을 의식하게 될 테고 그러면 위험한 짓도 삼가게 되려니와 직업도 갖게 될지도 모른다는 게 어머니의 속셈이었다.

오빠는 순순히 장가를 들어 주었고, 이내 첫 애기를 본 게 또 아들이어서 제법 푸짐하게 백날 잔치까지 하고 나서 며칠 만에 6·25가 터졌다. 나는 속으로 이제야말로 오빠가 활개 칠 세상이 왔나 보다고 생각했다. 처음엔 내 추측이 들어맞는 것 같았다. 불안할 만큼 생기가 나서 뻔질나게 외출을 했다. 그러다가 다시 침울해지더니 바깥출입을 끊고 들어앉았다가 친한 친구한테 반 강제로 끌려나간 후 죽어서 돌아왔다. 그 후 올케까지 친정으로 쌀을 얻으러 가다 폭사[4]를 해, 내 조카는 그만 고아가 되고 만 것이다.

그래서 우리 모녀는 지금까지도 오빠가 빨갱이였는지, 흰둥이였는지, 아예 그런 사상 문제엔 집안일에 관심이 없었던 것처럼 관심도 없었는지, 그것조차 분명히 알고 있지를 못하다. 다만 어머니는 아들 치다꺼리만 했지 한 번도 아들이 벌어 오는 밥을 못 얻어 잡숴 본 게 가슴 깊이 맺힌 한이어서 아무쪼록 오래 사셔서 하루라도 손자가 벌어 오는 밥을 얻어 잡숴 보는 게 소원이시다. 손자가 좋은 학교 나와서 착실한 직장을 가지고 결혼해서 일요일이면 처자식 데리고 카메라 메고 놀러 나가고 당신은 집을 봐주는 게 평생소원이시다.

---

4 폭사 **폭발로 말미암아 죽음. 또는 갑자기 참혹하게 죽음.**

카메라 메고 공일날 야외에 나갈 만큼의 출세랄까 안정이랄까 그게 어머니가 훈이(내 조카 이름)에게 바라는 전부였고, 나도 어머니가 노후에 카메라 메고 야외에 나간 손자 내외의 집을 봐주는 정도의 행복은 누리게 하고 싶었다.

훈이가 고등학교 2학년이 되자 반을 문과 이과로 나누게 되었고, 훈이가 나한테는 아무 상의도 안 하고 문과를 택한 걸 나는 나중에야 알았다. 나는 우선 그런 문제를 나한테는 상의 한마디 안 한 게 서운했고, 어머니는 어머니대로 오빠가 전문학교에서 문과였다는 것만으로 덮어놓고 문과를 싫어했다. 그래도 나는 훈이 편이 되어 고등학교 문과가 반드시 장래 문학 지망을 의미하지는 않는다고 어머니를 설득하려 했지만 어머니는 지레 겁을 먹고 있었다. 어머니는 오빠가 평생 사회에 참여해서 돈 한 푼 벌어들인 일이 없는 주제에 까닭 없이 죽어야 하는 일엔 끼어들고 말았다는 사실이 문과 출신이라는 것과 반드시 무슨 상관이 있다고 믿고 있었기 때문이다.

나는 그럴 리가 없다고 어머니를 위로하면서도 속으론 어머니 생각에 동조하고 있었으므로 더 늦기 전에 일을 바로잡아 보리라 마음먹었다. 나는 학교에 쫓아가서 담임 선생님에게 애걸하다시피 해서 훈이가 문과에서 이과를 전과를 할 수 있도록 했다. 그러고 나서 훈이를 설득하려 들었다. 나는 막연히 훈이를 두려워하면서 중언부언 내 말을 했고, 훈이는 언제나처럼 말없이 젊은이다운 대담한 시선으로 나를 쏘아보았다.

"훈아, 너희 담임 선생님이 그러시는데 너는 인문계보다는 이공계가 더 적성에 맞는대. 좀 좋아. 공대 같은 데 가면 요새 공장이 많이 생겨서 공대 출신이 제일 잘 팔린다더라. 넌 큰 기업체에 취직해서 착실하게 일해서 돈도 모으고 연애도 하고 결혼도 해서 살림 재미도 보고 재산도 늘리고, 그러고 살아야 돼. 문과 가서 뭐 하겠니? 그야 상대나 법대로도 풀릴 수 있지만 그게 그리 쉬우냐, 까

딱하단 문학이나 철학이나 하기가 꼭 알맞지. 아서라 아서. 사람이 어떡허면 편하고 재미나게 사느냐를 생각하지 않고, 사람은 왜 사나, 뭐 이런 게지. 돈을 어떡허면 많이 벌 수 있나는 생각보다 돈은 왜 버나 뭐 이런 생각 말이야. 그리고 오늘 고깃국을 먹었으면 내일은 갈비찜을 먹을 궁리를 하는 게 순선데, 내 이웃은 우거짓국도 못 먹었는데 나만 고깃국을 먹은 게 아닌가 하고 이미 배 속에 들은 고깃국조차 의심하는 바보짓 말이다. 이렇게 자꾸 생각이 빗나가기 시작하면 영 사람 버리고 마는 거야. 어떡허든 너는 이 사회에 순응해서 이득을 보는 사람이 돼야지 괜히 사회의 병폐란 병폐는 도맡아 허풍을 떨면서 앓는 소리를 내는 사람이 될 건 없잖아."

"고모, 아버지가 그런 사람이었나요?"

훈이가 내 말의 중턱을 자르며 푸듯이 말했다. 나는 당황했다. 훈이가 아버지에 대해 뭘 물어본 게 이번이 처음이라 그렇기도 했지만, 내가 오빠에 대해 오랫동안 몰래 추측하고 있던 걸 훈이한테 느닷없이 들키고 만 것 같아 더 그랬다.

나는 아니라고 강하게 부인하고 다시 아까 한 소리를 간곡하게 되풀이했다. 내 말에 감동했는지 귀찮아서 그랬는지 아무튼 훈이는 내가 옮겨 준 대로 이과에 잘 다녔다. 그러나 형편없이 성적은 떨어졌다. 때마침 공대가 붐을 이룰 때라 우수한 지원자가 많이 몰려 훈이는 대학 입시에 낙방했고, 재수는 막무가내 싫다고 해서 삼류 대학 공대 토목과에 들어갔다.

훈이가 대학에 다니는 4년 동안 내내 대학가는 어수선해서 데모, 휴교, 조기 방학의 악순환의 연속이었다. 데모가 있을 때마다 나는 훈이가 그런 데 휩쓸릴까 봐 애를 태우고 미리미리 타이르고 했다.

"행여 그런 데 끼지 마라. 관심도 갖지 마라. 너는 기술자가 될 사람야. 세상이 어떻게 되든 밥벌이 걱정은 안 해도 될 기술자란 말야. 기술자는 명확한 해답을 얻어 낼 수 있는 문제에만 관심을 가지면 되는 거야. 알았지?"

그러고는 혹시 꾐에 빠져서라도 그런 데 끼어들었다간 졸업 후 취직도 못 하고 일생 망치기 십상이라고 공갈을 쳤고, 너는 꼭 대기업에 취직해서 안정된 생활을 누리고 예쁜 색시 얻어 일요일이면 카메라 메고 동부인해서[5] 야외로 놀러 나갈 만큼은 재미있게 살아야 한다고 설교를 했다. 훈이는 한 번도 말대꾸하는 법이 없었지만 거칠고 대담한, 그리고 경멸하는 듯한 시선으로 나를 쏘아봤다. 그러면 나는 괜히 부끄러워져서 딴전을 보며 지껄여 댔다. 나는 부끄럼을 타면서도 꽤나 줄기차게 그런 말을 훈이에게 했었나 보다. 대학교 졸업반 때 나는 돈의 여유가 좀 생긴 김에 훈이에게 카메라를 하나 사 주고 싶어 의향을 물어봤더니 단호하게 거절하며 하는 말이

"고모, 난 카메라라면 지긋지긋해. 이가 갈려. 생전 그런 거 안 가질 거야."

그럭저럭 무사히 졸업하고 입대했지만 곧 의가사 제대를 할 수가 있었다. 이제 취직 문제만 남았는데 이것만은 그렇게 쉽지가 않았다. 대기업은커녕 착실한 중소기업의 문턱도 낮지는 않았다. 막상 취직 문제에 부딪치고 보니 남의 떡이 커 보이는 식으로 이공계보다는 인문계 출신의 문호[6]가 훨씬 넓어 보이는 게 우선 나로서는 적잖이 속상하는 일이었다. 그래도 다행인 건 훈이가 그런 문제에 나를 원망하려는 기색이 조금도 안 보이는 거였다. 말없이 고분고분 취직 시험을 수없이 보고, 보는 족족 떨어졌다. 어떤 곳에선 아예 서류 심사부터 낙방을 시키는 걸 보면 대학교 성적이 시원치 않았던 것 같다.

어머니와 나는 한 번도 훈이가 대통령이나 장군이나, 재벌이나 판검사나 그런 게 되기를 바란 적이 없다. 정직하고 벌어먹을 수 있는 기술 가르쳐 대기업에 붙여, 공일날 카메라 메고 야외에 나갈 만큼의 사람 사는 낙을 누릴 수 있기를 바랐을 뿐이다. 그런데 그나마도 쉽게 되어 주지를 않았다. 취직 시험도 하도 여러 번 치르니, 보러 가기도 보러 가라기도 점점 서로 미안하게 되었다. 2년 가까이를 이렇게 지겹게 보내던 훈이 어느 날 나에게 해외 취업의 길을 뚫을 수 있을

5 동부인하다 아내와 함께 동행하다.
6 문호 외부와 교류하기 위한 통로나 수단을 비유적으로 이르는 말.

것 같으니 교제비로 돈을 좀 달라는 당돌한 요구를 해 왔다.

"뭐라고, 해외 취업? 그럼 외국에 나가 살겠단 말이지. 그건 안 된다."

"왜요 고모, 쩨쩨하게 돈이 아까워서? 아니면 고모가 영영 할머니를 떠맡게 될까 봐 겁나서?"

훈이는 두 개의 간략한 질문을 거침없이 당당하게 했다. 마치 이 두 가지 이유 외에 딴 이유란 있을 수도 없다는 말투였다. 나는 뭣에 얻어맞은 듯이 아연했다.

글쎄 어떻게 설명할 수 있을 것인가. 그 녀석이 꼭 이 땅에서, 내 눈앞에서 잘 살아 주었으면 하는 내 간절한 소망의 참뜻을, 지랄같이 무책임한 전쟁이 만들어 놓은 고아인 저 녀석을, 온 정성을 다해 남부럽지 않게 키운 게 결코 내 어머니를 떠맡기고자 함이 아니었음을 어떻게 납득시킬 수 있담.

제가 잘되고 잘사는 것으로, 다만 그것만으로 나는 내가 겪은 더럽고 잔인한 전쟁에 대해 통쾌한 복수를 할 수 있고 그때 받은 깊숙한 상처의 치유를 확인받을 수 있다는 걸 어떻게 저 녀석에게 알릴 수 있을 것인가.

나는 그 녀석을 똑바로 바라보았다. 그 녀석도 나를 똑바로 바라보았다. 시선이 강하게 부딪쳤으나 나는 단절감을 느꼈다. 문득 이 녀석 치다꺼리에 구역질 같은 걸 느꼈으나 가까스로 평정을 가장했다.

"해외 취업은 당분간 보류하렴. 할머니 때문이든 돈 때문이든 그건 네 마음대로 생각해도 좋다. 그리고 취직 문젠데, 너무 고지식하게 정문만 뚫으려고 했던 것 같아. 방법을 좀 바꾸어서 뒷문으로 통하는 길을 알아봐야겠다. 돈이 좀 들더라도……."

"흥, 돈 때문은 아니다 그 말을 하고 싶은 거죠?"

녀석이 나를 노골적으로 미워하며 대들었다. 나는 대꾸도 하지 않았다. 어머니는 곁에서 내가 늘그막에 이렇게 천덕꾸러기가 될 줄은 몰랐다면서 훌쩍였다.

취직 운동이란 게 막상 부딪쳐 보니 할 노릇이 아니었다. 우리를 위해 발 벗고 나서 애써 줄 유력한 친척이나 친구가 있는 것도 아니니, 그저 좀 잘산다는 동창을 찾아가 남편을 통해 부탁을 좀 하려면 단박 아니꼽게 나오기가 일쑤였다. 토목과 출신만 아니더라도 어떻게 해 보겠는데 요새 워낙 건설 업계가 전반적인 불황이라 어쩌구 하면서 마치 제가 이 나라 건설 업계를 손아귀에 쥔 듯이 허풍과 엄살을 겸해서 떠는 사람도 있는가 하면 선뜻 이력서나 가져와 보라는 곳도 있긴 있었다. 감지덕지 이력서 가져가 봤댔자 별게 아니었다. 이력선 시큰둥하게 밀어 넣고는 기다려 보라니 기다릴 수밖에 없지만 가타부타 무슨 뒤 소식이 있어야 텐데 그저 감감 무소식인 데야 다시 어떻게 빌붙어 볼 도리가 없었다.

그러다가 겨우 얻어걸린 게 Y건설의 영동 고속 도로 현장의 측량기사보 자리였다. 거기 현장 소장으로 가 있는 친구 남편이 서울 집에 다니러 온 김에 해 온 연락으로 본인만 좋다면 당장 데리고 가겠다는 거였다. Y건설이라면 국내 건설 업계에서는 다섯 손가락 안에 드는 업체였지만 정식 사원이 아니라 현장 사무소장 재량으로 채용하는 임시 직원으로 오라는 거니 우선은 섭섭할 밖에 없었다. 그래도 한 반년만 현장에서 일 배우고 고생하면 본사 정식 사원으로 상신해 주겠다는 단서가 붙긴 붙었다. 마다할 계제[7]가 아니었다.

현장 소장이 가르쳐 준 준비물은 두둑한 침구, 겨울 내복, 라이너[8]가 달린 잠바, 작업복, 바지, 워커 등이었다. 4월도 하순으로 접어들어 서울에선 벚꽃 놀이가 한창인데 현장은 해발 600미터의 고지대라 아직도 영하의 추위에 눈이 가끔 내린다고 했다. 어머니는 대문간에서 울면서 훈이를 떠나보내고 나는 마장동 시외버스장까지 전송을 나갔다. 생전 처음 집을 떠나 객지 생활로 들어가는 훈이에게 그저 자주 편지하라는 말밖에 할 말이 없었다.

"자주 편지해. 그리고 아무리 고생이 되더라도 6개월만 참아다고. 그동안에 무슨 수를 써서든지 정식 사원으로 발령 나도록 해 줄 테니까. 발령 난 다음엔

---

7 계제 어떤 일을 할 수 있게 된 형편이나 기회.
8 라이너 코트의 안에 대는 천이나 털 따위를 이르는 말.

곧 또 서울로 오도록 운동하면 될 테고. 문제없어, 다 잘될 거야."

나는 훈이가 별로 내 말을 귀담아듣지 않는 줄 알면서도 희떠운[9] 장담을 했다. 훈이를 위로하기 위해서라기보다는 내 불안을 달래기 위해서였다.

짐작했던 대로 훈이한테서는 안부 편지 한 장이 없었다. 한 달에 서너 번씩 서울 집에 다니러 오는 현장 소장을 통해 훈이한테 별일 없다는 소식이라도 듣게 망정이지 그렇지 않으면 꼭 무슨 사고라도 난 것 같아 달려가 보지 않고는 못 배겼을 게다. 어머니는 나만 보면 듣기 싫은 소리를 했다.

2년이나 놀리고 나서 취직이라고 시켜 준답시고 어떤 삼수갑산으로 귀양을 보냈기에 이렇게 한 번 다니러 오지도 못하느냐고 하기도 했고, 집세만 받아먹어도 굶지는 않을 텐데 그게 어떤 귀한 자식이라고 객지로 노동 벌이를 보냈느냐고도 했다. 대학 문턱에도 못 가 본 사람도 아침이면 신사복에 넥타이 매고 출근하던데 헌다헌 대학 나온 애가 노동 벌이가 웬 말인가, 아무리 애비 에미 없고, 출세한 친척이 없기로서니 이런 서럽고 억울할 데가 어디 있냐고 통곡을 하는 때도 있었다. 나는 이런 일을 묵묵히 견디었다. 그야 어머니 말대로 훈이가 취직을 안 한대도 뎅그런 집 한 채는 있으니 밥을 굶지는 않겠다. 취직이 단순히 밥벌이만을 의미한다면 훈이는 취직을 안 해도 되겠다. 나는 다만 훈이가 자기가 배운 일을 통해 이 땅과 맺어지고, 이 땅에 정붙이기를 바랐을 뿐이다.

나는 열심히 현장 소장네를 찾아다녔고, 찾아갈 때마다 선물을 잊지 않았다. 어떤 낌새를 눈치 보기 위해서였다. 본사에서 특채가 있는 듯한 낌새만 보이면, 좀 어떻게 상신을 하고 중역하고 교제해 달라고 슬쩍 케이크 상자 속에 수표를 넣어 준다는 '와이로[10]' 쓰기를 하겠는데 영 그런 낌새는 보이지 않았다.

한여름이 되도록 훈이는 한 번 다니러 오는 법도 없고, 엽서 한 장 보내 주지 않았다. 아무리 무소식이 희소식이라지만 이건 너무한다 싶었다. 훈이가 가 있

---

9 희떱다 말이나 행동이 분에 넘치다.
10 와이로(わいろ) '뇌물'을 일본어로 일컫는 말.

는 곳은 변변히 봄도 안 거치고 곧장 여름으로 접어들었다기에 여름옷도 우송해 주었고 편지도 부지런히 써 부쳤다. 8월에는 오빠와 올케의 제사가 며칠 건너로 있어서 이번만은 상경하겠지 싶으면서도 미심쩍어 미리 전보까지 쳤다. 그러나 훈이는 올라오지 않았다. 어머니는 이럴 수는 없다, 아무래도 무슨 일이 있는 거지로 시작해서 여태껏 꾼 온갖 불길스러운 꿈을 놀라운 기억력으로 주워섬기는 것이었다. 내 여태껏 입에 담기조차 사위스러워[11] 참고 있었다만 지금 생각하니 진작 일러 줄 걸 그랬나 보다는 게 어머니의 긴 사설의 결론이기도 했다.

어머니 꿈대로라면 훈이가 불도저에 깔려 암매장이라도 당한 걸 친구 남편인 현장 소장이 깜쪽같이[12] 숨기고 있는 것 같았다. 한번 그런 생각이 들자 견잡을 수가 없었다. 편지가 없는 건 무소식이 희소식으로 돌린다 치더라도 산간벽지에서 도대체 공일날을 뭘로 소일하는 것일까. 다방이나 당구장, 오락실이 그리워서라도 공일마다는 못 오더라도 한 달에 두어 번쯤은 상경해야 배길 텐데 말이다. 대학 4년과 놀고 있던 2년 동안을 순전히 그런 데만 맴돌며 살았으니까. 의심이 나기 시작하니 한이 없었다. 도대체 온갖 도시적인 것과 훈이를 떼어 놓고 생각하는 것조차 무리였다.

계집애처럼 앞뒤에 라인이 든 야한 빛깔의 와이셔츠에 줄무늬 합섬[13] 바지에, 반짝거리는 구두를 신고 대담하고 권태로운 시선으로 아무나 아무거나 마구 얕잡으며 빙빙 다방에서 당구장으로, 탁구장에서 오락실로 날이 저물면 맥주홀[14]이나 대폿집으로 쏘다니다가 밤늦게 흐느적흐느적 들어와서도 뭐가 미진한지 라디오의 음악 프로를 최대한의 볼륨으로 틀어 온 집 안의 정적을 무참히 짓이기던 녀석이 산간벽지의 도로 공사 현장에 어떤 모습으로 있을까가 좀처럼 상상이 안 되었다. 떠나기 전 남대문 시장에서 사 준 염색한 미군 작업복과 워커와

---

11 사위스럽다 마음에 불길한 느낌이 들고 꺼림칙하다.
12 깜쪽같다 '감쪽같다'의 잘못.
13 합섬 합성 섬유.
14 맥주홀 예전에, 맥주만 파는 술집을 이르던 말.

녀석을 아무리 내 상상 속에서 결합을 시켜 보려도 되지를 않았다.

드디어 나는 현장에 찾아가 보기로 결심했다. 떠나기로 한 날 아침부터 비가 억수로 퍼부었다. 그렇다고 미루기도 싫어서 어떻든 강릉행 버스를 탔다. 훈이가 가 있는 영동 고속 도로 현장은 강릉 못 미처 진부(珍富)에서 다시 갈아타야 하는 곳에 있었다. 버스가 서울을 떠나 팔당을 지나 양주, 양평 땅으로 접어들면서 포장도로는 끝나고 시뻘건 흙탕길로 변했다. 게다가 길 오른쪽은 바로 한강 줄기요, 왼쪽은 당장 무너져 내릴 듯한 절벽이었다. 여름내 비가 잦았어서 그런지 흙탕물이 굽이치는 한강 줄기가 제법 망망한 대하로 보였고, 버스가 달리는 길은 너무도 좁고 고르지 못했다. 당장 노반[15]이 무너져 내리며 버스가 한강 물로 거꾸로 박힐 것 같아 엉치[16]가 옴찔옴찔했다. 그래도 버스는 줄기찬 빗발 속을 잘도 달렸다.

문득 나는 만약에 여기서 차 사고로 내가 죽더라도 내가 왜 이 버스를 탔던가가 알려졌으면 좋겠다고 생각했다. 내 고모로서의 지극한 정성이 널리 알려져 신문에 보도되고 그걸 Y건설 사장이 읽게 되고 그러면 훈이를 제꺽 발령을 내 본사로 끌어올릴지 알 게 뭔가 하는 실로 더럽고 치사한 생각을 했다. 나는 이 더럽고 치사한 공상을 실컷 탐닉했다. 그러고 나서야 내가 죽은 후의 내 아이들을 생각했다. 아마 서너 달쯤 있다가 계모가 생기겠지. 그렇지만 내 아이들은 아무리 생각해도 계모에게 들볶여서 불행해질 아이들이 아니었다. 도리어 계모를 교묘히 들볶고 골탕 먹여 줄 게다. 계모를 지능적으로 불행하게 할 게다. 나는 마치 내가 죽어서 그런 일을 구경하고 있는 것처럼 고소해하기까지 했다. 그러고 보니 나는 내 자식을 조카인 훈이보다 덜 사랑해 키웠는지는 몰라도, 그게 더 잘 키운 건지도 모른다고 생각되었다.

버스가 강원도 지방으로 접어들자 산을 휘감은 비탈길이 많아 헉헉 숨이 차

---

15 노반 도로를 포장하기 위하여 땅을 파고 잘 다져 놓은 땅바닥.
16 엉치 '엉덩이'의 방언.

했지만 그곳은 맑은 날씨여서 훨씬 덜 불안했다. 진부에 닿은 것은 서울을 떠난 지 여섯 시간 만이었다. 거기서 유천리까지 갈 버스를 기다릴 동안의 요기를 하기 위해 국밥집엘 들렀다.

국밥집은 Y건설의 마크가 붙은 초록색 모자를 쓴 남자들로 붐볐다. 현장이 가까우리라는 예감으로 우선 반가웠고 뭔가 가슴이 두근대기도 했다. 그러나 몇 사람을 붙들고 물어도 김훈이란 측량기사를 안다는 사람이 없었다. 다만 현장 사무소가 있는 유천리까지는 굳이 버스를 기다릴 거 없이 택시를 타도 500원이면 간다는 걸 알 수 있었을 뿐이었다.

진부라는 면 소재지는 거리의 끝에서 끝이 한눈에 들어오는 조그만 고장인데 다방도 서너 군데 되고 중국집, 불고깃집 등 음식점엔 Y건설의 초록 모자, S토건의 빨강 모자 천지였다. 주위의 고속 도로 공사로 활기를 띠고 호경기를 누리고 있는 고장이란 걸 한눈에 알 수 있었다.

운전수가 내려놓아 준 Y건설 현장 사무소는 엉성한 가건물이었지만 여러 동이 연이어 있어 규모가 컸고, 넓은 광장에는 지프차, 트럭, 덤프트럭, 불도저 같은 차들이 멎어 있고 파란 모자를 쓴 사람들이 웅성거려 활기에 차 보였다. 다행히 김훈이를 알고 있는 사람을 단박에 만날 수 있었다. 몇십 리 밖 현장에 나가 있지만 곧 돌아올 시간이니 기다려 보라고 했다. 저녁때라 트럭이 현장으로부터 파란 모자에 작업복을 입은 사람들을 가득 실어다간 너른 마당에 쏟아 놓았다. 먼지를 뽀얗게 쓴 사람들이 앞개울에서 세수 먼저 하곤 곧장 식당이라 쓴 곳으로 들어갔다.

저만치 한여름의 옥수수밭이 짙푸르고, 마을의 집들은 온통 약속이나 한 듯이 주황 아니면 빨간 지붕을 이고 있었다. 나는 이런 독한 원색의 대결에 피로감과 혐오감을 함께 느꼈다. 그러나 첩첩한 산들은 전나무가 무성하고 저 멀리 오대산의 산봉우리들은 웅장했고, 곳곳에 맑은 시냇물이 흐르고 있어 그 소리가 귀에 상쾌했다.

이제나저제나 훈이를 실은 차가 들어오기만을 기다리는데 전연 훈이 같지 않은 젊은이가 나에게 "고모." 하면서 다가왔다. 훈이는 그동안 몰라보게 살이 빠진 데다가 머리와 눈썹이 뽀얗게 보일 만큼 흙먼지를 뒤집어쓰고 있어 못 알아봤던 것이다. 나는 훈이를 확인하자 반가움과 노여움이 뒤죽박죽된 격정으로 목이 메었다.

"망할 녀석, 이렇게 잘 있으면서 어쩌면 엽서 한 장이 없니?"

훈이는 아무런 대꾸도 안 하고 앞장서서 개울로 갔다. 세수를 하곤 꽁무니에서 꾀죄죄한 타월을 떼다가 얼굴을 북북 문질렀다. 타월에서 너무 역한 쉰내가 나서 나는 얼굴을 찡그렸다. 훈이가 뜻 모를 웃음을 희미하게 웃었다. 이제야 제 살갗을 드러낸 얼굴은 옹기그릇처럼 암갈색의 광택이 났고, 드러난 이빨만이 징그럽도록 선명하게 희었다.

"어디로 좀 가자꾸나."

"주임한테 얘기하고-."

"아직도 퇴근 시간 안 됐니? 7시가 넘었는데."

"밤일이 있어."

"뭐 밤에도 측량을 다녀?"

"밤일은 측량이 아니라 제도(製圖)야."

그러고는 터벅터벅 사무실로 들어갔다. 한참 만에 나오더니 말없이 앞장을 섰다.

"저녁을 어디서 먹는다지? 네 하숙집에 가서 닭이나 한 마리 잡아 달래 먹으면 안 될까?"

"진부까지 나가서 먹지 뭐."

"진부에 특별히 음식 잘하는 집이라도 있니?"

"아뇨. 그냥 진부까지 나가 보고파서."

할 수 없이 다시 진부로 나왔다. 손바닥만 한 진부의 야경에 훈이가 사뭇 휘황해하고 흥분까지 하고 있다는 걸 알 수 있었다.

"너는 이까짓 데도 자주 나와 보지 못한 게로구나. 낮에 보니 너희 회사 사람들이 널렸더라만."

"그런 사람들은 기술직이 아냐. 관리직이나 그 밖에도 빈들댈 수 있는 직종이야 수두룩하니까."

"그까짓 공사판에도-."

"네, 그까짓 공사판에도요."

녀석이 갑자기 씹어뱉듯이 말했다. 그리고 말없이 불고깃집으로 들어갔다. 한증막처럼 후텁지근한 속 여기저기서 지글대는 고기 냄새에 나는 구역질을 느꼈다. 그러나 훈이는 땀을 뻘뻘 흘리면서 무섭게 먹어 댔다. 식성이 까다롭고 소식이던 훈이로만 알고 있던 나는 무참한 느낌으로 이런 왕성한 식욕을 지켜봤다.

"하숙집 식사가 안 좋은가 보지."

"하숙집에선 잠만 자고 식사는 회사 식당에서 하는걸."

"그래, 그럼 식사는 거저겠네?"

"거저가 뭐야, 봉급에서 꼬박꼬박 제해."

"봉급은 얼마나 받는데?"

실상은 가장 궁금했던 걸 이제야 자연스럽게 물었다.

"거진 한 3만 원 되지만 식비 빼고 하숙비 주고 나면 몇천 원 떨어질까 말까야. 가끔 소주 파티에 빠질 수도 없고, 그 재미도 없인 정말 못 참아 내겠는걸 뭐. 집에다 돈 부쳐 달란 소리 안 하는 것만도 내 딴엔 큰 안간힘이라구."

"그래 회사 식당 식사가 먹을 만하니."

"기똥차지, 기똥차. 그거 얻어먹고 폴대 메고 하루 몇십 리씩 산골을 누비는 나도 기똥차구."

말 안 해도 그 지칠 줄 모르는 식욕과 게걸스러운 먹음새만 봐도 알 만했다.

"하여튼 짜식들 사람 부리는 솜씨 또한 기똥차게 악랄하다구. 아침 7시서부터 폴대 메고 헤맬 데 안 헤맬 데 다 헤매다 기진맥진 돌아온 놈에게 그 지독한 저녁을 멕이곤 또 밤일을 시켜 가면서도 주임에, 과장에, 소장에 번갈아 가며 연방 공갈을 친다구. 뭐 우리 공구의 공사 진척이 제일 늦는다나. 하루 공사가 늦으면 어느 만큼 회사에 손해를 끼친다는 기맥힌 계산을 그분들한테 들으면 봉급이 적다든가 식사가 형편없다든가 하는 불평은커녕 회사에 큰 손해를 끼치고 있는 죄인이란 생각이 먼저 들어 기를 못 펴게 되니 더러워서–."

엄청난 양의 불고기를 먹어 치운 훈이는 커피도 먹고 싶다고 다방엘 가자고 했다. 다방에는 Y건설 패거리가 텔레비전을 둘러싼 앞자리에 앉아서 마담에 레지까지 불러다가 잡담을 하고 있었다. 훈이도 그중 몇과는 인사를 나누었으나 가서 끼지는 않았다. 잔뜩 찡그리고 커피를 홀짝 들이켜더니 오나가나 저치들 꼴 보기 싫어 기분 잡친다고 빨리 가자고 했다.

훈이의 하숙방은 협소하고 더러웠다. 벗어만 놓고 빨지 않은 옷가지들이 여기저기 걸레 뭉치처럼 쌓여 가지곤 시척지근하고도 고릿한 야릇한 악취를 풍겼다. 그러나 워커를 벗어 던진 훈이의 발에서 풍기는 악취에다 대면 아무것도 아니었다. 사람이 빨래 안 하고 청소 안 하면 돼지만도 못한 것 같았다.

"좀 씻고 자렴."

그러나 씻기는커녕 옷도 안 벗은 채 아무렇게나 쓰러지더니 코를 골기 시작했다. 나는 나 누울 곳을 마련하기 위해서도 방을 대강 치워야 했다. 썩은 내 나는 옷가지 사이엔 소주병, 고등어 통조림 먹다 남은 것, 깡 종류의 과자 부스러기 등이 숨어 있어 악취를 더해 주고 있었다. 활자로 된 거라곤 흔한 주간지 하나 없는 황폐한 방구석이 이 녀석의 황폐한 내부를 들여다보는 것 같아 내 마음은 암담했다.

더위와 악취와 이 생각 저 생각으로 한잠도 못 잔

나는 주인 여자가 일어난 기척을 듣고 따라 일어나 그동안 신세가 많았다고 치하도 하고 자기소개도 했다. 주인 여자는 시골 여자답지 않게 냉담하고 도도하게 "신세 진 거 하나도 없습니다." 했다. 같은 말이라도 아 다르고 어 다르다고 이건 겸사의 말이 아닌, 돈 받고 하숙 치는 관계일 뿐 신세를 주고받는 관계가 아님을 강조하는 말투였다.

나는 더욱 훈이가 안쓰러워지면서 자꾸 마음이 약해지고 있었다. 우선 산더미 같은 빨래를 개울로 날랐다. 비누가 없어 한길가 잡화상에 갔더니 생소한 메이커 제품인 생선 비린내가 역한 비누가 한 장에 100원씩이나 했다. 비누를 사가지고 와서도 나는 선뜻 빨랫거리를 물에 담그지를 못했다.

훈이가 나를 따라 서울로 가겠다고 할 것은 뻔하고 그렇게 되면 젖은 빨래는 곤란할 것 같아서였다. 실상 나는 그렇게 되길 바라고 있었다. 이대로 나만 떠날 수는 도저히 없었다.

어느 틈에 칫솔을 문 훈이가 내 곁에 와 서 있었다.

"고모 왜 그러고 있어. 빨래가 너무 많아 질린 게지. 대강 맷국이나 빼."

"얘야, 이놈의 고장 참 고약하더라. 글쎄 이 거지 같은 빨랫비누가 100원이란다."

"고모도, 소주값이 얼만 줄 알면 더 놀랄걸."

"녀석도 제가 언제 적 모주꾼[17]이라고. 근데 산골 인심이 어째 이 모양이냐."

"관광 붐 때문일 거야. 바로 여기가 오대산 월정사 입구거든. 우리가 뚫는 영동 고속 도로 인터체인지도 이곳에 생길 테고, 돈맛들이 들을 대로 들어서 서울 놈 돈 긁어먹으려고 눈에 핏발이 섰다니까. 글쎄 이 옥수수 고장에서 여태껏 옥수수 한 자루를 못 얻어먹어 봤다면 말 다했지 뭐. 돈 주고 사 먹을려면야 먹어 봤겠지만 나도 오기가 있다구, 안 사 먹어. 고모, 나 오늘 농땡이 부리고 말 테니

17 모주꾼 술을 늘 대중없이 많이 마시는 사람을 놀림조로 이르는 말.

까 월정사 구경 시켜 줄래. 주임은 고모 온 거 아니까 한번 사바사바해 볼게."

그러곤 꽁무니에 찼던 타월까지 내 빨랫거리에 훽 던져 보태고는 부리나케 현장 사무소 쪽으로 갔다. 이내 옥수수밭에 가려서 모습이 안 보였다. 참 옥수수도 많은 고장이었다. 그러나 훈이가 그거 하나 여태껏 못 얻어먹었다고 생각하니 부아가 부글부글 치솟는 걸 느꼈다.

나는 개울물을 돌로 막고 빨래를 담갔다. 빨래를 하면서 보니 내복과 이불 호청[18]에는 이까지 들끓고 있었다. 세상에 요즈음은 아무리 구더기 밑살[19]같이 사는 집구석이기로서니 이는 없이 살건만 이게 웬일일까. 나는 형편없는 식사와 중노동을 악으로 버틴 훈이를 뜯어먹은 이를 지겹게 눌러 죽이다 못해 한동안 멍하니 앉아 있었다.

"농땡이 잘 안 되겠는데, 고모."

풀이 죽어 돌아온 훈이의 말이었다.

"그까짓 농땡이 칠 거 없다. 같이 가자 서울로. 몸이나 성할 때 일찌거니 집어치는[20] 게 낫겠다."

"그건 싫어."

"왜 싫어?"

훈이의 싫다는 대답을 나는 전연 예기치 못했으므로 당황할 밖에 없었다.

"나는 더 비참해지고 싶어. 그래서 고모나 할머니가 철석같이 믿고 있는 기술이니 정직이니 근면이니 하는 것이 결국엔 어떤 보상이 되어 돌아오나를 똑똑히 확인하고 싶어. 그리고 그걸 고모나 할머니에게 보여 주고 싶어."

"그걸 우리에게 보여서 어쩌겠다는 거야? 그걸로 우리에게 복수라도 하겠다 이 말이냐?"

---

18 호청 '홑청'의 잘못.
19 밑살 항문을 이루는 창자의 끝부분.
20 집어치다 '집어치우다'의 잘못.

나는 훈이 말에 무서움증 같은 걸 느꼈기 때문에 흥분해서 악을 쓰며 덤벼들었다.

"고모 그렇게 흥분하지 말아. 나는 다만 고모가 꾸미고, 고모가 애써 된 이 일의 파국을 통해서 고모와 할머니로부터, 그리고 이 나라로부터 순조롭게 놓여날 수 있기를 바라고 있을 뿐이야. 그렇지만 고모, 오해는 마. 내가 파국을 재촉하고 있다고 생각하지는 마. 나는 내 나름대로 이곳에서의 일에 최선을 다하고 있어. 그러노라면 누가 알아, 일이 고모의 당초 계획대로 잘 풀릴지. 나도 어느 만큼은 그쪽도 원하고 있어. 파국만을 원하고 있는 게 아냐."

"그래 참, 잘될 수도 있을 거야. 잘될 여지는 아직도 충분히 있고말고."

나는 별안간 잘될 가능성에 강한 집착을 느끼며 태도를 표변했다[21].

"그렇지만 고모, 잘되게 하려고 너무 급하게 굴진 마. 와이로 쓰고 빌붙고 하느라 돈 없애고 자존심 상하고 하지 말란 말야. 여기 와 보니 6개월만 기다리라는 임시직 신세로 삼사 년을 현장으로만 굴러다니는 친구가 수두룩해. 임시직에겐 봉급 조금 주고, 일요일도 없이 부려먹고, 책임은 없고, 얼마나 좋아, 회사 측으로선 훌륭한 경영 합리화지."

훈이는 버스 정류장까지 나를 배웅했다. 진부까지 나가는 완행버스는 좀처럼 오지 않았다. 그동안 나는 뭔가 훈이에게 이야기해야 될 것 같은 심한 압박감을 느꼈다. 나는 내가 여기까지 오는 동안 길이 나빠 얼마나 고생을 하고 시간을 많이 잡아먹었나를 과장해서 들려주면서 고속 도로가 뚫리면 서울서 강릉까지가 얼마나 가까워지고 편안해지겠느냐, 너는 이런 국토 건설 사업에 이바지하고 있는 걸 자랑으로 삼아야 한다고 이야기했다.

녀석이 구역질 같은 소리로 "웃기네." 했다. 때마침 바캉스 시즌이라 자가용이 연이어 강릉으로, 월정사로 달리면서 우리에게 흙먼지를 뒤집어씌웠다. 훈

---

21 표변하다 마음, 행동 따위를 갑작스럽게 바꾸다.

이도 한몫 참여한 영동 고속 도로가 개통되면 더 많은 자가용과 관광버스가 그 위에서 쾌속을 즐기겠지. 훈이도 그 생각을 하면서 "웃기네." 했을 생각을 하고 나는 내가 한 말에 심한 부끄러움을 느꼈다.

드디어 버스가 오고 나는 그것을 혼자서 탔다. 나는 훈이에게 몇 번이나 돌아가라고 손짓했으나 훈이는 시골 버스가 떠나기까지의 그 지루한 동안을 워커에 뿌리라도 내린 듯이 꼼짝 않고 서 있었다. 나는 그게 보기 싫어 먼 딴 데를 바라보았다. 논의 벼는 비단 폭처럼 선연하게 푸르고, 옥수수밭은 비로드[22]처럼 부드럽게 푸르고, 먼 오대산의 연봉의 기상은 웅장하고, 오대산에서 흘러내린 맑은 물이 도처에서 내와 개울을 이루고 있다. 아름다운 고장이다. 이 땅 어디메고 아름답지 않은 곳이 있으랴.

그러나 아직도 얼마나 뿌리 내리기 힘든 고장인가.

훈이가 젖먹이일 적, 그때 그 지랄 같은 전쟁이 지나가면서 이 나라 온 땅이 불모화해 사람들의 삶이 뿌리를 송두리째 뽑아 던지는 걸 본 나이기에, 지레 겁을 먹고 훈이를 이 땅에 뿌리 내리기 쉬운 가장 무난한 품종으로 키우는 데까지 신경을 써 가며 키웠다. 그런데 그게 빗나가고 만 것을 나는 자인했다. 뭐가 잘못된 것일까. 나는 가슴이 답답해서 절로 한숨을 쉬었다. 그러나 후회는 아니었다. 훈이를 키우는 일을 지금부터 다시 시작할 수 있다면 이러이러하게 키우리라는 새로운 방도를 전연 알고 있지 못하니, 후회라기보다는 혼란이었다.

(1975년)

---

22 비로드 거죽에 고운 털이 돋게 짠 비단. 우단(羽緞). '벨벳(velvet)'이라고도 한다.

고장 난 문

이범선

이범선(1920~1982)

평안남도 신안주에서 태어나, 1955년 〈현대문학〉에 〈암표〉와 〈일요일〉이 김동리에 의해 추천되어 문단에 등단했다. 〈고장 난 문〉은 하루 동안 고장 난 문 때문에 비정상적으로 변해 가는 인간의 모습을 통해 고립감과 소외감의 치명성을 보여 주는 작품이다. 이범선은 6·25 전쟁 이후 분단 현실에 대한 사실적이고 세밀한 묘사로 유명하다. 서민의 소외된 삶에 대한 동정, 왜곡된 현실에 대한 분노와 냉소 등을 담은 소설들을 주로 썼다. 〈오발탄〉 〈학마을 사람들〉 〈사망 보류〉 〈분수령〉 〈청대문집 개〉 등 다수의 작품을 썼다.

•

•

"자, 그럼 처음부터 찬찬히 이야기해 봐. 거짓말은 하지 않는 편이 좋아. 우린 벌써 다 알고 있으니까."

열여덟 살 만덕이에게는 아버지뻘이나 되어 보이는 중년 수사관이 볼펜을 거기 조서[1]위에 굴려 놓고 걸상 등받이에 깊숙이 기대어 앉았다. 이미 조서는 꾸며졌으니 들으나 마나 한 이야기지만 하도 애원을 하니까 한 번 더 들어 봐 준다는 그런 태도였다.

"형사님, 제가 왜 무엇 때문에 거짓뿌렁[2]을 합니까. 정말 억울합니다! 제가 한 말은 다 사실입니다. 요만큼도 거짓뿌렁 없습니다."

책상 모서리에 놓인 나무 걸상에 두 무릎을 모으고 단정하게 앉은 만덕은 새끼손가락을 하나 세우고 그 새까만 손톱을 가리켜 보이며 울상을 지었다.

"글쎄, 그러니까 한 번 더 얘기해 보라는 거 아냐!"

수사관은 담배를 붙여 물며 맞은편 벽에 걸린 시계를 쳐다보았다. 뻔한 사건을 빨리 끝내 버리고 싶은 그런 눈치였다.

"나 정말 미치겠네요! 억울합니다, 정말!"

만덕이란 그 눈이 커다란 소년은 벌써 얼마든지 울었던 모양으로 형편없이 얼룩이 진 얼굴을 또 한 번 시꺼먼 작업복 소매로 문질렀다.

"이 녀석아, 그러니까 다시 얘기해 보라는 거 아냐!"

---

1 조서(調書) 조사한 사실을 적은 문서.
2 거짓뿌렁 거짓부렁. '거짓말'을 속되게 이르는 말.

수사관은 꽉 고함을 질렀다. 만덕은 손을 무릎 위에 공손히 내려놓으며 한 번 수사관을 쳐다보고 나서 이야기를 시작하였다. 제법 맑은 음성에 시골 무식한 소년치고는 이야기가 또박또박 조리 있었다.

그러니까 어제 아침이죠. 그게 아마 10시쯤이었을 겁니다. 읍내의 우체부 아저씨가 편지를 한 통 배달해 주고 갔어요.

"그때 너는 펌프[3]에서 밥그릇을 씻고 있었고."

수사관이 빙그레 웃어 보였다.

"예, 다 알고 있구먼요."

"이 녀석아, 그걸 모르면 어떡해! 그러니까 거짓말을 해도 소용없어. 다 조사했으니까."

"아 그럼요. 여기가 어디라고 거짓뿌렁을 합니까. 좋아요, 형사 아저씨가 그렇게 다 알고 있으니까 정말 마음이 턱 놓이누만요."

이번에는 만덕이 그 얼룩진 얼굴에 히죽이 웃음을 담아 보였다. 수사관이 귀신처럼 죄다 알고 있으니 자기의 죄 없음도 알 것이고 진범도 쉬 붙들릴 테니까.

그래 난 그 편지를 들고 선생님 화실로 갔죠. 화실은 내가 있는 별채와 따로 떨어져 있거든요. 그런데 문이 잠겨 있더군요.

"선생님, 편지 왔습니다."

나는 문을 두어 번 두들겼습니다. 그랬더니 안에서 기척이 들리며 문 손잡이를 덜컥거리더군요.

3 펌프(pump) 수도 시설이 없는 곳에서, 사람이 손잡이를 위아래로 되풀이하여 움직임으로써 그 압력에 의하여 땅 속에 수직으로 박혀 있는 관을 통하여 지하수가 땅 위로 나오도록 하는 기구.

"문이 잠겼구먼."

안에서 선생님이 중얼거렸습니다. 나는 밖에서 한 번 더 둥근 손잡이를 쥐고 돌려 보았습니다. 그렇지만 그건 공연한 짓이죠. 그 출입문은 안에서 잠그게 되어 있거든요. 또 한 번 손잡이가 안에서 덜컥거렸습니다.

"어떻게 된 거지? 문이 안 열리지 않아."

선생님의 음성이 새어 나왔어요. 그러나 밖에 서 있는 나로선 그저 기다리는 도리밖에 없었죠.

"밖에가 뭐 잘못된 거 아니냐?"

"아닙니다, 밖엔 아무렇지도 않은데요."

"그럼 어떻게 된 거야."

"글쎄요."

"이상하군."

사실 그랬습니다. 그 선생님 화실 문이란 동그란 손잡이가 달려 있었는데 안에서 그 손잡이 한가운데 툭 튀어나온 배꼽 같은 단추를 꼭 눌러서 잠그게 되어 있었거든요. 그리구 안에서 열 때는 그저 손잡이를 돌리기만 하면 되고, 밖에서 열 때는 열쇠를 넣고 돌려야 열리게 되어 있죠. 참 신통한[4] 손잡이예요. 그런데 그게 선생님이 안에서 손잡이를 돌렸는데도 열리지 않거든요.

"이상한데…… 이봐, 만덕이."

"예."

"밖에서 열쇠로 한번 열어 봐."

"열쇠가 제겐 없는데요."

"저리 앞 창문으로 돌아와. 열쇠를 내보내 줄 테니까."

나는 곧 화실 모서리를 돌아 나갔죠. 포도송이 같은 꽃이 주렁주렁 달려 있는

---

4 신통하다 신기할 정도로 묘하거나, 마음에 들 만큼 마땅하고 좋다.

등나무 시렁 밑으로 해서 창문 앞으로 갔어요. 선생님이 창문 쇠창살 사이로 열쇠를 내밀어 주시더군요. 나도 역시 쇠창살 사이로 편지를 선생님께 건네고 열쇠를 받았죠. 조그마한 방울이 하나 끈에 달린 하얀 열쇠였어요……. 예, 바로 형사 아저씨 앞에 있는 그 열쇱니다. 방울이 달렸지 않아요.

"응, 은방울인데."

수사관이 책상 모서리에서 열쇠를 집어 들어 끈에 달린 방울을 흔들어 보았다. 딸랑딸랑 아주 맑은 소리가 울려 나왔다.

"선생님은 화실에 들어가실 때면 저만치 사립문에서부터 열쇠를 꺼내어 딸랑딸랑 흔들며 들어오시곤 했어요. 그러니까 나는 별채 방 안이나 뒤뜰에서 무슨 일을 하다가 앞에서 인기척이 나도 그 방울 소리만 나면 나가 볼 필요가 없었죠. 그건 선생님이 화실로 들어가시는 거니까요. 선생님은 그렇게 인정 있는 좋은 분이었어요. 내가 무슨 일을 하다가 공연히 나올까 봐서 일부러 그렇게 방울을 흔드시는 거였죠."

나는 그 열쇠를 들고 문으로 갔어요. 열쇠를 넣고 비틀었습니다. 그러나 여전히 문은 안 열렸어요.

"선생님, 안 되는데요."

"그래…… 하기야 안에서 비틀어서 안 열리니까."

선생님은 심상한 목소리로 그렇게 중얼거리고는 잠잠했습니다. 아마 방금 전해 드린 편지라도 읽고 있나 보다 하고 나는 그냥 앞뜰로 돌아 나오고 말았죠. 열쇠는 그냥 내 호주머니에 넣은 채로 말입니다.

그런데 한 시간쯤 되었을까요. 앞뜰에서 장미나무에 거름을 주고 있노라니까,

"만덕아!"

하고 선생님이 부르는 소리가 들렸어요.

"네."

나는 삽을 던져 두고 화실 앞으로 달려갔죠.

"이 녀석아, 문을 열지 않고 뭘 하고 있는 거야!"

선생님이 창문 안에 서서 밖을 내다보고 있었습니다.

"그런데 그게 열쇠로도 안 열리는걸요."

"인마, 그럼 날 이렇게 창살 안에 가둬 둘 작정이냐?"

언제나 그림 그릴 때 입고 있는 그 누렁 샤쓰를 헐렁하니 걸친 선생님은 쇠창살을 친 창문 안에서 웃고 있었습니다.

"그런데 그 문이…… 선생님, 지금 밖으로 나오시려구요?"

"나갈 일은 별로 없지만…… 그렇다고 이 녀석아……."

"아무래도 문이 고장이 난 모양인데요."

"어떻게 해 봐!"

"네."

나는 호주머니에서 열쇠를 꺼내어 들고 딸랑딸랑 출입문께로 돌아갔습니다. 그리고 손잡이 열쇠 구멍에 쇠를 넣고 또 돌려 보았죠. 여전히 문은 열리지 않았습니다.

다시 조용해졌습니다. 선생님은 아마 그림을 그리기 시작한 듯 화실 안에서는 아무런 기척도 들려오지 않았습니다. 나는 한 번 더 손잡이를 비틀어 보곤 그대로 열쇠를 거기 꽂아 둔 채 다시 앞뜰로 나와 버렸죠.

사실 선생님 화실 안에는 모든 시설 — 수도, 가스, 냉장고, 그 속에 빵, 우유, 과일, 그리고 화장실, 욕실까지 다 있거든요. 전혀 아무 불편도 없죠. 그러니까 뭐 문이 당장 안 열린대도 별 볼 일 없으리라고 생각했었죠. 사실 선생님은 그전에도 며칠씩 꼼짝 않고 화실 안에만 틀어박혀 지낸 적이 흔히 있었거든요. 그런 때면 난 될 수 있는 대로 화실 가까이는 가지 않았어요. 선생님은 딴 사람이 화실 안에 들어가는 걸 아주 싫어했거든요.

우리 선생님은 좀 이상한 분이었어요. 댁은 서울인데 선생님 혼자서만 서울서 20리나 떨어진 그 강가 언덕 위 별장 화실에서 지내고 있었어요. 형사 아저씨도 보셨죠. 그 언덕 위 밤나무 숲 사이의 화실. 밖에서 보기에는 별거 아닌 보통 기와집이지만 안은 참 멋집니다. 나는 그 화실 옆에 따로 떨어져 있는 조그마한 별채에 살고 있으면서 선생님 심부름을 하고 또 선생님이 서울 올라가시면 집을 지키고 그랬죠. 선생님은 한 달에 한 열흘쯤만 서울에 가 계셨고 20일쯤은 여기 화실에서 혼자 지냈어요. 그렇다고 뭐 사모님과 사이가 나쁜 건 아니에요. 아니죠, 두 분은 아주 사이가 좋았어요. 예쁜 사모님은 대학에 다니는 역시 예쁜 따님과 같이 때때로 화실에 내려오곤 했어요. 선생님의 양식거리를 잔뜩 꾸려 들고 말입니다. 그러면 선생님은 화실 안에서 혼자 손으로 끓여 잡수곤 했어요. 그러니까 뭐 꼬박꼬박 시간을 정해 놓고 하루에 세 때를 먹는 게 아니라 언제든지 생각나면 먹고 그렇지 않으면 안 먹고 그래요. 선생님은 그저 그림밖에 몰랐어요. 그림에 미친 분이에요. 그림을 그리기 위해서만 사시더군요. 그래서 아마 선생님은 그렇게 유명한 화가인가 봐요. 어찌 보면 꼭 어린애 같아요. 그야말로 그저 마음 내키는 대로 사시는 분이었어요. 어떤 날은 한낮에 종일 주무시는가 하면, 또 어떤 날은 밤을 꼬박 새워 가면서 그림을 그리기도 하고요. 또 비가 억수로 내리는 속을 우산도 안 쓰고 산보를 하는가 하면 이틀 사흘 기척도 없이 화실 안에만 틀어박혀 있기도 하고요. 그런 땐 은근히 걱정이 되어서 화실 창문으로 기웃거릴라치면 선생님은 막 야단을 치곤 했어요. 그래 그 후로는 아무리 며칠씩 선생님이 안 보여도 그저 난 내 방에서 모른 체 했어요. 선생님은 그렇게 멋대로 지내면서 남이 간섭하는 걸 아주 싫어했거든요. 정말 묘한 선생님이었어요. 난 그런 선생님을 알아차리기까지 꽤 오래 걸렸죠. 그러니까 선생님과 나는 화실과 별채에 따로따로 지내고 있는 거처럼, 한 집안에 살고 있으면서도 사실 따로따로였어요. 어쩌다 편지나 오면 그걸 전하러 화실엘 가는 정도였죠. 그 밖엔 내가 갈 필요도 없었고 또 별로 부르는 일도 없었어요. 선생님과 나는 그런 식으로 살았습니다. 그렇게 서로 간섭을 안 하고 사니까 세상 편하고 좋던데요. 선생님도 언젠가 그러더군요. 그게 제일 잘 사는 거라구요.

"이 녀석아, 무슨 쓸데없는 군말이 그렇게 많아."

수사관은 담뱃재를 떨며 지루한 듯 말했다.

"아 그렇군요. 선생님 이야길 하다 보니까 그만, 헤헤헤. 어디까지 말씀드렸더라……."

"그래, 다시 앞뜰로 나가서 그다음은 어떻게 했어."

예, 그랬죠. 앞뜰로 나가서 다시 장미나무에 거름주기를 계속했죠 뭐. 열쇠로도 문이 안 열리는 걸 어떡헐 도리 있나요. 그런데 얼마 있다가 또 선생님이 부르잖아요. 이번엔 아까보다 더 크고 좀 화가 난 목소리였어요.

"야! 만덕아, 이리 와!"

"예!"

나는 또 화실로 달려갔습니다. 선생님은 창문의 쇠창살을 두 손으로 쥐고 서 있더군요. 나는 창문 밑으로 다가갔습니다.

"야, 이 자식아!"

"……?"

나는 멈칫 섰습니다. 그리고 선생님의 얼굴을 살폈죠. 커다란 곰방대를 입에 물고 있는 선생님은 화가 몹시 난 눈으로 나를 노려보고 있었습니다. 사실이지 나는 그때까지 선생님의 입에서 이 자식이란 말을 들어 본 적이 한 번도 없었거든요.

"부르셨어요?"

하고 나는 겁에 질려서 나직이 물었습니다. 그랬더니 대뜸 선생님은,

"인마, 내가 뭐랬지?"

하고 고함을 지르는 것이었습니다. 나는 얼이 빠져서 그저 멍멍히[5] 서 있었죠.

"문을 열라고 하잖았어?"

"예…… 그런데 그 문이 열리질 않는걸요."

"그렇다고 그냥 가만두면 열리니?"

"……?"

"가만둬도 문이 생각해 가며 혼자 열리냐 말이다? 문이 살았니?"

딴은 그럴 리는 없죠. 문이 무슨 생각이 있어서 얼마큼 골리다가 적당히 열려 줄 턱은 없죠.

"어떻게 열어 봐얄 게 아냐."

"……."

"네 힘으로 안 되면 읍내 목수한테라도 가서 열어 달래야잖아."

"예, 그럼 곧……."

"바보 같은 녀석, 사람을 죄수처럼 철창 안에 가두어 놓고 태평으로 딴짓만 하고 있어!"

나는 돌아서 나오며 등 뒤에 선생님의 역정 소리를 들었습니다. 하기야 갇혔다면 분명히 갇혔지만, 그렇다고 여느 때는 곧잘 며칠씩 꼼짝도 않고 화실 안에서 잘도 지내시면서 막상 문이 고장이 나서 안 열리니까 그날따라 그렇게 화를 내는 선생님이 좀 이상도 하고 고깝기도 했습니다. 그러나 나는 어째서 진작 읍내 목수한테 나가서 부탁할 생각을 못 했던가 하고 정말 멍청이인 나를 탓하면서 그 달음으로 곧 10리쯤 되는 읍내로 들어왔죠. 그런데 목수 아저씨가 집에 없지 뭐예요. 어디 일 갔는데 저녁때에나 돌아올 거라고 하더군요. 그래, 미안하지만 저녁 늦게라도 나와서 문을 좀 손봐 달라고 부인한테 부탁을 하고

---

5 멍멍히 정신이 빠진 것같이 어리벙벙하게.

돌아왔죠. 바로 그 문을 단 목수 아저씨였거든요. 사실 문제는 그때 목수 아저씨가 집에 없었던 데 있다구요. 목수 아저씨가 있기만 했더라면 같이 나가서 쉽게 문을 고칠 수 있었던 걸, 그날 저녁 늦게까지 기다려도 목수 아저씨가 들어오질 않았지 뭡니까.

"야 인마, 너 정말 목수한테 가긴 갔었어?"

선생님은 저녁 해가 떨어지자 역정을 내시더군요.

"아 그럼요. 제가 선생님한테 거짓말을 하겠어요."

"그럼 왜 아직 안 와!"

"글쎄 꼭 오라고 부탁을 했다니까요."

"그런데 아직 안 오지 않아."

"헤 참, 선생님도 급하시긴. 전에는 며칠씩도 문밖에 안 나오시곤 했으면서 뭘 그러셔요."

나는 화실 창문 밖 등나무 밑에 쭈그리고 앉아서 쇠창살 안의 선생님 말동무를 해 주며 그렇게 웃었죠. 그랬더니 창턱에 걸터앉은 선생님은 곰방대를 빼끔빼끔 빨면서,

"이 녀석 봐라! 그거야 내가 나가고 싶지 않아서 안 나간 거구 지금은 내가 안 나가는 게 아니라 못 나가는 거 아냐."

하며 웃더군요.

"마찬가지죠 뭘. 안 나가나 못 나가나 화실 안에 있는 건 같지 않아요. 뭘 심부름 시킬 일 있으면 시키셔요. 제가 다 해 드릴게요."

"일은 무슨 일이 있어, 이 녀석아."

"그럼 됐죠 뭐."

"허 녀석. 정말 바보 같은 녀석이구나, 넌."

"어디 제 말이 틀렸어요. 뭐 불편하신 게 있어요, 서울 가실 일이라도 있다면 모르지만요."

"듣기 싫다, 이 녀석아. 너하고 이야길 하느니 차라리 우리 안의 돼지하고 하겠다."

"헤 참, 선생님도. 이제 목수 아저씨가 올 겁니다. 조금만 더 기다려 보시죠. 그동안 선생님 저녁이나 드셔요. 전 식은 밥이라도 한술 먹어야겠어요."

난 일어나 별채로 나왔어요. 선생님은 화실에 전등을 켤 생각도 않고 그대로 창턱에 걸터앉아 있더군요.

그런데 기다려도 목수 아저씨는 오지 않았습니다.

"야, 만덕아! 목수 정말 어찌 된 거냐!"

선생님은 내가 채 저녁밥을 다 먹기도 전에 또 그렇게 소리를 지르더군요. 창살을 안에서 쥐고 마구 흔들면서요.

"글쎄요, 꼭 와 달라고 단단히 부탁은 해 놨다니까요."

"한 번 더 열쇠로 열어 봐."

"마찬가지죠 뭘. 문짝이 뭐 생각해 가며 열리고 안 열리고 하겠어요."

"인마, 무슨 잔소리가 그리 많아. 어서 한 번 더 열어 봐."

나는 어둑한 문께로 돌아갔습니다. 그리고 거기 그대로 꽂힌 열쇠를 비틀어 보았습니다. 열릴 리가 없죠.

"안 열리냐?"

문 안에서 선생님이 소리쳐 물었습니다.

"예, 마찬가집니다."

"한 번 더 해 봐!"

"글쎄 마찬가지라니까요."

그러면서도 나는 또 열쇠를 넣고 비틀며 손잡이를 흔들었습니다. 그러자,

"빌어먹을!"

하고 안에서 역정을 내며 선생님은 문을 걷어차는 모양이었어요. 쾅쾅 요란하게 문짝이 울리더군요. 나는 다시 앞 창문께로 돌아 나갔습니다.

"제기랄! 이거 어디……."

선생님은 화실 안을 이리저리 뛰어다니면서 사방으로 난 창문이란 창문은 모조리 열어 젖히더군요. 전등도 켜고요.

"쇠창살은 또 뭣 때문에 이렇게 창문마다에 다 쳤어. 빌어먹을! 이거야 답답해서 견디겠나, 어디!"

난 밖에서 물끄러미 그런 선생님을—나를 한 번 부를 때마다 점점 난폭해지는 선생님을 바라보고 있었죠. 뭐가 어째서 그렇게도 답답해하시는지 도통 알 수 없더군요. 모든 시설이 안에 다 있고, 사방 창문이 활짝 열려 있는데 말입니다.

"왜 그러세요, 선생님. 여느 날처럼 그림이나 그리시지 않구요."

난 그런 선생님이 참 딱했습니다. 그러자 선생님은 나를 한 번 힐끔 내다보시더니 무슨 말을 할 듯하다 말고 화실 한복판에 있는 걸상으로 가 쓰러지듯 털썩 주저앉아 버렸습니다. 그러곤 곰방대에 또 담배를 담으며 두리번두리번 사방을 둘러보았어요. 꼭 어디 빠져나갈 틈새라도 찾는 것처럼 말입니다. 그러나 그런 틈이 있을 리 없죠. 문은 그 모양으로 고장 났고, 사방에 창문은 있었지만 그 창문들에는 단단히 쇠창살이 쳐져 있었으니까요. 선생님은 한참이나 뻐끔뻐끔 담배를 피우더군요.

"선생님, 저녁은 드셨어요?"

나는 창문 밖에서 물었습니다. 선생님은 또 한 번 힐끔 날 쳐다보았을 뿐 아무 대꾸도 안 했어요.

"아 그거 왜 자꾸만 문 생각만 하시고 그러셔요? 그런 거 생각하지 말고 그저 편안히 계시지 않구. 그러면 이제 목수가 와서 고칠 텐데 참."

"……."

선생님은 또 힐끔 날 쳐다보았어요. 사실 그렇거든요. 보통날 선생님은 별로 문밖에 나오지도 않으면서 문이 고장 나니까 그날따라 공연히 그렇게 안절부절 못하고 꼭 동물원 철창 안에 갇힌 호랑이처럼 불안해하더란 말입니다. 참 묘한 성격이죠. 나는 그런 선생님이 우습기도 하고 딱하기도 해서 슬그머니 창가에서 돌아섰죠. 그랬더니 와장창 무엇이 부서지는 소리가 요란하게 나더군요. 난 깜짝 놀라서 다시 창 쪽으로 돌아섰습니다. 뭔지 아셔요? 걸상이 창문 쇠창살에 턱하니 걸려 있는 거예요. 선생님이 일어서며 깔고 앉았던 걸상을 냅다 던진 거죠. 난 어리둥절했죠.

"야 인마! 가면 어떡해! 어서 목수 못 불러와!"

선생님은 창문으로 달려와 쇠창살을 두 손으로 꽉 쥐고 마구 흔들어 대며 소리소리 지르지 뭡니까. 그건 언제나 인자하시던 그 선생님이 아니었습니다. 무서웠어요. 난 전엔 그런 선생님의 무서운 얼굴을 본 일이 없었거든요. 아마 창에 쇠창살이 없었더라면 뛰어넘어 나와서 날 박살을 냈을 겁니다. 정말 겁났어요. 이마엔 핏줄이 서고 입은 꽉 다물고. 선생님은 자기 성질을 못 이겨서 두 손으로 그 긴 머리카락을 마구 쥐어뜯더군요.

"야! 빨리 문 열어!"

갑자기 선생님이 미친 것이나 아닌가 했다니까요.

"예, 목수 아저씨한테 또 갔다 올게요, 선생님!"

나는 겁이 나서 그렇게 말하고는 돌아서서 읍내로 달렸습니다. 그땐 벌써 밤이 꽤 깊었죠. 캄캄한 길을 나는 거의 단숨에 읍내에까지 달렸어요. 그런데 뭡니까. 목수 아저씨는 잔뜩 술에 취해서 자고 있지 뭡니까.

"아저씨, 빨리 좀 일어나세요. 문을 좀 열어 주어야 해요."

"음, 문……? 문 열면 되지 뭘 그래."

목수 아저씨는 눈도 안 뜨고 그렇게 중얼거릴 뿐이었습니다.

"아저씨, 좀 일어나요. 우리 선생님 지금 잔뜩 화났단 말예요!"

"화가 나……? 왜 화가 나……."

목수 아저씨는 여전히 눈을 감은 채였습니다. 그러니까 그건 취해서 아무렇게나 지껄이는 말이죠.

"문이 고장이 나서 안 열린단 말예요!"

"문이…… 고장이 났다!"

"예, 그래요."

"인마, 문이 무슨 고장이 나고 말고가 있어…… 열면 되지…… 문이란 인마, 열리게 돼 있는 거지, 인마."

목수 아저씨는 그렇게 중얼거리며 쓱 몸을 돌려 벽을 향해 돌아누워 버렸어요.

"그게 아냐요. 아저씨가 달아 준 저의 선생님 화실 문 알잖아요."

"에이, 시끄럽다! 걷어차라 걷어차! 그럼 제가 열리지 안 열려! 열리지 않는 문이 어디 있어, 인마."

목수 아저씬 잔뜩 몸을 꼬부리며 좀처럼 깨어 일어날 것 같지도 않았어요.

"총각, 웬만하면 낼 아침 일찍 고치지. 저렇게 취했으니 뭐가 되겠어 어디."

목수네 아주머니가 말했어요.

"글쎄 그런데 그게 안 그렇단 말입니다. 우리 선생님이 지금 미칠 지경이거든요."

"미쳐? 아니 문이 안 열린다고 미칠 거야 뭐 있어?"

"글쎄나 말이죠. 내 생각도 그런데 우리 선생님은 안 그런 걸 어떡해요."

"왜, 뒷간[6]에라도 가고 싶은가?"

"뒷간엔요! 그런 건 다 안에 있죠."

"그럼 배가 고픈가?"

"허 참, 아주머니도. 먹을 건 얼마든지 안에 다 있다구요!"

"그런데 왜 그래. 먹을 것 있구 뒤볼[7] 데 있으면 됐지, 그런데 미치긴 왜 미

---

6 뒷간 '변소'를 완곡하게 이르는 말.
7 뒤보다 대변보다.

쳐? 오, 바람이 안 통해서 숨이 답답한가 보구먼그래."

"허 참, 그런 게 아니라니까요. 바람이 왜 안 통해요. 스무 평 방의 사방이 창문인데!"

"그럼 뭐야, 알다가도 모를 일이네. 더구나 지금 밤인데 열어 놓았던 문도 걸어 잠그고 잘 시간인데 문이 열리지 않는다고 발광이야그래! 원 참 별난 양반다 보겠네."

"글쎄 그러니까 딱하죠. 낸들 알아요. 그러니 제발 좀 아저씰 깨워 주세요, 아주머니."

"가만둬요, 총각. 그런 일이라면 내일 아침에 일찍 깨워 보낼게. 그러니까 총각, 그만 돌아가서 그 선생님께 말하지 그래. 문을 열 게 아니라 단단히 걸어 잠그고 주무시라고. 난 또 무슨 큰일이나 났다구, 원!"

목수네 아주머니까지 이젠 상대를 안 해 주더군요. 그러니 어떡해요. 난 그대로 돌아갈 수밖에요. 밤길을 다시 걸어서 나는 집으로 돌아갔죠. 선생님의 짜증이 두려워서 되도록 천천히 걸어서 집에까지 갔어요. 조심조심 화실 가까이로 다가갔습니다. 그랬더니 선생님은 앞 창문의 쇠창살을 두 손으로 잔뜩 움켜쥐고 한 발을 창 턱에다 올려 디디고 금세라도 밖으로 튀어나오려는 것 같은 몸짓으로 서 있더군요.

"야 인마! 빨리빨리 좀 못 다니냐. 사람이 지금 죽을 지경인데…… 그래 목수는 데리고 왔어?"

"그게, 그…… 취해서 자던걸요."

"뭐라구! 취해서 자! 그래 혼자 왔단 말야?"

선생님은 꽉 소리를 지르며 창살을 마구 흔들어 대었습니다. 우적우적 금시 쇠창살이 비틀려 떨어질 것 같았어요.

"암만 흔들어도 안 깨던데요. 낼 아침 일찍 온대요."

"무슨 개소리야! 낼이 아니라 이 밤이 당장 문제란 말이다!"

선생님은 이번에는 주먹으로 쇠창살을 두들겨 댔어요.

"그러니 선생님, 이 밤은 그냥 주무셔요. 어차피 밤이니까 문을 잠가얄 게 아냐요. 그냥 주무셔요, 선생님."

나는 달래듯이 말했죠. 그랬더니 그 말이 선생님을 더욱 흥분시켰던가 봐요.

"이 병신 같은 새끼야, 네가 뭘 안다고 주절거리냐! 누가 밤인 줄 몰라서 안 자는 줄 아냐!"

선생님은 정말 제정신이 아닌 듯 마구 상말로 욕지거리를 퍼붓더군요. 그러나 난 조금도 어떻게 안 생각했어요.

"도끼 가져와!"

"도끼가 어디 있어요, 선생님."

"그럼 무슨 망치라도 가져와!"

"망치는 또 어디 있어요!"

"인마, 그럼 날 이렇게 밤새도록 가둬 두겠단 말야!"

"가두긴요…… 아 이제 주무시면 되지 않아요. 밤도 깊었는데요."

"이 새끼가 누굴 약을 올리나. 응, 너 날 약 올리는 거야! 이 죽일 놈의 새끼가!"

선생님은 점점 더 흥분했습니다. 선생님은 그렇게 마구 욕지거리를 하며 화실 안을 한 바퀴 둘러보더니 마침내 발작을 하더군요. 걸상을 둘러메고 가서 문을 패는 것이었습니다. 그러나 문은 끄떡도 안 하고 걸상이 부서져 나갔죠. 그러자 이번엔 커다란 액자를 문을 향해 던졌습니다. 역시 산산조각이 났죠. 선생님은 이제 정말 자기 정신이 아니었어요. 뭐든지 손에 잡히는 대로 마구 집어서 문에다 던졌습니다. 물통, 그림 붓, 이젤, 캔버스. 나는 창밖에서 정말 겁이 났습니다. 도대체 선생님이 왜 그렇게 발광을 하는지 알 수가 있어야죠. 그저 바라보고 있는 수밖에 없었어요. 그랬더니, 그렇게 한바탕 던지던 선생님이 이제 던질 것도 없었던지 제풀에 축 어깨를 떨구며 화실 마룻바닥 한복판에 가 턱하니 가부좌를 틀고 주저앉더군요. 숨이 차서 가슴을 들먹거리면서요. 창문 밖의 나를 노려보겠죠.

"나쁜 새끼! 네가 문을 망가뜨렸지."

"아닙니다, 선생님! 제가 왜…… 전 정말 아무것도 모릅니다."

"그럼 누가 그랬단 말야!"

"글쎄 누가 무엇 때문에 그랬는지 전 정말 모릅니다."

"가라, 나쁜 새끼!"

"아닙니다, 정말!"

"안 갈 테야!"

선생님은 앉은 채 마룻바닥에서 무엇인가 더듬어 창문 밖의 나를 향해 냅다 던졌습니다. 그림 그리는 기름통이었어요. 빗맞긴 했지만 난 얼굴에 기름을 함빡[8] 뒤집어썼죠.

"빨리 꺼져!"

선생님은 또다시 무엇인가 던질 것을 찾고 있었습니다. 난 재빨리 도망쳤죠. 내 방으로요. 정말입니다. 그리고 자 버렸어요. 선생님은 차라리 혼자 가만히 두는 편이 좋겠다고 생각했죠. 사실 화실 안은 아무 불편도 없거든요. 그랬다가 다음 날 아침에 조심조심 창밖으로 가서 안을 살펴보았더니 선생님은 화실 한편 벽에 붙여 놓은 침대 위에 엎드려 자고 있지 않겠어요. 참 어린애 같은 분예요. 나는 그길로 읍내로 들어갔습니다. 선생님이 잠들어 있을 때 아침 일찍 목수 아저씨를 불러다가 문을 고치는 것이 좋겠다고 생각했죠. 다행히 읍내 길 중간쯤에서 목수 아저씰 만났어요.

"엊저녁엔 내가 취했어. 그래 이렇게 일찍 오는 길이지."

목수 아저씨는 미안해하더군요. 그래 우린 화실로 돌아왔죠. 선생님은 아직 그대로 엎드려 잠들어 있었습니다. 목수 아저씨는 연장을 내려놓고 문손잡이를

---

8 함빡 물이 쪽 내배도록 젖은 모양.

몇 번 돌려 보더군요. 열릴 리가 있나요. 결국 끌을 가지고 문설주[9]를 도려냈죠. 그렇게 만 하루 만에 문이 열렸어요. 아닌 게 아니라 밖에 있던 나까지도 숨통이 확 트이는 것 같데요. 그거 참 묘하죠. 뭐 별 답답한 것도 느끼지 못했었는데 막상 문이 활짝 열리니까 정말 가슴이 다 시원하던데요. 난 확 열어 젖혀진 문으로 단번에 몰려 들어가는 바람에 빨려 들어가기나 하듯이 화실 안으로 달려 들어갔어요. 의자다 액자다 캔버스 따위가 마구 흐트러진 위를 넘어서요.

"선생님! 선생님, 문이 열렸어요!"

소리 질렀죠. 그래도 선생님은 침대에 엎드린 채 꿈쩍도 안 하더군요. 어지간히 피곤했던 모양이었어요.

"선생님 문이 열렸다니까요! 어서 밖에 나가 보셔요!"

나는 침대 곁으로 가서 엎드린 선생님을 흔들었습니다. 그런데!

"그런데 죽어서 몸이 굳어 있더란 말이지?"

수사관이 느릿한 몸짓으로 걸상 등받이에서 등을 펴며 책상 위의 조서를 집어 올려 폈다.

"정말입니다. 목수 아저씨도 다 보았습니다!"

만덕은 안타까운 눈으로 수사관을 쳐다보았다.

"물론 목수 아저씨도 보았지. 그에게 보여 주기 위해서 그를 불러 갔으니까. 그러나 목수 아저씨가 본 건 죽은 시체였지 그가 죽는 광경은 아니었지 않아!"

"형사 아저씨! 제 말을 믿어 주십쇼. 정말입니다. 지금 이야기한 대로 모두 사실입니다. 억울합니다. 제가 왜 우리 선생님의 목을 누릅니까. 또 그리구, 목수 아저씨도 잘 압니다. 우리가 갔을 때까지도 문은 그대로 고장 나 잠겨 있었거든요. 그래 그걸 뜯고야 들어갔단 말입니다. 그런데 어떻게……."

---

9 문설주 문짝을 끼워 달기 위하여 문의 양쪽에 세운 기둥.

"그야 그랬지. 그런데 너는 열쇠를 가지고 있었단 말야. 안 그래?"

수사관은 열쇠를 집어 들어 방울을 딸랑딸랑 흔들어 보였다.

"허지만 아저씨! 문은 고장이었습니다요! 그걸 목수 아저씨가 뜯고야 들어갔다니까요!"

"거짓말 마!"

수사관이 주먹으로 책상을 쾅 치며 고함을 질렀다. 만덕은 수사관을 노려보는 채 무릎 위에서 두 주먹을 꽉 쥐었다.

"억울합니다. 정말 너무 억울합니다."

"인마! 그럼 네 말대로 20평 화실에 사방의 창문이 모두 활짝 열렸는데 그 속에서 혼자 숨이 막혀 죽었단 말야!"

"글쎄 그거야……."

"거짓말도 씨가 먹어야지……! 김 순경, 이 자식 끌어다 수감해!"

옆방에서 순경이 들어왔다. 만덕의 죽지[10]를 붙들어 끌고 나갔다. 만덕은 이제 모든 것을 체념한 듯 고개를 떨어뜨리고 걸었다. 수사관은 거기 조서 밑의 의사의 검안서[11]를 슬쩍 들춰 보았다.

'질식사.'

"돌팔이 같은…… 사방의 창문이 활짝 열린 방 안에서 질식해 죽어!"

수사관은 콧방귀를 뀌며 걸상에서 일어나 두 팔을 활짝 쳐들고 기지개를 켰다.

(1977년)

10 죽지 팔과 어깨가 이어진 부분.
11 검안서(檢案書) 의사가 사람의 사망 사실을 의학적으로 확인한 후 그 결과를 기록한 문서. 사체 해부의 결과와 사망 원인을 기재한 것도 이에 속한다.

연: 새와 어머니를 위한 변주 1

이청준

이청준(1939~2008)

1939년 전남 장흥에서 태어나 서울대학교 독문학과를 졸업했다. 1965년 〈사상계〉에 단편 〈퇴원〉이 당선되어 문단에 나온 이후 40여 년간 수많은 작품들을 남겼다. 대표작으로 〈서편제〉《소문의 벽》《자서전들 쓰십시다》《비화밀교》《잃어버린 말을 찾아서》《그곳을 다시 잊어야 했다》 등이 있다. 〈연〉에서 '연'은 언젠가 줄을 끊고 나아갈 새를 의미하며, 〈연〉은 〈빗새 이야기〉〈학〉과 함께 '새와 어머니를 위한 세 변주'로 묶인다.

•

•

마을 쪽 하늘에선 연(鳶)이 떠오르지 않는 날이 없었다.

연은 먼 하늘 여행을 꿈꾸는 작은 새처럼 하루 종일 마을 위를 맴돌았다.

들에서나 산에서나 마을 근처에선 언제 어디서나 새처럼 하늘을 떠도는 연을 볼 수 있었다.

연이 하늘에 떠올라 있는 동안은 양산댁도 마음이 차라리 편했다.

들에서나 산에서나 양산댁은 이따금 자신도 모르게 그 연을 찾아 일손을 문득 멈추곤 했다. 그리고 그 적막스러운 봄 하늘을 바라보며 허기진 한숨을 삼키곤 했다.

아비 없이 자란 놈이라 하는 수가 없는가 보았다.

"우리 집 처지에 상급 학교가 당하기나 한 소리냐. 이름자나마 쓰고 읽게 된 걸 다행으로 알거라."

어미 곁에서 함께 땅이나 파고 살자던 소리가 아들놈의 어린 가슴에 못을 박은 모양이었다.

"상급 학교 못 가면 연이나 실컷 띄우고 놀 거야. 상급 학교 안 보내 준 대신 연실이나 많이 자아 줘."

상급 학교 진학을 단념한 대신 아들놈은 그 철 늦은 연날리기 놀이를 시작했다. 연실 마련이 어려워서 제철에는 남의 집 애들 연 띄우는 거나 곁에서 늘 부러워해 오던 녀석이었다.

양산댁은 큰맘 먹고 연실을 마련해 냈고, 아들놈은 그때부터 허구한 날 연에만 붙어 자고 샜다.

봄이 되어 제 또래 아이들이 모두 읍내 상급 학교로 마을을 떠나가 버린 다음에도 아들놈은 혼자서 그 파란 봄 보리밭 위로 하루같이 연만 띄워 올리고 있었다. 아침절[1]에 띄워 올린 연이 해 질 녘까지 마을의 하늘을 맴돌았다.

양산댁은 언제 어디서나 그 아들의 연을 볼 수 있었다.

연을 보면 아들의 얼굴을 보는 것 같았고 아들의 마음을 보는 것 같았다.

연은 언제나 머나먼 하늘 여행을 꿈꾸고 있는 작은 새처럼 보였고 그래서 언젠가는 실줄을 끊고 마을의 하늘을 떠나가 버릴 것처럼 그녀의 마음을 불안하게 했다.

하지만 연이 그렇게 하늘에 떠올라 있는 동안엔 양산댁도 아직은 마음을 놓을 수 있었다. 연이 하늘을 나는 동안은 어느 집 양지바른 담벼락 아래, 마을의 회관 뜰 한구석에, 또는 아지랑이 피어오르는 어느 보리밭 이랑 끝에 그 봄 하늘처럼 적막스럽고 외로운 아들의 모습이 선하기 때문이었다.

그래서 그녀는 아들놈의 연날리기를 탓한 일이 한 번도 없었다. 철 늦은 연날리기에 넋이 나간 아들놈을 원망해 본 일이 한 번도 없었다.

녀석의 마음이 고이 머물고 있는 연의 위로를 감사할 뿐이었다. 연에 실린 아들의 마음이 하늘을 내려오는 저녁 연처럼 조용히 다시 마을로 가라앉기를 기다릴 뿐이었다.

그러던 어느 날이었다.

하루는 결국 이변이 일어나고 말았다.

그날은 유독 봄바람이 들녘을 설치던 날이었다.

양산댁은 이날도 고개 너머 들밭 언덕에서 봄 무릇[2]을 캐고 있던 참이었다.

바람을 태우기가 좋아 그랬던지 아들놈은 이날따라 연을 더 하늘 높이 띄워 올리고 있었다. 마을에서 띄워 올린 녀석의 연이 고개 이쪽 양산댁의 머리 위까

---

1 아침절 '아침결'의 방언.
2 무릇 백합과의 여러해살이 풀.

지 까맣게 떠올라 와 있었다. 얼레의 실이 모조리 풀려 나와 하늘 끝까지 닿고 있는 것 같았다.

무릇 싹을 찾아 헤매던 양산댁의 발길이 자꾸만 헛디딤질을 되풀이했다. 연이 너무 높은 데다가 전에 없이 드센 바람기 때문에 마음이 놓이지 않는 탓이었다. 팽팽하게 하늘을 가로질러 올라간 연실 끝에서 드센 바람을 받고 낙놀이가 심해진 연을 따라 양산댁의 마음속도 불안하게 흔들리고만 있었다.

아니나 다를까.

불안감에 쫓기던 양산댁이 어느 순간엔가 다시 그 하늘의 연을 찾았을 때였다.

연이 있어야 할 곳에 연의 모습이 보이질 않았다.

연은 어느새 실이 끊어져 날아간 것이었다. 빗살처럼 곧게 하늘로 뻗어 오르던 연실이 머리 위를 구불구불 힘없이 흘러 내려오고 있었다.

실이 뻗쳐 올라가 있던 쪽 하늘을 자세히 살펴보니 아직도 한 점 까만 새처럼 허공 속으로 아득히 멀어져 가고 있는 것이 있었다.

양산댁은 아예 이제 밭언덕[3]에 주저앉아 연의 흔적이 시야에서 사라져 가 버릴 때까지 그녀의 그 하염없는 눈길을 하늘에 못 박고 있었다.

그리고 그 연의 모습이 완전히 시야에서 자취를 감추고 난 다음에야 그녀는 비로소 가는 한숨 소리를 삼키면서 천천히 다시 자리를 털고 일어났다.

하지만 이제 반나마[4] 차오른 무릇 바구니를 옆에 끼고 마을 길을 돌아가고 있는 양산댁은 방금 전에 무슨 아쉬운 배웅이라도 끝내고 돌아선 사람처럼 거동이 무척 차분했다. 연을 지킬 때처럼 초조한 눈빛도 없었고 발길을 조급히 서둘러 가려는 기색도 아니었다.

그녀는 이미 모든 것을 알고 있고 모든 것을 미리 체념해 버린 것 같은 거동

---

3 밭언덕 '밭두렁'의 방언.
4 반나마 반 조금 지나게.

새였다. 마을 쪽에서 그 땅으로 내려앉은 연실을 거두어들이는 기미가 보이지 않는 것도 그녀는 전혀 이상스러워지지가 않은 얼굴이었다.

"양산댁 아지매[5]요. 건이 새끼 좀 빨리 쫓아가 봐야 혀요. 건이 새낀 아까 도회지 돈벌이 간다고 읍내께로 튀었다니께요. 지는 도회지 가서 돈 벌어 온다고 연실 같은 건 내나 실컷 감아 가지라면서요……."

양산댁이 흐느적흐느적 허기진 걸음걸이로 마을을 들어섰을 때였다. 아들놈의 연실을 감아 들이고 있던 이웃집 조무래기 놈이 제풀에 먼저 변명을 하고 나섰으나 양산댁은 이번에도 미리 모든 것을 짐작하고 있던 사람처럼 놀라는 빛이 없었다. 앞뒤 사정을 궁금해하거나 집을 나간 녀석을 원망하는 기색 같은 것도 없었다. 아들의 뒤를 서둘러 쫓아 나서려기는커녕 걸음 한 번 멈추지 않고 말없이 그냥 녀석의 곁을 지나쳐 갈 뿐이었다. 그러고는 내처[6] 그녀의 그 텅 빈 초가의 사립문을 들어서고 나서야 아들의 연이 날아간 하늘을 향해 발길을 잠깐 머물러 섰을 뿐이었다.

하지만 이제 그 하늘에 연의 흔적은 보이지 않았다. 텅 빈 하늘만 하염없이 멀어져 가고 있었다.

양산댁은 다만 그 무심한 하늘을 향해 다시 한번 가는 한숨을 삼키며 허망스럽게 중얼거리고 있었다.

"아가. 어딜 가거나 몸이나 성하거라……."

(1977년)

이청준, 《서편제: 이청준 전집 12》(문학과지성사, 2013)

---

5 아지매 '아주머니'의 방언.
6 내처 어떤 일 끝에 더 나아가. 또는 줄곧 한결같이.

고려장

전상국

전상국(1940~)

강원도 홍천 출생으로, 1963년 단편 소설 〈동행〉으로 등단했다. 〈고려장〉은 일제 강점기와 해방, 6·25 전쟁이라는 엄혹한 시대를 관통하며 한 가족이 겪는 비극을 사회 문제와 함께 담아낸 작품이다. 6·25 전쟁의 체험을 바탕으로 전쟁과 분단의 아픔을 그린 또 다른 작품으로 〈동행〉 〈아베의 가족〉 등이 있다.

•

•

현세가 그 정신병원을 찾아간 것은 '막판에 가서 한번 해볼 수도 있는 방법'을 결행하기로 마음을 굳혀버린 뒤, 아직도 마음 밑바닥을 송곳처럼 쿡쿡 쑤시고 올라오는 가책으로부터 자신을 건져올리기 위해서였다. 더 솔직히 말하면 그것은 마치 욕조 속의 물이 얼마나 뜨거운가 확인하기 위해 손을 넣어보듯 그 일을 좀 더 완벽하게 해치우기 위한 사전 탐색이라고 할 수 있었다.

정신병원이란 선입감과는 달리 그곳은 정결하고 조용했다. 현세가 만나볼 수 있었던 그 의사 역시 병원의 나른한 분위기처럼 여유가 있어 뵈고 깨끗한 인상이었다. 그리고 친절했다. 상대편의 마음을 샅샅이 읽어내려는 유도적 화술이 몸에 밴 그런 친절이었다. 좀처럼 자기 의견을 내놓으려 하지 않았다. 무엇이든 떠들어라, 나는 다 알고 있다 —그런 느긋한 표정이었다.

환자가 칠십 고령의 노파라는 말에도 고개만 가볍게 끄덕거렸다. 발병한 지 삼 년에, 요즘 와서는 요강 속의 오줌을 간장독에 쏟아붓는다든가 밤을 꼬박 새워 아들 내외의 머리맡을 지키고 앉았지 않으면 잠든 아이들 목을 눌러 질식시키는 게 보통일 정도로 심한 증세라는 말에도 그는 별 표정을 보이지 않았다. 이따금 고개를 가볍게 끄덕여 보이는 게 고작이었다.

초조해진 것은 현세였다.

"의사 선생님, 어떻습니까, 별 가망이 없지요?"

현세는 얼굴을 붉히며 물었다. 마음 밑바닥에 숨기고 온 음모의 한 귀퉁이를 드러내 보인 느낌이었다. 그러나 의사가 대답하지 않았기 때문에 현세는 더 허둥거렸다.

"나이도 많고……. 아무래도 힘들겠습죠? 역시 환자를 직접 보시는 게……."

"실례의 말씀이지만, 선생께선 자당[1]님의 병에 대해서 절망적인 견해를 확고히 하고 계시는군요."

현세는 수치감으로 해서 아무런 말도 머리에 떠오르지 않았다. 의사가 현세 쪽으로 몸을 약간 돌리며 다시 말했다.

"그것은 아주 중요한 문젭니다. 즉, 우리 입장에서 볼 때 환자의 증세도 중요하지만 그에 못지않게 그 환자의 가족들의 사고방식도 대단히 중요한 것입니다."

건방진 의사였다. 병에 대해서 상담하러 온 손님에게 지레 힐책까지 주고 있는 그 건방진 의사가 현세는 무서웠다.

"물론 괴롭겠죠. 하지만 가족들이 마음을 크게 다잡아먹고 끈기 있게 기다리지 않으면 좋은 결과를 처음부터 기대할 수 없을 겝니다."

흰 벽에 걸린 원형의 온도계는 이십이 도를 가리키고 있었다. 현세는 땀이 밴 손바닥을 바지에 닦았다.

그때 그 한의원의 의사도 그런 뜻으로 말했다. 불교 신자이기도 한 그 한의사는 첩약과 함께 한문으로 두어 줄의 글귀를 적어주면서,

"별수 없어요, 댁의 어머니 병은 댁의 정성에 달렸습네다. 병든 부모에 효자 없다곤 하지만, 아, 그 부모 없음 그 자식이 어떻게 생겼어?"

몇 달간 있는 정성을 다해 한약을 달였다. 약을 달이는 그 정성도 문제지만 그 달인 약을 먹게 하는 일은 더욱 힘들고 또한 역겹기까지 했다. 몇 시간 공들여 달인 약을 방바닥에 쏟아붓기가 예사였다.

"니 연놈들이 날 독약 멕여 죽일라구 그런다만……." 어떻게 천신만고[2] 약을 먹인 다음에는 현세 내외가 모친 옆에 무릎을 꿇고 앉아 한의사가 적어준 주문

1 자당(慈堂) 남의 어머니를 높여 이르는 말.
2 천신만고(千辛萬苦) 천 가지 매운 맛과 만 가지 쓴 것이라는 뜻. 온갖 어려운 고비를 다 겪으며 고생함을 이른다.

을 왼다. 그것도 큰 소리로 모친 귀에까지 들리게 해야 한다. 수천수만 번 반복 해야만 효험을 볼 수 있다는 거였다. 그렇게 몇 달이고 정성껏 그 글귀를 모친 귀에 대고 외었다. 그러다가 보면 환자가 그 글귀를 저절로 입에 올리게 되는데 바로 그때부터 약의 효험이 나타나게 될 것이라는 얘기였다. 지도총관명도유신…… 이런 아리송한 글귀를 외고 앉았다 보면 날이 새곤 했다. 어떤 때는 그네가 벌떡 일어나 "이 연놈들이 이 에미 빨리 죽으라고 이 지랄들이재?" 하면서 잠깐 눈을 붙이기 위해 곁에 누운 아이들 엄마를 타고 앉아 목을 눌러댔다. 그리고 절간 출입도 엔간찮이 했다. 현세가 가지 못할 때는 아이들 엄마를 딸려보내고 난 뒤 아이들하고 밥을 해먹으며 밤을 새워 나무아미타불 관세음보살을 중얼거렸다. 그러한 번뇌의 밤에 현세는 문득 기독교에서 말하는 원죄라는 걸 생각하곤 했다. 원죄라는 그 인간 숙명의 뿌리가 선명하게 잡혀왔다. 그러나 그것은 선악과를 따 먹은 아담 타죄(墮罪)[3]에 의한 은총 상실의 유전적 상태로서의 원죄가 아니라 사람이 살아가다가 어떤 한계점을 인식하는 순간 그 한계점 자체가 원죄가 아닐까 하는 생각이었다. 그리하여 그 한계점 앞에서 인간이 행사할 수 있는 최소한도의 포용성마저 잃었을 때 빚어지는 갖가지 사태가 바로 인간 범죄의 시작이 아닐까 하는 생각도 했다.

"선생께선 자당님의 병환으로 해서 이미 그 방면엔 우리 전문의 못지않은 식견을 가지고 계실 것으로 압니다만……."

최적의 실내 온도 속에서 듣는 의사의 말소리는 음악처럼 감미롭기까지 했다. 의사는 회전의자에 더욱 안락하게 몸을 묻으며 말을 이었다.

"……원래 이 정신 질환 계통은 다른 병보다도 그 원인이나 양상이 복잡한 것입니다. 오늘날 이 병이 의학의 대상이 된 역사 자체가 극히 짧다는 그 한 가지만 보더라도 이 병의 어려움을 입증하고 있습니다. 더욱이 정신병을 악마의

---

3 타죄(墮罪) 죄에 빠지거나 죄인이 됨을 이르는 말.

조화니 하늘의 형벌이니 또는 신의 계시라고까지 믿었던 중세기의 원시적이고도 종교적인 그 사고방식은 과학 문명이 극에 이른 오늘날에도 여전히 성행하고 있는 실정이니까요."

의사의 말을 통해 현세는 자기 자신이 그런 중세기적 사고방식에서 별로 벗어나지 못했음을 새삼 깨달았다. 모친에게 악귀가 옮겨붙었다는 무당들의 말이나 기도원 전도사들의 그 끈질긴 축귀 기도에 대해서 단 한 번도 회의하거나 저항을 느껴보지 않은 것 같았다. 이런 맹목적 믿음의 상태야말로 자기 구원의 종교심이었는지도 모른다, 그처럼 간절히 구원받고 싶었던 것이다.

그것은 발병해서 거의 한 해 동안이나 모친의 병을 가로맡아 헌신해 온 두 누님들에게서 받은 영향이 컸다고 할 수 있었다.

오십이 넘은 제천 현세 큰누님은 교육을 받지 못한 한국의 전형적인 시골 여자답게 으스스 귀기까지 풍길 정도로 미신에 탐닉해 있었다. 그네는 칠십 고령의 실성한 노파를 끌고 치악산 용하다는 무당 앞에 들어가 달포[4]씩이나 박혀 있다 나왔다. 자칭 무슨 도사라고 하는 그 무당은 어떻든 달포만에 현세 모친을 어느 정도 제정신으로 돌려놓았던 것은 사실이었다. 그네 역시 칠순이 훨씬 넘은 시부모를 모신 어려운 처지였지만, '미쳐도 더럽게 미친' 친정어머니를 끌고 그네가 벌인 행각은 실로 대단한 것이었다. 큰누님을 통해서 들은 무당들의 말은 한결같이 모친에게 원귀가 붙었다는 것이었다. 청춘에 죽은 원귀라 했다. 어떤 무당은 족집게로 집어내듯 이쪽 과거사를 들춰내더란 것이다. 그 원귀를 떼어버리고 돌아온 모친은 언제나 멍청한 얼굴로 집안 식구들을 며칠 동안은 그럴듯하게 속여 넘겼다. 큰누님의 발걸음이 끊겼다. 무당이 다 된 그네 역시 식구들에 의해서 '미친 여편네'로 집에 갇혀버렸던 것이다.

경기도 가평의 작은누님은 뿌르르 달려오기가 무섭게 "미욱한[5] 것들, 미욱한

---

4 달포 한달이 조금 넘는 기간.
5 미욱하다 하는 짓이나 됨됨이가 매우 어리석고 미련하다.

것들!" 이처럼 혀를 차며 두 손을 모아쥐고 기도하기 시작했다. '하나님의 불쌍한 딸'에게 끼어든 악마와의 싸움이 시작된 것이다. 전능하신 아버지 하나님을 외면하고 무당을 찾아나선 제천 언니에 대한 원망과 용서, 그리고 아직 하나님 앞에 나서지 않은 현세 내외의 죄악에 대한 성토까지 벌였다. 현세는 작은누님의 그 광신 속에 숨어 있는 그 무서운 의지 앞에 몸서리쳤다. 그러나 그네의 그 무서운 열성도 모친의 초인적인 힘 앞에는 속수무책이기가 보통이었다. 그네의 안수기도가 절정에 이르렀다고 생각되는 순간 현세 모친은 "이년이 사람 잡는다아!" 이처럼 벽력같이 소리치면서 작은딸을 벽에 밀어 던지는 것이었다. 무서운 힘이었다. 그 무서운 힘은 용문산 기도원에서 구원 기도를 해주던 전도사의 생이빨을 세 대씩이나 부러뜨렸다. 빰을 맞아 코피를 쏟은 '믿는 식구'들은 부지기수였다. 작은누님은 시골 국민학교 교감인 남편에게서 이혼 위협까지 받으면서도 포기하지 않았다. 그러나 결국 그네도 기도원의 그 고행 속에서 심한 위병을 얻고 나서야 제풀에 물러서고 말았던 것이다. 어떻든 현세는 그 두 누님들이 모친을 향해 쏟은 그 정성에 철두철미 매달렸었다. 그 기대는 그네들이 믿고 행하는 그 방법 자체라기보다 그네들의 모친을 향한 그 원시적 인간 유대의 극치를 보인 사랑의 힘에 압도당했기 때문이다. 무엇이, 그 어떤 힘이 그네들로 하여금 그 인고의 희생을 견뎌내게 한 요인이었을까. 그네들 삶의 줄기를 이뤄온 그 맹목적 신앙 때문인가, 아니면 자식으로서 어차피 한 번쯤 베풀어야 할 그런 의무감이 그런 식으로 위장되어 나타난 것일까. 언젠가 한번 슬쩍 스쳐간 생각은, 모친의 그 광증 자체에 어떤 마력 같은 게 있어서 그네들도 모르는 사이에 그처럼 끌려든 것이 아닐까 하는 거였다. 그리고 현세는 그네들이 확신하고 생각했던 그 방법 자체에 대해서도 이렇다 할 반론을 펼 엄두를 못 냈다. 그것은 그네들이 인간의 어떤 한계점을 보다 절대적인 것에 의해 구원받을 수 있다고 확신하고 있는 그 순수한 열망에 감동한 때문이었는지도 모른다.

그러나 이제 그네들의 그 열망은 재가 되어 사그라졌다. 설마, 그 재 속에서 또 다른 빛이 살아오른다고 해도 그것은 절벽 끝에 선 현세에겐 무의미한 것이었다. 현세는 이미 자기의 몸을 감고 있는 암울한 원죄의 뿌리를 보았던 것이다.

"우선 이 정신병의 원인만 하더라도 매우 복잡해서……."

현세가 다다른 막다른 현실이 바로 눈앞에 있었다. 의사는 더운 공기로 해서 벌겋게 달아오르는 현세의 얼굴을 천천히 뜯어보면서 말했다.

"쉽게 말해서, 이 병의 원인은 대체로 정신적인 데서 오는 것과 신체적인 것, 그리고 유전성과 환경—이렇게 네 가지로 나누어 생각해 볼 수 있겠습니다만, 선생 자당님의 경우는 역시 연세가 많은 분이라 좀 더 복합적인 유인(誘因)[6]을 생각해 봐야 하겠지요. 우선 신체의 노쇠 현상에 따른 뇌수의 퇴화라든가 그 나이의 노인들이 겪어야 했던 시대적 수난도 빼놓을 수는 없습니다. 내가 맡았던 한 노파는 6·25사변 때 외국 병정들한테 난행을 당한 뒤 물론 그 사실을 본인만 알고 있다고 생각했겠지만, 그것이 삼십 년이 지난 지금에 와서야 정신병으로 나타난 겁니다. 처음 이 노파는 자꾸 자기가 임신을 했다는 거였어요. 깜둥이 자식을 뱄으니 소파수술을 해달라는 거였지요. 걸핏하면 아랫도리를 걷어올리면서 그런 소릴 했어요. 애를 뗀다면서 간장을 한 바가지씩 퍼먹지 않으면 쭈글쭈글한 배를 주먹으로 심하게 두들겨댔지요. 약이란 약은 무조건 먹었어요. 그 바람에 약물 치료에 약간 효험을 볼 수 있었지만 말입니다. 어쨌든 그 노파가 과거에 그런 난행을 당했다는 사실을 알아내는 데만 무려 육 개월이 걸렸습니다. 남편 되는 할아버지가 협조를 안 한 거지요. 그 사람은 부인의 그런 사실을 처음부터 알고 있으면서도 그런 내색을 안 해온 거지요. 그 자체도 알게 모르게 노파를 괴롭혀온 요인 중의 하나가 분명합니다. 어떻든 그 노파뿐이 아니고 요즘 환자들 중에는 사회적인 어떤 압력이나 피해에 의한 원인을 가진 경우가 점점 늘어나고 있는 실정입니다. 이 사회의 책임도 없다 못할 것입니다."

---

6 유인(誘因) 어떤 일 또는 현상을 일으키는 원인.

말을 잠시 쉬면서 의사가 현세에게 담배를 내밀었다. 현세가 한 개비 뽑아들자 그는 그 담뱃갑을 곧장 책상 서랍에 넣었다. 자신은 담배를 피우지 않으면서 손님 접대용으로 준비해 둔 것 같았다. 그는 라이터까지 켜 대는 친절을 보였다. 그 작은 친절에 무척 감격하는 현세였다. 그것은 몇 달 전 나라에서 관리하는 정신병원에서 받은 딱딱하고 찜찜한 기분을 말끔히 씻어주는 그런 신뢰의 마음이 갖는 솔직한 감격이었다.

나라에서 관리하는 그 정신병원은 역시 서민의 것이었다. 월 오만 원 안팎의 입원비라면 다른 개인병원에 비해 삼분의 일에 불과한 액수였다. 그러나 서민인 현세에겐 그 오만 원도 큰돈이었다. 현세의 가난은 과장이 아니라 모친을 입원시킨 뒤 정말 두 끼만 먹고 견뎌야 했다. 가난만큼 절실한 현실은 없었던 것이다. 그런데도 모친은 별 효험이 없었다. 나라에서 관리하는 병원답게 그쪽에서 먼저 퇴원 수속을 밟으라는 전갈이 왔다. 고마워할 일이 아니었다. 가망이 없으니 데려가라는 거였다. 대개의 국영업체 종사자들이 그렇듯 모두 불만스러운 그런 얼굴로 지극히 사무적이고 냉정했다. 입원하기 위해 빈방이 나기를 초조하게 기다린 시간들, 그 수고스러운 눈치작전 끝에 천신만고 얻어낸 기회였는데 이제 몇 달 되지 않아 퇴원하라는 거였다. 많은 사람들이 현세 모친이 퇴원하기만을 고대하면서 서성거렸다. 모두 현세보다 더 가난한 사람들이었다. 그러나 그들을 위해 모친을 퇴원시키기에는 현세의 현실이 너무 절박했다. "할머니 데려오지 마!" 아이들이 벌벌 떨면서 애원을 했다. 아이들 엄마의 가슴이 다시 뛰기 시작했다. 숨을 헐떡거리면서 현세를 쳐다보는 그네의 눈에 절망이 있었다. 원무과에 가 사정했다. "의사 선생님을 만나보시오." 모친을 담당했던 의사의 눈에 붕대가 감겨 있었다. "그 환자 때문에 선생님이 저렇게 다치셨어요. 벌써 두 번째예요." 간호원이 말했다. 그래도 그것은 여자 간호원이었다. 퇴원하는 날 건장하게 생긴 남자 간호원이 현세 모친을 향해 말했다. "야, 쌍, 깡패야 잘 가라!" 눈에 흰자위가 더 많아진 그 깡패의 몸뚱이를 살펴보던 아이들 엄마가 울음을 터트렸다. 현세는 차라리 고개를 돌렸다. "얘, 애비야, 그놈들이 날 막 때려쩌!"

그 깡패는 툭하면 어린애가 됐다. "이불두 즉구, 춥대는대두 맨날 센풍기를 틀구……." 환풍기를 선풍기로 알고 있었다, 아이들 엄마가 더욱 쿨적거렸다. "실성한 이가 떠드는 걸 가지고 뭘 그래!" 그러나 밤에 눈을 붙이면 덩치가 커다란 괴물한테 목을 졸리는 꿈으로 시달렸다. 눈을 떠보면 실제로 모친이 아이들 엄마의 목을 누르고 있었다.

"노인들의 경우엔 대개 증상이 심한 망령[7]이라고 하지요. 이 망령 현상은 종종 노인으로서의 소외감에서 비롯되는 경우가 많습니다. 이를테면 나이가 많아질수록 자꾸 자식들로부터 소외당한다는 느낌이 짙어지게 마련이고, 더욱이 눈이 침침해진다든가 귀가 절벽일 땐 그 느낌이 더욱 심하겠지요. 그럴수록 노인들은 자식에게 기대고 싶은 심약성을 보이는 법입니다. 그러다가 조금이라도 서운한 구석이 보이면 무척 노여워하고, 이것이 반복되는 과정에서……."

시골에 혼자 남아 살던 모친에게 실성기가 보인다고 해서 내려가 보니 이웃 사람들이 힐난하는 그런 눈빛으로 현세를 맞았다. "왜 이 고생을 사서 하우? 서울 아들한테 올라가 호강하며 살 일이지." 이웃이 이처럼 공박[8]을 할 때마다 그네는 고개를 설레설레 흔들었다는 것이다. "아직두 아드님이 단칸 셋방살이를 한다면서요?" 남 헐뜯기 좋아하는 여편네들이 현세네 사는 형편을 들춰낼라치면, 그네는 풀죽은 목소리로 "그러엄, 그 불쌍한 게 어릴 적부터 내내 고생만 하고……." 그러면서 눈물까지 질금거렸다. 그러나 일단 정신이 비딱해진 뒤로는 그게 아니었다. "울 아들이 높은 사람이여. 아주 높은 사람이여. 고래등 같은 집에 쌀이 천 섬씩 쌓여 있어! 이 배라처먹을 년아. 너 이년, 왜 울 아들한테 맘두구 가달머릴 벌리구 지랄이여!" 이렇게 되면 말을 걸던 여편네가 질겁을 해 도

7 망령(妄靈) 늙거나 정신이 흐려서 말이나 행동이 정상을 벗어남.
8 공박(攻駁) 남의 잘못을 몹시 따짐.

망을 쳤다.

현세가 모친을 서울에 모시지 못했던 것은 사실이었다. 사 년 전, 현세가 지방의 말단 공무원에서 어쩌다 우연히 서울로 전출이 됐을 때, 그때까지 모시지 못한 죄를 속죄도 할 겸 꼭 모시고 상경하겠다고 나섰으나 그네는 막무가내였다. 겉이유야 어찌 됐든, 그네의 꽁한 속셈은 이제까지 작은며느리 안 거느리고 살았는데 이제 새삼스레 며느리 눈치를 볼 게 뭐 있느냐는 거였다. 아이들 엄마가 무릎을 꿇고 빌었다. 그러나 그네는 고개만 고집스레 저었다. 그때만 해도 다 믿는 데가 있어서였다. 스물다섯에 남편 잃고 유복자[9] 하나만을 키우며 살아오는 현세의 형수였다. 처음부터 시어머니는 자기 편에서 모시는 걸로 작정하고 나섰다. 가재는 게 편이라고, 역시 젊은 과부로 늙어온 시어머니는 두말없이 현세 형수 편을 택했다. 그네들은 서로 짝 잃은 비둘기 두 마리가 모여 살 듯 그렇게 아끼며 지냈다. "왜 그 젊디젊은 걸 생으로 늙게 하우? 죄 받게시리." 사람들이 그런 말을 할 때마다 시어머니 쪽은 "아, 내가 왜 시집을 안 가라나! 그래두 자꾸 지가 마다는 걸 낸들 어쩌누." 그러면서 흐뭇한 얼굴을 하던 그네였다. "아무튼 할머니나 메누리나 다 기맥힌 열녀에 효부[10]유!" 이웃들이 그렇게 입을 모았다. 그러나 어떤 짓궂은 이웃 노파는, "저놈의 할망구 맘 내가 모를 줄 알구?" 현세 모친이 아이들 따라 서울로 올라가지 않는 것은 순전히 집 뒷산에 묻힌 남편과 맏아들 때문이란 것이다. 사실 그네는 그 죽은 사람들하고 살아온 건지도 몰랐다. 현세가 가끔 그네를 서울로 모시고 올라갔지만 닷새도 못 참고 부랴부랴 내려오곤 했다. 귀신이 붙어도 단단히 붙었군, 현세는 늘 그렇게 생각해 왔던 것이다.

"……그러나 정신병 증세의 원인에 대해서 명확한 단안을 내리는 것은 금물입니다, 어떤 정신적 충격, 즉 큰 놀람이나 주체하기 힘든 슬픔, 혹은 급격하게

---

9 유복자(遺腹子) 태어나기 전에 아버지를 여읜 자식.
10 효부(孝婦) 시부모를 잘 섬기는 며느리.

일어나는 분노나 공포—이런 것이 병의 직접적 원인과 관계가 깊은 것은 사실입니다만, 그것은 하나의 충격일 뿐 요인 그 자체는 아니라는 것입니다. 다시 말하면 그 병이 겉에 드러나게 한 그 충격은 까마귀 날자 배 떨어진다는 격으로 억울한 누명을 뒤집어쓸 때가 많다는 겁니다. 이를테면 어떤 사람이 누구한테 돈을 사기당했기 때문에 그 충격으로 머리가 돌았다, 하는 것은 그 좋은 예일 것입니다. 그보다는…….”

모친이 실성했다는 소식을 접하고 현세 내외가 머릿속에 떠올린 것은 형수였다. 이웃 사람들도 입을 모아 현세의 형수를 모친 병의 원흉처럼 말했다. 그네가 시어머니를 저 지경으로 만들었다는 것이었다. 이십오륙 년을 하루같이 시어머니와 함께 살아온 그네가 경상도로 재가(再嫁)[11]를 해 갔기 때문이다. 맑은 하늘에 벼락이었다. 유복자 하나 키우며 시어머니 모시고 알뜰살뜰 살아, 강원도 효부났다고 칭찬이 자자했던 그네가 시침 뚝 떼고 재가를 했다. 수절해온 그 이십오륙 년이 너무 아깝다고, 가려면 진작 갈 것이지 이 무슨 변괴냐고 모두 혀를 내둘렀다. 유복자인 현세 조카가 고등학교를 나오고 빌빌 놀다가 군대에 들어가기가 무섭게 이때를 기다렸다는 듯 집을 나가버렸다. 정말 모를 일이었다. 형수를 하늘처럼 알았던 현세는 한동안 멍청해지지 않을 수 없었다. 며느리를 잃고 두문불출 몸져누웠다는 모친의 심정이 이해가 가고도 남았다.

“……그보다는 근원적인 유인, 즉 그 사소한 충격이 전부터 잠재되어 온 마음의 상태가 중요한 것입니다. 이를테면 욕구불만이나 알게 모르게 마음을 죄어온 불안감, 또는 그런 일로 해서 마음에 심한 갈등이 일어난다든가 쉽게 풀리지 않는 증오와 적개심—이런 누적된 마음의 상태가 장기간 짙은 안개처럼 엉겨 있었던 걸 생각할 수 있습니다. 문제는 그거지요.”

간호사가 차트 한 장을 의사 앞에 놓고 나갔다. 다른 사람이 밖에서 기다리고

---

11 재가(再嫁) 결혼을 했던 여자가 남편과 사별하거나 이혼해 다른 남자와 결혼함.

있다는 시위일 것이다. 그러나 현세는 일어서지 않았다. 의사의 말을 통해서 모친이 겪어온 그 처절하고 치욕적인 생애가 번쩍 잡혀들었기 때문이다. 그것은 두 개의 죽음이었다. 현세가 부친의 주검을 본 것은 여덟 살쯤이었고, 형의 죽음은 그보다 몇 년 후 열세 살 되던 해 여름에 겪었다. 그러나 현세의 머릿속에 남아 있는 그들 죽음의 의미는 아버지이기 때문에, 형이기 때문에 마음 깊이 아픔으로 박혀버린 것이 아니고 그저 그 나이 또래가 받을 수 있는 소름 끼치게 처절한 충격 그 이상의 것이 아니었다. 모친이 겪은 아픔 그것은 자기의 그것과는 전연 길이 다르다는 생각을 해온 현세였다. 모친에게 그 두 사람은 그네 생존의 의미였으며 삶 그 자체였을 것이기 때문이다.

"그때 내가 느 아버질 못 따라 죽은 그 죌 받는 게여!"

현세 형의 주검을 어루만지며 그네가 한 말이었다. "내가 살고 싶어 입때까지 산 목숨인 줄 아냐?" 구질스러운 한국의 전형적인 여인네들의 입버릇처럼 그네도 가끔 그 말로 다른 사람의 기를 꺾었다. 남은 삼 남매에게 쏟은 그네의 그 맹목적이랄 수 있는 사랑이 그 말을 입증했다. 현세는 어렸을 적부터 그네의 그 끈적끈적한 사랑을 느낄 때마다 몸서릴 쳤다. 그것은 그 끈적끈적한 사랑의 출처와 목적지가 바로 그 두 개의 죽음이라고 생각한 때문이다.

현세의 기억으로는 부친이 서울에서 내려온 사람들한테 몰매를 맞아 봇도랑[12]에 처박혀 죽은 것은 해방이 된 그해 가을이었다. 부친이 읍내 일본 순사들 끄나풀 노릇을 했다는 거였다. 일본 사람이 마을에서 강제로 공출해 간 곡식이나 놋쇠 그릇을 나르는 것은 언제나 현세 부친이었던 것이다. 먹고살기 위해 소달구지를 끌고 일본 사람들이 시키는 대로 일을 한 죄였다. 그즈음 마을 부자 축에 드는 허씨 집에 서울 나그네가 한 사람 기거하게 된 게 그 빌미였다. 그 서울 손님은 마을 사람들의 눈을 피해 사는 낌새였다. 소문에 그는 서울서 항일운

---

12 봇도랑(洑도랑) 보에 괸 물을 대거나 빼기 위해 만든 도랑.

동을 크게 벌이다가 지명수배가 돼 피해 내려왔다는 거였다. 현세 또래의 아이들은 얼굴이 허여멀건 그 서울 손님의 얼굴을 한 번이라도 더 보려고 허씨네 집 주위를 배돌았다. 그런데 어느 날 그 허씨네 집에 일본 순사들이 새까맣게 몰려왔다. 그 얼굴 허여멀건 서울 손님이 끌려나왔다. 그가 잡혀가자 마을 사람들은 현세 부친을 손가락질했다. 몇 해 전 허씨네한테 소작을 떼인 그 원한으로 일본 순사 밀정 노릇을 했다는 거였다. 마을 장정이 둘이나 징용으로 끌려간 일까지 현세 부친에게 얹었다. 현세 부친이 지나가면 아이들이 그 길에다 침을 뱉으며 "왜놈 꼬스까이!"라고 수군거렸다. 더욱 난처해진 것은 그날 잡혀간 서울 손님이 서울에 올라가 재판을 받기도 전에 죽었다는 소문이었다. 심한 고문으로 죽었다는 얘기도 있었는가 하면, 그 스스로 혀를 물고 죽었다는 얘기도 들려왔다. 어쨌든 그 소문이 자자할 무렵 해방이 됐고, 그해 가을 그 죽은 독립투사의 친척이란 사람들이 여럿 마을에 나타났다. 그가 지니고 다니던 유품과 행적을 챙기러 왔다는 거였다. 신문기자라는 사람도 따라와 여기저기 사진을 많이 찍어댔다. 논에서 볏단을 나르고 있던 현세 부친을 찾아와 이것저것 물으며 사진을 찍었다. 그것으로 해서 시비가 붙었다. 힘이 장사였던 현세 부친이 처음에는 우세했다는 것이다. 그러나 현세가 모친과 함께 허겁지겁 달려갔을 때는 논바닥에 서울 사람들의 구둣자국만 어지럽게 찍혀 있었다. 봇도랑에 거꾸로 처박힌 채 눈을 무섭게 부릅뜨고 죽은 남편을 발견한 것은 현세 모친이었다. 그네는 엄청난 사실 앞에 눈물 한 방울 흘리지 않았다. 남편이 끌고 온 소달구지에 그 건장한 주검을 실었다. 놀란 소가 길길이 뛰면서 내달렸다. 고삐를 쥔 그네가 질질 끌려가면서 드디어는 소를 진정시켰다. 마을 사람들은 얼씬도 하지 않았다. 오히려 허씨네 눈치만 살폈다. 이듬해 심한 가뭄이 들자 현세네 집 뒷산 그 무덤을 파헤치려 했다. 현세 모친과 형이 부친을 파묻은 그 산자리가 덧나 가뭄이 든다는 거였다. 허씨네 산이기도 했다. 그러나 현세 모친은 배에 칼을 대고 무덤에서 버텼다. 그리고 그때부터 억울하게 몰매 맞아 죽은 남편의 한을 풀어준다며 소장(訴狀)[13]을 품에 안고 읍내로 서울로 뛰어다녔다. 그러나 달걀로 바위 치기였다. 해방으로 떠들썩한 판국에 그런 소장이 먹혀 들어갈 리가 없었다. 어쩌다 관에서 마을에 얼굴을 한번 내밀었다. 그것마저 마을 사람들이 허씨네 눈치를 보며 시치미를 떼는 바람에 말짱 헛일이었다. 그때서야 대성통곡을 하며 뒹굴던 현세 모친이었다. 현세 형이 이를 갈며 집을 뛰쳐나간 것도 그때였다.

현세보다 십여 살 위였던 그는 집을 뛰쳐나간 뒤 종무소식이더니 6·25가 터지기 한 해 전인가 불쑥 집에 나타났다. 순경이 돼 있었다. 아버지의 원수를 갚기 위해서 경찰에 들어갔다는 거였다. 허씨네 사람들은 물론이고 마을 사람들이 현세 형을 슬슬 피했다. 그러나 별일은 없었다. 모친이 권하는 대로 장가도 들었다. 공교롭게도 허씨네 집 먼 일가붙이였다. 마을 사람들은 한숨들을 놓았다. 그런데 공비 토벌에 나섰던 현세 형이 실성한 사람이 돼 돌아왔다. 부상을 당해 머리에 약간 상처가 있었다. 그는 눈을 히뜩거리며 마을을 돌아다녔다. 아무에게나 손찌검이었다. 누더기가 되다시피 한 경찰복을 결코 벗는 일이 없었다. 마을 사람들은 그가 실성하기 전보다 그를 더 무서워했다. 무슨 일이고 저지를 것이라고 했다. 그리고 6·25사변이었다. 마을에 들이닥친 빨갱이들이 제일 먼저 해낸 일은 경찰복을 입은 현세 형을 처치한 것이다. 빨갱이들은 이상하게 순경이라면 이를 갈았다. 그들은 마을 공회당 마당에서 인민재판이란 이상한 놀이를 했다. 맥도 모르는 현세 형이 길길이 뛰면서 애국가를 불렀다. 이승만 대통령 만세도 불렀다. 현세 모친이 빨갱이들 앞에 무릎을 꿇었다. 울면서 손을 모아 빌었다. 애원을 하다 안 되니까 현세 모친은 입에 게거품을 물고 덤볐다. 빨갱이들이 그네를 밀어 던졌다. 산속으로 끌려가던 현세 형이 손이 묶인 채 뛰었다. 현세 모친이 같이 뛰었다. 그러나 몇 발짝 못 가 총을 맞고 쓰러졌다. 총을 빗맞은 그가 모친을 향해 엉기엉기 기었다. 현세 모친은 흙을 움켜 빨갱이들에

13 소장(訴狀) 소송을 제기하기 위해 법원에 제출하는 서류.

게 뿌렸다. 현세 형을 뒷산에 묻는 일은 마을 사람들이 했다. 아들을 뒷산 남편 무덤 옆에 묻고 돌아온 그네는 현세와 두 딸을 끌어안고 아주 착 가라앉은 목소리로 말했다 — 남한테 웬수지지 말어! 웬술 갚을 생각두 말구!

"원인이야 어떻든 지금 단계로서는 우선 영양 공급을 충분히 해드리는 게 좋습니다. 그 연세로 봐서 몸이 쇠약해질수록 악화될 우려가 높다고 봐야 하니까요. 비타민, 특히 지아민·니코틴산 등의 비타민 B를 충분히 섭취토록 하는 게 좋을 겝니다. 또한 가벼운 운동, 즉 피로를 느끼지 않을 정도의 작업을 주어 환자 나름의 보람을 찾도록 하는 것도 중요합니다. 정원을 쓸고 가꾸게 한다든가……."

의사는 간호원이 놓고 간 차트를 책상 위에 세워 쥐고 장난하듯 토닥거리며 말하고 있었다. 충분한 영양 공급, 가벼운 운동, 정원 산책……. 이 의사야말로 국민소득 천 달러를 실감나게 말하고 있구나, 하고 현세는 씁쓸하게 웃었다. 그리고 여유를 보이면서 물었다.

"아무래도 장기간 입원을 해야 하겠지요?"

"어떻든 한번 모시고 와보십시오."

의사는 현세가 너무 쉽게 결론을 물어옴으로 해서 오히려 당황한 표정이었다. 그러나 그는 그런 표정을 감추면서 다시 말했다.

"모시고 오든 안 오든 그것은 선생의 자유입니다만, 선생 자당님의 경우같이 심한 경우는 될수록 서두르는 게 좋습니다. 환자 본인을 위해서도 그렇고 가족들에게 끼치는 여러 가지 영향을 고려해서라도……."

처음과는 달리 의사는 매우 사무적인 억양으로 바뀌어갔다.

"우리 병원을 믿고 한번 맡겨보십시오."

믿고 맡기라고, 바로 그럴 참으로 내가 여길 온 거요—현세는 속으로 쓰게 웃었다. 그렇게 생각하니까 좀 더 대담한 마음이 됐다. 시치미를 떼면서 물었다.

"입원비가 한 달에 십오만 원 이상은 들어야 하겠습죠?"

자신의 한 달 봉급에 삼사만 원을 더 보태야 하는 그런 액수의 돈이었다.

"글쎄요, 그 문제는 나중에 원무과에 가서 알아보심 될 겝니다."

의사의 얼굴은 자존심이 상했을 때의 그런 딱딱한 표정이었다. 그 딱딱한 표정을 보면서 현세는 또 한 번 능청을 떨었다.

"참, 또 한 가지 여쭤보겠는데요, 만약 입원을 했을 경우, 그 치료는 노인네니까 아무래도 전기 충격 같은 요법보다는 약물요법을 쓰겠지요? 전기 충격이나, 거 뭐라드라, 예, 인슐린 혼수 요법인가 뭔가 하는 건 아무래도 위험률이 높다 들었습니다만……."

먼저 모친이 입원해 있던 그 병원을 출입하여 주워들은 용어였지만, 막상 입 밖에 내고 보니 천하에 없는 우문(愚問)[14] 같았다. 그러나 알고 싶은 건 바로 그 문제였던 것이다. 그 병원 대기실에서 '막판에 가서 한번 해볼 수도 있는 방법'을 귀띔해 주던 그 사람 역시 치료 방법 문제를 몹시 궁금해했던 것이다. 그것은 정신병 환자를 가진 심약한 가족들의 공동 관심사이기도 했다.

의사는 비로소 딱딱한 표정을 풀면서 문외한 앞에 보이는 전문가로서의 그런 연민 가득한 미소를 지어 보였다. 가소롭다는 그런 뜻의 웃음일 것이다.

"그런 걱정은 안 하시는 게 좋습니다. 한 가지 말씀드리고 싶은 건 선생께서 알고 있는 그런 치료법이 전부는 아니라는 사실과 또 그러한 치료법이 아무 데나 무턱대고 쓰이지 않는다는 사실을 아셔야 한다는 것입니다. 병원을 믿으셔야만 합니다. 자, 그럼……."

의사는 그 안락한 의자에서 몸을 천천히 일으키며 가볍게 기지개를 켰다. 섭씨 이십이 도의 최적한 실내 온도였다.

복도 대기 의자에는 여인네 둘이 눈빛이 이상한 노동자풍의 장년의 손을 양쪽에서 잡은 채 앉아 있었다.

---

14 우문(愚問) 어리석은 질문.

현세는 병원 복도를 걸으면서 사방을 샅샅이 살폈다. 결코 예사로이 보아 넘길 수 없었기 때문이다. 아크릴 속에 새겨진 그 방들의 명칭을 입속에 중얼거리기도 했다. '막판에 가서 한번 해볼 수도 있는 방법'이 계획대로 된다면 이처럼 시설이 훌륭한 개인병원의 저 방들이 모두 모친에게 절대로 유용한 그런 방들이었기 때문이었다. 우락부락하게 생겨먹은, 남자 간호원이라고 짐작되는 그럼 사람들을 볼 수 없었던 것도 현세에겐 다행이었다.

환자들이 입원하고 있을 듯싶은 병동 쪽을 살펴봤다. 창문마다 굵은 철사망이 쳐 있었다. 그러나 신기하게도 그 철사망이 주는 단절감마저 현세에겐 평화롭고 감미로운 것으로 느껴졌다. 그 철조망이 쳐진 창문 속에 영양 공급이 충분한 부얼부얼한[15] 얼굴이 떠올랐다. 병동 안쪽 철조망이 쳐진 그 가운데 작은 정원이 보였다. 고향의 마른 잔디 깔린 뒷동산 같은 그 정원에 눈이 내리고 있었다. 그것은 조용하고 아늑한 풍경이었다. 쾌적한 실내 온도 속에서 내다보이는 그 커다란 개인병원의 단면은 눈에 잡히는 곳마다 모두 신뢰를 주는 그런 정당한 모습을 하고 있었다.

병원문을 나서기가 무섭게 오싹 한기가 끼쳤다. 아직도 눈발이 프슴프슴 흩날리고 있었다. 병원까지 올라왔던 승용차들이 눈 덮인 언덕길을 브레이크를 밟은 채 아슬아슬 미끄러져 내리고 있었다.

현세는 그 병원의 언덕길을 다 내려오기까지 결코 뒤를 돌아다보지 않았다. 쾌적의 실내 온도 속에서 마음에 끼쳤던 그 병원의 좋은 인상을 흐릴 것 같은 두려움 때문이었다. 명당을 잡아놓고 하산하는 상주의 심정이 이런 게 아닐까 하는 생각이 쓴웃음 섞여 지나갔다.

현세 앞에서 줄타기하듯 조심조심 걷던 여자 하나가 엉덩방아를 찧고 넘어졌다. 그러나 현세는 프슴프슴 흩날리는 눈발 속에서 되는대로 발을 내디뎠다. 내

---

15 부얼부얼하다 살이 쪄 탐스럽고 복스럽다.

던진 그런 심정이었다. 그런데 이상하게도 그렇게 걸음을 함부로 할수록 몸의 중심은 꼿꼿이 잡혀가는 것이었다.

"겁쟁이 겁쟁이 해두, 애비 어렸을 적처럼 겁이 많아서야……."

현세 모친은 가끔 현세의 어렸을 적 얘기 끝에는 꼭 이 말을 덧붙였다. 다섯 살까지 저 혼자 일어나 걷지를 못했다는 것이다. 성장은 다른 애들과 다를 게 없는데 도무지 걸으려 하지를 않았다는 얘기였다. 차차 걷게 되면서부터도 앞에 돌 같은 장애물이 있으면 아예 주저앉아 엉금엉금 기어 그 돌을 피해 놓고서야 다시 걸었다. 매사 그런 식으로 세상을 겁냈다. 남의 눈을 속인다는 것은 어림도 없는 일이었다. 상대가 시비를 걸어올 기세면 지레 도망을 쳤다. 성인이 돼서도 그런 겁은 소심한 성격으로 나타났다. 처신부터 그랬다. 조심조심 앞뒤 재보며 좀 어둡고 미심쩍은 길은 아예 나서지를 않았다. 그런 현세를 두고, 법 없이도 살 사람이라고 했다. 그러나 더 많은 사람들은 현세를 보고, '앞뒤가 콱 막힌 사람'이라고 했다. 아이들을 넷씩이나 그것도 큰애가 고등학생이 된 그 나이에 이르도록 단칸 셋방살이를 면치 못하고 있다는 사실에 대해 도저히 납득이 안 간다는 듯 고개를 갸웃거렸다. 뭔가 잘못돼도 단단히 잘못됐다는 거였다. 그런데 이상한 현세의 소심증이 말단 관리인 그에게는 어떻게 보면 '성실'이란 말로 미화될 수 있었다. 현세 자신이 그 '성실'이란 단어를 신조처럼 삼았던 것이다. 그래서 현세는 청렴결백이라는 말까지는 아니더라도, '성실한 사람' '부정이 안 통하는 사람' 쯤으로 인정받을 수도 있었다. 지방에서 그 어렵다는 서울 전출이 본인도 모르게 된 것이 그 좋은 예일 것이다.

그런데 서울에 올라와 아이들을 셋씩이나 학교에 넣고 남의 집 방 한 칸을 빌려 생활을 시작하고부터 현세는 정신을 차릴 수가 없었다. 적어도 서울이란 기형적인 도시는 그가 놀 수 있는 물이 아니었다. 생존경쟁의 치열한 싸움터였다. 불가사의한 일투성이였다. 뭔가 제대로 되는 일도 없고, 또 안 되는 일도 없는 그런 역설적인 조화를 지닌 세계였다. 당장 입에 풀칠한다는 일이, 아이들 교육

비가, 아이들의 허기진 그 눈요기를 덮어줄 부모로서의 의무감이 그를 괴롭혔다. 현세에게 서울은 너무 절실한 현장이었다. '쥐꼬리만 한 봉급'이란 말이 실감이 나기 시작했다. 여름은 남보다 더욱 더웠고 겨울은 더더욱 춥고 쓸쓸했다. 더 무서운 것은 자기 깐에 마음속으로 자부해 온 그 성실이란 단어가 빛을 잃고 허물어져내린다는 느낌이었다. 어깨가 추욱 처졌다. 오기로라도 그 처진 어깨를 펴볼라치면 매사가 눈에 거슬렸다. 바른 것과 바르지 못한 것이 헛갈려 보이기 시작했다. 그렇기 때문에 보이는 모든 게 적이었다.

엎친 데 덮친다는 격으로 모친이 그 모양으로 미쳐 단칸 셋방에 함께 살게 되면서부터 현세는 정말 정신을 차릴 수가 없었다. 워낙 가진 게 없는 데다가 이래저래 든 돈이 대단했다. 오막살이라도 내 집을 하나 마련하자던 꿈은 아예 마음안 먹었던 걸로 친다고 하더라도 여기저기서 빌려 쓴 돈이 무섭게 새끼를 치고 있어, 현세는 늘 좌불안석이었다.

"이봐, 생각해 봤나?"

좀 높은 자리의 사람이 실무자인 현세에게 미끼를 던져놓고 있었다.

"거, 사람, 참 어렵게 사는군."

이렇게 어르고 나서기도 했다.

"당신, 이 생활 얼마 못하겠어. 여보시오, 털어서 먼지 안 나는 사람 있는 줄 알아?" 이처럼 협박을 하고 나서는 사람도 많았다. 현세에게 그것은 또 다른 괴로움이었다. 견딜 수 없는 유혹이었다. 대민 관계의 그 자리가 그랬다. 더 높은 안목 있는 사람이 믿고 맡긴 그런 자리였기 때문이다. 그러나 봉투를 슬쩍 찔러 넣어 주며 브로커[16]들이 말했다.

"당신 목 잘리면 여기보다 열 배 나은 자리 내 책임지겠시다."

끝내 봉투를 거절해 버렸을 때, 그들은 코웃음을 날리며 말했다.

---

16 브로커(broker) 다른 사람의 의뢰를 받고 상업 행위를 하여 이에 대한 수수료를 받는 상인.

"흥, 배불렀군, 그래 얼말 원하는 거요? 이거 자꾸 단가만 높아지구, 제에기랄 드러워서……."

현세는 가끔 눈 딱 감고 그 봉투를 집어넣고 싶은 충동을 억제하기 힘들었다. 모친의 광증이 부쩍 심해진 요즘 그 느낌은 더 강했다. 그러나 현세는 그 유혹으로부터 아슬아슬하게 자신을 건져올리고 있었다. 그것은 부정을 겁내는 죄의식 그 이전에 현세 자신을 지탱시키고 있는 어떤 양심의 문제였다. 그것을 사회정의의 문제라고 현세는 생각해 왔다. 자기가 다섯쯤 받아 넣고 눈감아 줬다고 했을 때 그 상대는 다섯의 백 배쯤 되는 이를 보려고 할 것이고, 그가 백 배쯤의 이를 부당하게 취했을 때 생기게 되는 수만 명의 선량한 피해자—부정이 불러일으키는 어쩔 수 없는 생리를 현세는 터득하고 있었던 것이다.

그러나 이보다 더 강하고 질긴 무엇이 현세를 지켜주고 있었다. 그가 유혹의 늪에 빠져 허우적거릴 때마다 그 손길이 닿았다. 어려서 본 부친의 주검과 비릿한 냄새를 풍기던 그 여름날의 형의 주검이었다. 적당한 시간에 번쩍 그 주검이 나타났다. 나타난 것이 아니라 의식적으로 그것을 떠올렸는지도 모른다. 어떻든 이상하게도 그 두 개의 주검은 현세의 가슴에 독가스처럼 피어오르는 오기와 유혹을 가라앉혀주었다. 그러나 그 두 개의 주검은 처절했던 당시의 그 소름끼치는 모습과는 전혀 다른 양상을 한 것이었다. 따스하고 평화로운, 거기에다 어떤 위안의 힘까지 깃들인 그런 빛깔로 나타났다. 모친이 고향을 뜨지 않고 그 굴욕에 찬 삶을 끝까지 버텨온 것이 바로 자기에게 보이는 그런 구원의 힘 때문이 아니었을까 하는 생각을 현세는 해보았다.

그러나 요즘에 이르러 그 두 개의 주검의 모습은 나타나지 않았다. 그것이 주로 따스하고 평화로운, 그런 안식을 주는 구원의 힘은 더 이상 나타나지 않았던 것이다. 설사 어떻게 그 두 개의 주검이 떠올랐다고 하더라도 그것은 이미 어릴 때 본 무섭고 소름 끼치는 그 충격 이상의 것이 아니었다. 이때부터 현세는 흔들리기 시작했다. 눈을 뜨면 절벽이 앞을 막았다. 눈을 감았을 때는 온통 쫓기는 꿈이었다. 돈이 든 봉투가 눈앞에 너울너울 춤을 추었다. 좀 높은 사람이 한쪽 눈을 찡긋해 보였고 자신도 따라 빙긋 웃고 있었다.

현세는 자신이 어떤 위기에 서 있음을 너무나 잘 알았다. 무너지기 전에, 형편없이 허물어지기 전에 어떤 결단이 필요했다. 이 결단이야말로 원죄의 뿌리를 자르고 작게는 자기 자신을, 더 크게는 보다 근원적인 것을 건져올리는 길임을 현세는 확신하고 싶었다. 그것은 '막판에 가서 한번 해볼 수도 있는 방법'을 결심하고 난 뒤 그 께끄름하고[17] 찜찜한 마음을 씻어버리기 위한 자위였는지도 모른다.

아이들 셋이 대문을 열어주면서 현세를 둘러쌌다. 모두 질린 얼굴이었다.

"형은 아직 안 들어왔냐?"

이 시간에 집에 들어와 본 적이 없는 큰놈이었다. 독서실인가 하는 데서 시간을 보내다가 통금이 가까워 집에 들어오지 않으면 아예 거기서 자는 날이 많았다.

현세는 아이들 셋을 거느리고 주인집 방문 앞을 살금살금 가로질러 자기네 방 앞에 섰다.

밖에서 떨고 서 있었을 게 뻔한 아이들 얼굴을 통해 짐작은 하고 있었지만 막상 방문을 열려니 손이 떨렸다.

그네가 아이들 엄마의 머리채를 두 손으로 무섭게 감아쥔 채 식식거리고 있었다. 아이들 엄마는 머리채를 내맡긴 채 날 잡아잡수시오, 그런 꼴로 너부죽이 엎드려 있었다. 그것이 노파의 광기를 삭이는 최선의 방법이었던 것이다.

"애비가 왔구나! 애미야, 어서 밥 채려라."

현세 모친이 아이들 엄마의 머리채를 놓으며 천역덕스럽게 말했다. 저 멀쩡한 얼굴—현세는 울화통이 치밀었다.

---

17 께끄름하다 언짢은 느낌에 마음이 내키지 않다.

그네가 보이는 광증의 두드러진 특징 하나는 입이 험하다는 것이었다. 시골에 살면서 남들이 뭘 물어오기 전에는 좀해서 입을 열지 않는 그네를 두고 사람들은 "현세 어머닌 벙어리유?" 그럴 정도로 과묵한 편이었다. 그러나 실성하고 나서부터 차마 입에 담지 못할 말을 게거품 물어가며 쏟아놓기 시작했던 것이다.

"요, 배라먹을 년, 너 요년, 니 시애비하고 붙어처먹은 고……."

"이 개 똥구멍으로 기어나온 년아!"

"요년아, 너 고 좀 보자."

주로 성행위와 관계 있는 그런 욕설로 사설을 엮었다. 상대는 언제나 아이들 엄마였다.

"이녀언!"

이처럼 느닷없이 그네가 소릴 치면 현세는 요즘 이불부터 꺼내들었다.

"이녀언! 너 옛날에 느 시애비하고 붙어먹구두 성이 안 차, 이젠 아범 친구하구 요 지랄이냐?"

능청이지만 듣는 쪽에서는 소름이 쫙 끼칠 정도로 실감이 난다. 이쯤 되면 안집 사람들은 물론 이웃 여자들이 모여든다. 그네들 귀를 계산에 넣기라도 한 듯 현세 모친의 능갈맞은 욕설은 점입가경이다. 현세가 자신도 모르는 사이에 몸을 부르르 떨면서 그네에게 이불을 덮어씌운다. 그 이불 속에서 그네가 칠십 고령으로는 상상도 하기 어려운 힘을 뻗쳐댄다. 현세가 방바닥에 나가떨어졌다. 한쪽 구석에 쫓겨가 있던 아이들까지 합세했다. 현세는 죽을 힘을 다해 이불을 눌렀다. 아무것도 보이지 않고 아무런 생각도 할 수가 없었다. 손끝으로 뻗치는 그 거센 혐오가 있을 뿐이었다.

"여봐유, 어머니 죽어유!"

아이들 엄마가 현세를 붙들고 늘어졌다.

더 참을 수 없이 괴로운 것은 그네가 도무지 밤잠을 자지 않는다는 것이다.

불을 끄지 못하게 했다. 불을 환하게 켜놓은 채 새벽 서너 시까지 식구들 머리맡에 앉아 뒤숭숭을 떨었다. 아이들이 벗어놓은 옷을 꿍치꿍치 모아 요강 속에 집어넣은 다음 그 위에 올라앉아 소변을 보지 않으면 아이들 교과서를 발기발기 찢어발기어 염불을 외기도 했다. 아이들 엄마의 속옷을 모조리 꺼내 가위로 송당송당 썰어놓기도 했다.

견디다 못한 현세가 슬며시 나가 두꺼비집 뚜껑을 열어놓고 들어오면 그네는 얼마 동안 쥐 죽은 듯 조용히 앉아 있었다. 그러나 그네는 어둠에 눈이 익게 되면서부터 다시 움직이기 시작했다. 집안 식구들의 얼굴을 하나하나 더듬어 확인해 보는 일부터 한다. 주름지고 차가운 그네의 가느다란 손가락이 얼굴을 더듬을 때마다 현세는 소스라치게 놀라 일어나 앉았다. 더 이상 잠이 오지 않았다.

"애비야, 왜 잠이 안 오냐?"

미친 이가 천연덕스럽게 묻는다. 옛날의 그 끈적끈적한 사랑이었다. 현세는 다시 자는 척 누워 모친의 거동을 살핀다. 그 섬뜩한 손가락이 다시 다가와 현세의 몸을 더듬는다. 그것은 애무였다. 어떤 때는 그 미친 이의 손이 아이들이나 아이들 엄마의 목을 조여댈 때도 있다. 그럴 때면 한바탕 소동이 벌어진다. 아이들이 꼭 죽을 것처럼 울어대고 그네는 하하하하 기성을 질렀다. 안집에서 방벽을 꽝꽝 두드렸다. 시끄럽다는 것이다. 미친 이는 아주 내놓고 현세 내외의 접근을 싫어했다. 그냥 싫어할 정도가 아니었다. 현세의 팔이나 다리가 어쩌다 아이들 엄마의 몸에 얹히는 수가 있었다. 그럴 때마다 아이들 엄마의 머리채를 낚아채며 한바탕 소동을 벌인다. 그네는 아예 현세 내외의 사이에 눕기가 보통이었다.

현세는 자신의 몸 어느 한구석에 아직도 살아 있는 그 성적 욕구를 신기하게 생각했다. 그리고 그러한 자신의 성적 욕구를 저주했다. 밖에서 술이라도 몇 잔 마셔 마음이 거나해졌을 때 아이들 엄마를 원했다. 십칠팔 년 함께 몸 섞어 살아온 아이들 엄마가 그런 기밀 눈치 못 챌 리가 없다. 그러나 그네는 시치미를 뗀다. 그네야말로 성인이 다 됐다고 현세는 가끔 생각했다. 그네의 인고의 정신은 가히 초인적이었다. 현세는 이미 그네에게 고마움이나 미안함을 드러내 보일 만큼 마음이 넉넉지 못했다.

성적 욕구에서 더욱 그랬다. 자신이 한 마리 짐승처럼 생각되었다. 여름날, 슬며시 방을 빠져나와 밤하늘을 쳐다보며 담배를 피우고 섰노라면 아이들 엄마가 담요를 들고 나왔다. 부엌 뒤에서 현세는 정말 짐승처럼 행동했다. 그러나 그네는 결코 몸을 뜨겁게 열지는 않는다. 이미 그네 몸의 불은 꺼져 있었던 것이다. 모친이 잠드는 시간은 언제나 새벽 다섯 시쯤이다. 그 시간이면 아이들이 잠에서 깰 시간이었다. 새벽밥을 하는 아이들 엄마를 쫓아나가 부엌에서 그네를 원할 때도 있었다. 그럴 때마다 그네는 눈물을 보였다.

"니 연놈들이 날 죽이려구 뱅애(방자[18])를 하는 거지? 괘씸한 것들!"

미친 이의 의심은 무서웠다. 내복에 붙은 상표나 무늬가 있는 옷은 아예 입지를 않았다. 자기에게 저주가 내리기를 바라는 것들이 그런 걸 해 붙였다는 것이다. 멀쩡하게 밥을 먹다가도 느닷없이 밥상을 둘러엎는 수도 잦았다. 식성은 누구 못지않게 좋은 이가 한번 마음이 틀리면 며칠씩 밥알을 입에 넣지 않는 고집을 부렸다. 남들이 찾아와 왜 밥을 먹지 않느냐고 물으면 며느리가 밥에 독을 섞어 먹을 수가 없다고 하면서 알약을 내보이기도 했다. 먹게 할 수도 없었지만 하도 딱할 때를 위해 준비해 두었던 수면제나 최면제였다.

단식으로 버티는 노파를 옆에 두고 밥을 먹을 수 없어 모두 부엌에 나가 몰래 식사를 했다. 그럴 때면 그네는 고래고래 소리를 치면서 방 안의 세간을 부숴댔다. 어미를 굶겨 죽이는 천하에 없는 불효라는 멀쩡한 목소리로 악을 썼다.

"어머이, 도대체 왜 그래유? 미쳐두 좀 곱게 미칠 것이지."

참다 못한 현세가 이처럼 혐오감 짙은 표정을 해 보이면 그네는 또 금세 천연

---

18 방자 남이 재앙을 받도록 귀신에게 빌어 저주하는 일.

덕스러워졌다.

"애비야, 내가 잘못해쩌어. 다신 안 그럴께 때리지 마아, 응?"

꼭 어린애였다.

"내가 복이 없는 여자라서 어머이가 저래유."

아이들 엄마가 울음을 목구멍으로 삼키며 말했다.

"……살아야 얼말 더 사시겠다구!"

현세가 할 수 있는 말이라곤 이것뿐이었다.

"옳아유. 그런 걸 생각하면 생전에 잘해 드려야 할 텐데……."

이렇게 말하는 아이들 엄마한테 현세는 할 말이 없었다. 미친 이보다 아이들 엄마가 먼저 죽을지도 모른다는 불길한 생각이 들기도 했다. 사소한 일에도 가슴이 후당후당 숨이 벅차다는 그네는 요즘 시어머니의 끔찍한 욕설만 들어도 코피를 쏟아대기 보통이었다.

그네를 유기(遺棄)[19]하기로 마음을 굳혀버린 뒤 사전 탐색의 심정으로 종합병원 규모의 그 정신병원을 다녀온 현세였다. 그리고 병원을 다녀온 즉시 셋방을 다른 곳으로 옮길 것을 결심했다. 그것은 만약을 대비해서였다.

아이들 엄마한테만은 자기 생각을 털어놓기로 했다. 제천과 가평의 두 누님들은 나중에 적당히 이해시킬 수도 있을 것이었다.

"당신마저 미치는 거예유?"

모친이 입원한 적이 있는 그 정신병원 휴게실에서 귀띔해 들은 '막판의 방법'을 얘기하자 아이들 엄마는 펄쩍 뛰었다. 무슨 죄받을 소리냐는 것이었다. 죄도 죄지만 세상이 그렇게 어수룩할 줄 아느냐고, 그네는 겁먹은 얼굴로 사방을 휘둘러보기도 했다. 죽으나 사나 함께 모시는 게 차라리 속이 편하다며, 그네는 두 누님들이 모친을 끌고 다닐 때의 그 불안스럽고 죄스럽던 기억을 상기시켰다.

---

19 유기(遺棄) 내다 버리다.

"다른 소리 마요. 그렇게 하는 게 어머니나 우리한테 다 좋은 거니까."

이 말밖에 현세는 자기의 가슴을 털어 보일 재간이 없었다. 미친 이를 그런 방법으로 유기하는 것이 그 불효보다 더한 죄를 마음속에 매일매일 쌓아가고 있는 자신의 마음에 비해 덜 죄스러운 일이라는 생각을 어떻게 이해시킬 수 있단 말인가. 그리고 이 방법이야말로 절벽 끝에 매달려 허우적거리는 자신을 건져올릴 수 있는 유일한 길이라고 믿게 된 자신의 심중을 설명할 길이 없었다. 현세는 말하고 싶었다.

—내가 만약 자식으로서의 도리를 다해야 한다는 명분에서 어머니를 끝내 버리지 않고 보호한다고 합시다. 또 그렇게 했다고 합시다. 그렇게 하기 위해서 내 마음속에 저질러온 그 무서운 죄악은 어떻게 해야 한단 말이오. 결국 나는 그 죄악의 무게로 하여 더 큰 죄악을 범하게 될 것이 틀림없소. 지금 우리 아이들이 받고 있는 저 심적 충격만 해도 나로서는 견딜 수 없는 죄악인데, 그러한 죄악으로부터 벗어나기 위해 나는 또 다른 죄악을 자주 범하게 될 것이란 말이오. 그 때문에 파멸하고 말 나 자신과 내 가정, 더 나아가서는 많은 사람들이 나로 인해 받아야 할 그 피해는 또 어떻게 해야 한단 말이오. 어머니가 식물인간같이 누워만 있다고 한다면, 끝없는 파괴만을 일삼는 지금의 상태보다는 또 달리 생각될 수도 있을는지 모르오. 그러나 어머니는 얄밉도록 너무나 싱싱한 힘으로 나를 막다른 골목까지 철저하게 밀어붙인 거요. 이 벽 앞에서 나는 어떻게 해야 한단 말이오. 벽을 등에 지고 돌아서서 칼을 빼드는 그런 해결을 나는 원치 않기 때문이오. 문제는 이 막다른 골목에서 모자의 관계를 잠시, 정말 잠시 동안 유예[20]하지 않으면 안 되겠다는 것뿐이오.

그러나 현세는 말할 수 없었다. 입을 열면 지금까지의 자신의 생각이 현실도피에 대한 한낱 구질구질한 변명이 되어 양심에 깊이 찔릴 것 같은 두려움 때문

20 유예(猶豫) 망설여 일을 결행하지 않음.

이었다.

"만약에 어머니가 거기 가서 당신 이름을 대면 으트케 해유?"

현세는 웃었다. 아내가 쉽게 공범자가 되어 범행을 의논하고 나섰기 때문이다.

그네가 걱정하고 있는 것은 문제가 되지 않는다고 현세는 생각했다. 다행이랄까, 현세 모친은 아들의 직장 이름도 모르고 있을 뿐 아니라 현세의 이름을 아명으로밖에 부르지 않았던 것이다. 설사 그네가 아들의 직장이나 이름을 제대로 알아 아들에게 돌아가고 싶다고 절실하게 애원했다손 치더라도 그것을 곧이들을 사람이 어디 있겠는가. 그들은 그네가 한 시간 동안 쏟아놓은 욕설과 과대망상적인 흰수작[21], 그리고 힘이 펄펄 뻗쳐나는 그 발광 앞에 질려버리고 말 것이기 때문이다.

"그동안 어떡하든지 우리 집을 마련합시다. 그때 어머일 모셔오면 되지."

"어머일 찾아오게 되면 그동안 든 입원비랑 치료비를 다 물어야 한다면서유?"

"그럼! 그땐 이미 무의탁자가 아니니까 다 물어야지!"

"몇천만 원 될 텐데유?"

"몇억이라두 물어야지!"

산동네에 이사 갈 집을 정하고 내려오면서 현세 내외는 두런두런 말을 나누었다. 그러나 현세는 마음이 허망했다. 진심을 말하고 있는데, 그것이 도무지 진심일 수가 없다는 허망감이었다.

내 집, 정말 내 집에서라면 미친 이의 그 어떠한 발광도 견뎌낼 수 있을 것 같았다. 주인집 간장 항아리에 요강을 쏟아부었을 때의 그 난감하고 비참한 정황은 적어도 내 집에서라면 상관이 없을 것 아닌가. 그리고 내 집에서라면 미친 이

21 흰수작(흰酬酌) 되지못한 짓이나 말.

를 향한 그 손끝으로 뻗치는 저주와 혐오의 마음쯤은 쉽게 삭여낼 수 있을 것만 같았다.

"얘, 애비야 어딜 자꾸 가냐?"

눈이 경성드뭇이[22] 얼어붙은 밤거리는 외투깃을 올린 채 종종걸음치는 사람이 몇씩 옆을 지나칠 뿐 퍽 한산한 편이었다. 세찬 바람이 음산한 골목을 쓸고 나와 급하게 달리는 자동차 바퀴에 치여 차가운 아스팔트 위에 흩어져 굴렀다.

"얘, 아범! 나 내려줘어."

그래도 그네는 현세 앞에서만은 늘 제정신인 것처럼 보였다.

현세 등에 업힌 이날따라 더욱 그랬다.

"얘, 애비야. 나 오줌이 매려워. 아이구, 오줌 매려. 아이구, 오줌 매려 죽겠네."

현세는 그네의 거뿐한 몸을 다시 추슬러 업으며 말없이 걸어나갔다. 그네에게 속지 않으려고 이를 악물었다. 그네의 체온이 겨드랑이로 전해 오자 짐짓 몸을 떨기까지 했다.

"얘, 애비야. 눈이 많이 왔구나."

멀쩡한 목소리였다. 그러나 현세는 대답하지 않았다. 다만 그네가 춥다는 소리를 안 하는 것만 해도 얼마큼 마음이 가벼웠다. 집을 나오기 전 헌 옷가지를 잔뜩 껴입히기를 잘했다는 생각이었다.

현세는 낮에 와서 봐둔 장소까지 와 모친을 내려놓았다. 그네는 눈이 경성드뭇한 땅바닥에 내려지자 현세의 허리춤을 쥐고 벌벌 떨었다. 사방을 휘휘 둘러보면서 겁먹은 얼굴을 했다.

"애비야, 나 오줌 안 매려!"

그네는 어린애처럼 울먹이는 목소리로 말했다. 그러나 역시 그네는 미친 노

---

22 경성드뭇이 많은 수가 듬성듬성 흩어져 있는 모양.

파였다.

"애, 애비야, 얼른 집에 가야 해. 요 배라처먹을 년이 또 어떤 놈하고 붙었을 게여. 고년의 고 구멍을……."

오히려 홀가분한 마음이 되어 현세는 미친 이 곁을 떠날 수 있었다. 길가 상점들이 문을 내리기 시작하는 시간이었다. 상점 셔터가 삐기삐기 기묘한 소리를 내면서 내려지고 있었다.

"애, 애비야, 얼루 갔니? 나 추워죽겠다!"

현세가 문득 돌아본 그네는, 처음 그 자리에서 한 발짝도 꼼짝하지 않은 채 징징거리고 있었다. 세찬 바람이 골목을 쓸고 나와 아스팔트 위에 굴렀다.

그때부터 현세는 결코 뒤를 돌아다보지 않았다. 얼어붙은 눈길이 무척 미끄러웠지만 발을 되는대로 내디뎠다.

지하도 입구까지 와 발을 멈췄다. 그러나 미친 이가 있는 쪽으로 고개를 돌리지 않았다. 다만 머릿속에 미친 이의 흰 머리칼이 바람에 희끔희끔 날리는 게 잠깐 스쳤을 뿐이다.

현세는 지하도의 그 완만한 경사를 이룬 계단을 밟아 내려가기 시작했다. 지하도 속의 그 상가들은 모두 문이 닫혀 있었다. 그 문 닫힌 상가 한가운데 공중전화가 있었다. 부스가 텅 비어 있었다. 그는 준비해 온 십 원짜리 동전 네댓 개를 손에 모아쥐며 그 공중전화 부스에 들어섰다.

"그럼, 그런 무의탁[23]환자의 입원비는 누가 물어유?"

그날 그 산동네를 내려오면서 아이들 엄마가 물었다. 그네는 아직 현세의 공범자는 되지 못했던 것이다.

"그 병원에서 나라에다 신청을 하겠지!"

"나라에서 왜 그런 돈을 물어줘유?"

---

23 무의탁(無依託) 몸이나 마음을 의지할 데가 없는 상태.

순간 현세의 머릿속에, '어머니의 입원비를 물어야 할 사람은 국가'라는 생각이 번쩍 잡혔다. 그 생각과 거의 동시에 소달구지에 얹혀가던 부친의 주검이 떠올랐다. 어쩌면 그것은 그 여름날 총을 빗맞은 채 모친 앞으로 엉금엉금 기어오다가 쓰러진 형의 주검이었는지도 모른다. 한 아이가 그 주검들을 바라보고 있었다. 그러나 지금에 와서 그것은 한 아이 개인의 체험이 아니었다.

수천수만의 아이들이 같은 모습을 하고 그 주검들을 바라보고 있었다.

현세가 그 지하상가의 공중전화 부스에 들어가 다이얼을 돌리고 있을 때였다. 그때 그 아이들이 본 두 개의 주검이 따스하고 아늑한 그런 위안의 힘으로 나타나 떨고 있는 현세의 가슴을 어루만져 주었다. 현세는 거듭거듭 다이얼을 돌렸다.

신고가 끝나고 공중전화 부스를 나서는 현세의 마음은 가벼웠다.

보호자가 없는 노파, 버려진 미친 노파, 갈 곳을 모르고 그 자리에서 한 발짝도 움직이지 못하는 미친 여자—보호자가 없다는 것은 그 누구도 보호자가 될 수 있다는 이론이 성립된다.

현세는 먼저 내려온 지하도 계단의 반대편 계단을 천천히 오르면서, 아직도 바람 몰아치는 그 거리에 꼼짝없이 주저앉아 있을 그 미친 노파를 향해 수천수만의 보호자가 손을 내미는 환각에 사로잡혔다. 그것은 친절하고도 철저한 음성으로 신고를 받던 경찰서 상황실의 그 얼굴도 모르는 한 순경에 대한 깊은 신뢰감에서 비롯된 생각이었는지도 모른다.

현세는 퇴근 시간이 다 된 그 시간까지 며칠 전 들러본 그 정신병원으로 오르는 골목 입구에 붙어 서 있었다. 바로 몇 분 전 백차에 실려 언덕을 오르던 그 미친 노파의 겁먹은 얼굴이 아직도 그 차가운 언덕길 위에 얼어붙어 있었기 때문이다. 그네의 눈길이 자기와 마주쳤다고 생각했다.

"애비야, 내가 잘못해쩌어, 내가 증말 잘못해쩌어!"

그네, 미친 노파의 흰 머리카락이 풀풀 흩날려 보였다.

현세는 더 이상 버티지 못하고 땅바닥에 무릎을 꿇었다.

"하느님!"

그가 난생 처음 기도하기 시작했을 때 호루라기 소리가 들려왔다. 통행금지였다.

그는 서둘렀다. 우선 집까지 무사히 돌아가고 싶은 한 시민의 통금 위반을 겁낸 필사의 뜀박질이 시작된 것이다.

(1978년)

소리의 빛: 남도 사람 2

이청준

이청준(1939~2008)

이청준은 지적이면서도 세계의 불행한 측면들을 포착하고, 그 이면을 냉정하게 응시한 작품을 많이 썼다. 〈소리의 빛〉은 〈서편제〉의 속편으로, 〈서편제〉의 두 주인공이 전라도 산골 주막집에서 우연히 상봉하는 것을 그리고 있다.

•

•

주막집은 장흥읍(長興邑)을 아직 10여 리쯤 남겨 놓고 탐진강(耽津江) 물굽이의 한 자락을 끼고 돌아앉아 있었다. 이웃 고을 강진에서 장흥읍으로 들어가는 지방 도로 가로수 열이 저만치 마주 달려가고, 장흥읍의 표상처럼 얘기되는 억불산 바위 정봉이 10여 리 저쪽 하늘 위로 뽀얗게 솟아올라 보이는 강물 굽이—바로 이 탐진강 강물 굽이의 버스 길 양편에 10여 가호의 작은 초가집들이 옹기종기 모여 앉아 있고, 주막집은 이 작은 마을에서도 좀 더 물가 가까이까지 아래편으로 자리를 내려앉아 있었다. 주막이라야 술손이 붐빌 만큼한 길목이 못 되고 보니 길을 지나가는 반 뜨내기 술손들로는 술청[1] 살림 요량도 제대로 세워 나가기 어려운 집이었다.

옥호[2]도 없는 이 산골 주막집 살림은 그러니까 대개 3대째나 대물림을 이어온 이 집 주인 사내 천 씨의 천렵[3]술에 의지하는 바가 훨씬 큰 편이었다. 주인 천 씨는 나이 서른이 넘어서야 읍내 쪽에서 제 발로 우연히 길을 찾아든 색시와 하룻밤 동안 신방 비슷한 것을 차려 보았을 뿐 이튿날 새벽에 평생 색시가 되어 줄 줄 알았던 여자가 농짝 서랍을 몽땅 뒤져 싸 들고 줄행랑을 놓아 버린 후로는 그의 나이 쉰을 넘긴 이날 이때까지 평생을 줄창 홀아비로 늙어 가는 위인이었다. 그 천 씨 사내가 아직은 여름, 겨울 가리지 않고 대물림을 받은 천렵꾼답게 강을 열심히 나다녔고, 그 탐진강 천렵에서 건져 낸 강 물고기들을 10여 리 바깥 읍

1 술청 널빤지로 만든 긴 탁자를 두고 술을 마실 수 있게 한 곳.
2 옥호(屋號) 술집이나 음식점 따위의 이름.
3 천렵 냇물에서 고기잡이하는 일.

내 술 가게들에까지 안줏감으로 먹여 오는 것으로 간신간신 주막 살림을 요량해 오는 터였다.

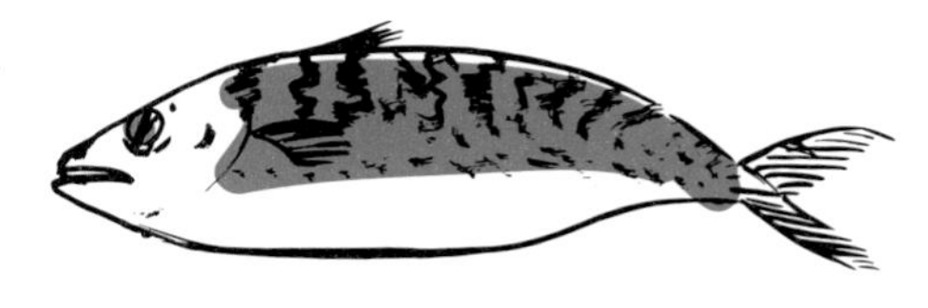

그런 주막이었다.

이 주막집에 좀 이상스러운 여자가 하나 있었다. 주인 사내 천 씨가 강으로 나가고 나면 술청 일을 대신 맡아 손님도 맞고 술 시중도 들곤 하는, 이를테면 주모 격인 여인이었다. 나이 한 서른쯤 나 보이는 장님 색시였다. 눈을 못 보는 깐으로는 술청 일이 완전히 손에 익어 있어 별다른 불편을 느끼는 것 같진 않았지만, 하여튼 이런 궁벽한 주막집에 그나마도 하필 장님 색시를 술청 주모로 들여앉히고 있는 데에는 어딘지 좀 심상찮은 사연이 있음 직했다.

하지만 그 장님 색시나 주인 사내 사이에선 이렇다 할 사연 같은 것이 알려진 바가 거의 없었다. 눈이 멀어 도망질 같은 건 엄두를 못 낼 거라 믿는 늙은 홀아비 천 씨가 여자를 슬그머니 제 색시로 주저앉히고 싶어 그랬는지도 모른다는 소리가 있었지만, 여자가 주막에 온 지도 그럭저럭 10년을 헤아리게 된 이날까지 별반 그럴 만한 낌새가 엿보이지 않는 걸 보면 그런 것도 결코 아닌 것 같았다. 주인 사내 천 씨가 애초에 여자를 못 볼 고자라거니 어쩌니 하는 불확실한 소문들만 이웃 간에 가끔 분분해지곤 할 뿐이었다.

주막 주인 천 씨나 장님 색시 쪽은 그 작은 마을 안의 꺼림칙스러운 소문들마저 전혀 아랑곳을 하지 않으려 했다. 여자는 누구한테나 자기 신상에 관한 일로는 입을 열어 보인 일이 없었고, 천 씨 사내도 여인의 일에는 반벙어리나 거의 다름이 없는 행세였다. 마을 사람들과는 얼굴을 대하기조차 두려운 듯, 날만 새면 사내는 하루 종일 혼자서 강물을 오르내리면서 지냈고, 여자는 여자대로 혼자서 말없이 술손을 맞고 보내는 일이 아니면 가끔가다 그 술청 마루 끝 볕발[4]

4 볕발 햇발.

속으로 나와 앉아 보이지도 않는 눈길을 들판 건너 먼 산허리께로 내던진 채 끊임없이 무엇을 기다리는 듯한 모습을 하고 있는 게 고작이었다.

다만 해가 져서 주인 천 씨가 강물에서 돌아오고, 더 이상 술손을 기다릴 일이 없을 만큼 밤이 한참 깊고 나면, 이 조그만 주막집 구석방 한 모퉁이에서 여자의 놀랍도록 구성진 남도 노랫가락이 흘러나올 때가 종종 있었는데, 밤이 그쯤 깊고 나면 이웃의 10여 가호 마을 사람들은 이미 잠이 들어 버렸거나, 잠이 들지 않은 사람이라도 거리가 좀 떨어진 주막께서 흘러나오는 소리엔 귀가 잘 닿을 수 없는 형편이었다. 아니 어쩌다 밤늦게 주막 길을 지나다 소리를 들은 사람이 몇몇쯤 있었다 해도, 그들 역시 그 소리를 아마 여자를 품을 수 없는 고자 주인 놈의 해괴한 밤놀이쯤 되는 게라고, 고개를 잠시 갸우뚱거려 보았을 뿐, 여자의 소리를 별로 귀담아들어 둘 줄은 몰랐을 터였다.

임자년(壬子年) 한 해가 다 저물어 가던 늦가을의 어느 날 저녁 무렵, 인근에선 전혀 낯이 익지 않은 외지 손님 하나가 이 주막을 찾아들었다. 초가집 울타리 너머로 탐스럽게 휘어 뻗은 늦가을의 서리 감나무라도 구경하듯 차도 타지 않고 읍내 쪽에서 터벅터벅 버스 길을 걸어 들어온 사내는, 어딘지 피곤기 같은 것이 짙게 어려 있어 잘해야 마흔 줄을 갓 올라섰을 그의 나이가 쉰 살도 더 넘어 보일 만큼 추연스러운[5] 인상이었다. 서울에서 무슨 한약재 수집을 위해 전국 방방곡곡을 헤매 다니노라는 사내는 그러나 결코 그 한약재 수소문을 위해 이 마을 주막을 찾은 것 같지가 않았다. 마을로 들어서선 누구 동네 사람들한테 약재에 대한 이야기를 꺼내 보기는커녕 길 안내 한마디 물은 일 없이 단걸음에 곧장 주막을 찾아들어 버린 것이다. 그리고 아마 주막을 찾아들 때부터 이미 이곳에서 하룻밤을 묵을 작정이었던 듯 추근추근[6] 한가한 취기를 돋워 가기 시작했다.

---

5 추연하다 처량하고 슬프다.
6 추근추근 성질이나 태도가 검질기고 끈덕진 모양.

게다가 알 수 없는 것은 그 눈먼 주막집 여자에 대한 사내의 태도였다. 그는 처음 술손을 맞는 주막 여자가 눈이 먼 장님인 것을 알고서도 조금도 이상해하거나 꺼림칙스러워하는 눈치를 안 보였다. 오히려 그는 미리부터 그런 사실을 알고 있었거나 그렇지도 않았다면 그 눈이 먼 여자의 조용하고도 침착스러운 거동 거지로 하여 오히려 어떤 나른한 안도감 같은 걸 느끼고 있는 듯한 그런 차분스러운 표정이었다. 사내는 그저 무심결인 듯 여자의 옆얼굴을 잠깐씩 스쳐볼 뿐, 여기서는 이제 아무것도 조급해야 할 일이 없다는 듯 추근추근 술청 마루에 걸터앉아 술잔만 비워 내고 있었다.

사내에게 알 수 없는 것은 그뿐만이 아니었다.

"어떻게…… 오늘 밤엔 자네 소리나 몇 대목 해 줄 수 없겠는가?"

저녁참이 훨씬 지나고서였다. 주막집 천 씨가 강에서 돌아오자 여자가 그 주인 사내 방으로 저녁상을 들여보내고 난 다음이었다. 싸늘한 가을밤 한기를 피해 이번에는 여자의 방 안으로 아주 술자리를 옮겨 앉은 사내가 뜻밖의 주문을 건네 왔다.

"내 우연찮게 읍내서부터 자네 소문을 듣고 왔네. 술맛보단 소리를 좇아 남도 천지 안 돌아본 데가 없는 위인이니, 내 자네 소리만 있어 주면 이대로 앉아 밤이라도 새우겠네."

무심스럽기만 하던 사내답지 않게 간절한 어조였다. 어지간히 소리를 찾아다닌 위인인 것만은 틀림이 없어 보였다. 그리고 누구에게선가 이미 여자의 소리에 대한 귀띔을 받고 찾아온 손님이 분명했다.

여자는 처음 1년 가야 한두 번 있을 둥 말 둥한 술손의 드문 주문에 몹시도 귀가 선 얼굴이었다. 자신의 소리를 사 주려는 데 대한 고마움은커녕 뜻하지 않게 희롱을 당한 사람처럼 엷은 노기의 빛이 잠시 그녀의 얼굴 위를 스쳐가고 있었다.

하지만 여자는 이내 사내의 소청을 물리칠 수 없다는 것을 알아차리게 된 것 같았다. 두번째 주문이 되풀이되었을 때 여자의 노기는 어떤 깊은 체념기 속에 서서히 스러져 가고 있었다. 그리고 그 보이지 않는 술손으로 하여 새삼 알 수 없는 예감에 사로잡히기 시작한 듯 이상스럽게 망연스러운 얼굴로 술손 쪽을 멀거니 건너다보고 있었다.

여자가 소리를 시작한 것은 그러니까 주막집 봉창 너머로 굽이치는 강물 소리가 훨씬 더 가깝게 부풀어 오른 늦저녁 무렵부터였다. 여자는 아직 술청과 천씨 사내의 안방을 몇 차례 더 드나들고 난 다음에야 새삼스럽게 다시 머리를 손질하고, 그리고 벽에 걸린 한복 치마저고리로 옷차림까지 새로 단정하게 고쳐 입고 나왔다. 그런 다음 그녀가 선반에 올려놓은 낡은 북과 북채를 조용히 안아 내린 것으로 이내 소리가 시작된 것이다.

함평 천지 늙은 몸이 광주 고향을 보려 하고
제주 어선 빌려 타고 해남으로 건너갈 제……

흔히 남쪽 사람들이 즐겨 부르는 〈호남가〉라는 단가(短歌)였다. 북통을 지그시 끌어안은 여자는 그 차분하고 태연한 중모리장단의 북가락을 함께 곁들여 가며 장중하고 끓어오르는 듯한 남정네의 질긴 목청으로 첫마디서부터 힘차고 도도하게 소리를 뽑아 나갔다.

흥양에 돋은 해는 보성에 비쳐 있고
고산의 아침 안개 영암을 들러 있다…….

아무래도 여자답지 않은 목청이었다.

남도 소리 특유의 애조와 한스러움은 있었으나 그 또한 서리 내린 가을 달밤의 기러기 소리와도 같이 미려한 여인의 수수로움이 아니라, 무럭무럭 처연스럽게 가슴을 복받쳐 오르는 장부의 통한이 역연한[7] 소리였다. 그러나 눈을 감은 채 조용히 소리를 듣고 있는 술손의 표정에는 이번에도 별로 의아스러운 빛이 없었다. 남정네처럼 장중하고 도도한 여자의 목청 속에, 그 여인스럽지 않게 허허한 장부풍의 통한 속에 그는 오히려 깊은 수긍과 감동을 맛보는 듯 머리를 크게 주억이며 깊이깊이 소리에 취해 듣고 있었다. 그리고 그녀가 어느새 〈호남가〉 한 가락을 끝내고 나자 사내는 비로소 다시 눈을 번쩍 뜨며,

"좋으네, 참으로 좋으네……."

진심 어린 치하와 목축임 잔을 건네고 나선 이내 또 다음 소리를 거푸 청하는 것이었다. 여자는 손님이 건네주는 술잔을 공손히 비워 낸 다음 그 술잔을 다시 남자한테로 되돌리고 나더니, 그녀로서도 이미 작정이 되어 있었던 듯 스스럼없이 또 다음 소리의 채비를 시작했다.

아서라 세상사 쓸데없다…… 군불견 도원도리…….

이번에도 똑같이 호방하고 장중스러운 여자의 목청에 사내는 다시 눈을 감고 취한 듯이 깊은 고갯장단을 보내기 시작했다. 여자의 소리에는 점점 더 힘이 태이기 시작하고 이마와 콧잔등에 땀방울이 솟아 맺힐 만큼 치열스러운 열기가 끓어오르고 있었다. 눈을 감은 채 소리를 듣고 있는 사내의 얼굴에도 차츰 어떤 고통의 빛이 어려 들었다. 숨소리가 거칠어지고 알 수 없는 고통 때문에 일그러진 그의 이마까지 번들번들 어느새 땀에 젖기 시작했다.

……아마도 우리 인생 춘몽과 같으오니 한 잔 먹고 즐겨 보세.

---

7 역연하다 분명히 알 수 있도록 또렷하다.

여자의 구성진 목소리가 〈편시춘〉 한 가락을 끝내고 나자 사내는 이번에도 역시 그녀에게 목축임을 한 잔 건네고 나서 거푸거푸 다음 소리를 재촉했다.

하지만 사내는 아무래도 숨이 자주 끊어지는 단가 나부랭이로는 마음이 차오르질 않은 모양이었다. 여자가 어느새 또 〈태평가〉 한 가락을 힘들여 끝맺고 나자 손님은 드디어 안타까운 듯이 새판잡이[8] 주문을 건넸다.

"자, 이제 그쯤 했으면 목도 제법 닦았을 테니 이제부턴 좀 진짜 소리를 해 보게나. 뭐 〈춘향가〉라든지 〈심청가〉라든지, 아무거나 자네 맘에 맞는 대로 한 대목씩 말이네."

단가는 그만두고 진짜 판소리를 하라는 청이었다.

하지만 여자는 여태 목을 트느라 소리를 해 온 것이 아니었던 만큼 힘이 제법 파해 있었다. 아니, 여자에겐 실상 이제 힘이 파하고 안 파하고가 문제가 아닌 것 같았다. 여자는 소리를 하는 동안 손의 숨소리가 이상스럽게 자꾸 거칠어져 가는 기미를 느끼고 있었다. 아까부터 줄곧 그녀의 보이지 않는 눈길 속을 맴돌던 어떤 예감의 빛이 문득 그녀의 소리 동작을 멈추게 하였다.

"소리 듣기를 그토록이나 즐겨 하시오?"

"……."

여자의 물음에 무엇인가 속을 들킨 것처럼 표정이 움칠해진 사내가 새삼스럽게 다시 유심스러운 눈초리로 그녀를 곰곰 건너다보았다. 여자가 소리를 좀 쉬고 싶은 게 분명했다.

"소리를 좋아하시게 된 내력이라도 있으시오? 소리 좋아하시는 양반치고 내력 없는 분은 없습데다."

확신을 가진 듯 여자가 거푸 손님에게 물었다.

"내력이라니……."

---

8 새판잡이 새로 일을 벌여 다시 하는 일.

사내가 잠시 말을 망설이는 듯하더니 마침내 무슨 속다짐이라도 하고 난 듯 갑자기 한 차례 한숨 소리 같은 것을 길게 내뿜었다.

"하기야 내력으로 말한다면 그런 것이 아주 없지도 않았제."

그러고는 그 한숨을 토해 낼 때의 망연스러운 표정만큼이나 허허한 목소리로 천천히 입을 떼기 시작했다.

"내력이 있었제……. 나이 40이 넘어서도록 아직 이 흉한 꼴을 하고 남도 천지 소리를 찾아 안 가 본 데가 없는 몸이라네. 하지만 오늘 밤 자네 소리를 만나고 보니 후회를 안 해도 좋았을 세월이었네……."

"들을 만한 데도 없이 천하기만 한 제 소리요."

여자가 짐짓 겸손해하였다. 그러나 사내는 희미한 웃음기 속에 고개를 가로저었다.

"아닐세, 자네 소리에는 내게 무엇보다 반갑고 소중한 것이 있었네. 소리보다도 나는 그 소리 속에서 그것을 만나러 이 세월을 허송하고 다녔을지도 모르는 소중스러운 것이 말이네."

"그것이 무엇이오! 손님한테 그토록 소중스러운 것이 무엇이오."

눈먼 여자의 표정이 점점 초조하고 안타깝게 변해 가고 있었다.

"자네가 정 듣고 싶다면 내 말을 해 줌세……."

사내가 천천히 그 소중스러운 것의 내력을 말하기 시작했다. 그것은 그가 어렸을 때 잃었거나 나이를 먹어 가면서 잃어 가고 있던 어떤 뜨거운 햇덩이에 대한 기억이었다.

소리를 들을 때마다 그의 머리 위에 이글이글 불타오르는 뜨거운 여름 햇덩이가 있었다. 어렸을 적부터의 한 숙명의 햇덩이였다.

그것은 바로 몇 해 전이던가, 사내가 보성 고을의 한 주막집에서 밤새워 여자의 소리를 들으면서 그녀에게 들려준 자신의 어린 시절과 그 숙명의 햇덩이에 관한 회한 어린 내력에 다름 아닌 이야기였다.

……파도 비늘 반짝이는 바다가 내려다보이는 해변가 언덕 밭의 한 모퉁이—그 언덕 밭 한 모퉁이에 누군지 주인을 알 수 없는 해묵은 무덤이 하나 누워 있었고, 소년은 언제나 그 무덤가 잔디밭에 허리 고삐가 매여 놀고 있었다. 동백나무 숲가로 뻗어 나온 그 기다란 언덕 밭은 소년의 죽은 아비가 그의 젊은 아낙에게 남기고 간 거의 유일한 유산이었다. 소년의 어미는 해마다 그 밭뙈기 농사를 거두는 일 한 가지로 여름 한 철을 고스란히 넘겨 보내곤 했다.

소년은 날마다 그 무덤가 잔디에서 고삐가 매인 짐승 꼴로 긴긴 여름날을 기다려야 했다. 그리고 그 언덕배기 무덤가에서 소년은 더러 물비늘 반짝이며 섬 기슭을 돌아 나가는 돛단배를 내려다보기도 했고, 더러는 또 얼굴을 쪄 오는 여름 태양볕 아래 배고픈 낮잠을 자기도 했다. 그러면서 이제나저제나 밭고랑 사이로 들어간 어미가 일을 끝내고 나오기를 기다렸다. 하지만 여름마다 콩이 아니면 콩과 수수를 함께 섞어 심은 밭고랑 사이를 타고 들어간 어미는 소년의 그런 기다림 따위는 아랑곳이 없었다. 물결 위를 떠도는 부표처럼 가물가물 콩밭 사이를 오락가락하면서 하루 종일 그 노랫소리도 같고 울음소리도 같은 이상스러운 콧소리 같은 것을 웅웅거리고 있었다. 어미의 웅웅거리는 노랫가락 소리만이 진종일 소년의 곁을 서서히 멀어져 갔다간 다시 가까워져 오고, 가까워졌다간 어느 틈엔가 다시 까마득하게 멀어져 가곤 할 뿐이었다.

그러던 어느 날.

하루는 그 바다가 내려다보이는 뙈기밭 가로 해서 뒷산을 넘어가는 고갯길 근처에서 이상스러운 노랫가락 소리가 들려오기 시작했다. 밭두렁 길을 지나 뒷산으로 들어가는 푸나무꾼 같은 사람들에게서 자주 듣던 소리였다. 하지만 그날의 노랫가락은 동네 나무꾼들의 그것이 아니었다. 산으로 들어간 나무꾼도 없었고 소리를 하는 사람의 모습을 볼 수도 없었다. 산을 휩싸고 있는 녹음 속 어디선가 하루 종일 노랫소리만 들려왔다. 나중에 알게 된 일이지만 그것은 이날 처음으로 그 산 고개를 넘어 마을로 들어오던 어떤 낯선 노래꾼의 소리였다. 어쨌거나 그날 그 모습을 볼 수 없는 노랫소리는 진종일 해가 지나도록 숲속에서 흘러나왔고, 그러자 한 가지 이상스러운 일이 일어났다. 밭고랑만 들어서면 우우우 그 노랫소리도 같고 울음소리도 같던 어미의 이상스러운 웅얼거림이 이날따라 그 산 소리에 화답이라도 보내듯 더욱더 분명하고 극성스럽게 떠돌아 번지기 시작한 것이다. 그러면서 어미는 뜨거운 햇볕 아래 하루 종일 가물가물 밭이랑 사이를 가고 또 오갔다. 그리고 마침내 산봉우리 너머로 뉘엿뉘엿 햇덩이가 떨어지고, 거뭇한 저녁 어스름이 서서히 산기슭을 덮어 내려오기 시작하자, 진종일 녹음 속에 숨어 있던 노랫소리가 비로소 뱀처럼 은밀스럽게 산 어스름을 함께 타고 내려왔다. 그리고 그 뱀이 먹이를 덮치듯이 아직도 가물가물 밭고랑 사이를 떠돌고 있던 소년의 어미를 후닥닥 덮쳐 버렸다.

그런 일이 있고 난 뒤부터 그날의 소리는 아주 소년의 마을로 들어와 어느 집 문간방에 둥지를 틀고 살게 되었으며, 동네 안에 둥지를 틀고 들어앉게 된 소리의 남자는 날만 밝으면 언제나 그 언덕 밭 뒷산의 녹음 속으로 숨어 들어가 진종일 지겹도록 산울림만 지어 내리곤 하였다. 사람의 모습은 보이지 않고 녹음이 소리를 숨기고 사는 양한[9] 소리였다. 밭고랑 사이를 오가는 여인네의 그 괴상스러운 노랫가락 소리도 날이 갈수록 점점 극성스러워져 갔다. 소년은 여전히 그 무덤가 잔디에서 진종일 계속되는 노랫가락 소리를 들어야 했고, 소리를 들으면서 허기에 지친 잠을 자거나, 소리를 들으면서 그 잠을 다시 깨야 했다. 잠을 자거나 잠을 깨거나 소년의 귓가에선 노랫소리가 떠돌고 있었고, 소년의 머리 위에는 언제나 그 이글이글 불타오르는 뜨거운 햇덩이가 걸려 있었다.

소리는 얼굴이 없었으되, 소년의 기억 속엔 그 머리 위에 이글거리던 햇덩이보다도 분명한 소리의 얼굴이 있을 수 없었다. 그리고 언제나 뜨겁게 불타고 있던 그 햇덩이야말로, 그날의 소년이 숙명처럼 아직 그것을 찾아 헤매 다니고 있

---

9 양하다 물체의 온도나 기온이 꽤 찬 느낌이 있다.

는 그 자신의 운명의 얼굴이었다.

그러니까 소년이 그 소리의 진짜 모습을 자신의 눈으로 똑똑히 보게 된 것은 그의 어미가 어느 날 밤 뜻하지 않은 소동 끝에 홀연 저승길로 떠나가 버리고 난 다음 날 아침의 일이었다. 소리가 마을로 들어서던 그 한여름이 지나가고 해가 훌쩍 뒤바뀌고 난 이듬해 이른 여름의 어느 날 밤, 소년의 어미는 땅덩이가 꺼져 내려앉는 듯한 길고도 무서운 복통 끝에 흡사 핏속에서 쏟아내듯 작은 살덩이 계집아이 형상 하나를 낳아 놓고는 그날 새벽으로 그만 영영 눈을 감아 버린 것이었다. 그리고 그런 일이 있은 다음 날 아침에야 비로소 소리의 사내가 그 후줄근한 모습을 드러내며 소년의 집 사립문을 들어서던 것이었다.

"일이 그렇게 되고 보니 그 소리를 하던 남자, 그러니까 내겐 아마 의붓아버지가 되었을 뻔한 그 사내는 이제 더 이상 얼굴을 들고 살아갈 수가 없게 됐제. 그래서 끝내는 애어미 되는 사람의 무덤을 만든 뒤에 그길로 곧 핏덩일 싸 들고 마을을 떠나고 말았다네!"

사내는 이제 남의 얘기라도 하듯이 담담한 얼굴이 되어 이야기를 끝맺어 가고 있었다.

하지만 소년은 아직도 그때의 그 사내의 얼굴이 소리의 진짜 얼굴이라고는 생각하지 않았다. 소년에겐 여전히 그 뜨거운 햇덩이가 소리의 진짜 얼굴로 남아 있었다. 나이가 들어 가도 마찬가지였다. 사정이 달라져 버린 소리의 사내가 핏덩이 같은 갓난애와 소년을 데리고 이 고을 저 고을로 소리를 하며 밥구걸을 다니고 있었을 때도, 소리의 진짜 얼굴은 언제나 그 뜨겁게 이글거리는 햇덩이 쪽이었다.

괴롭고 고통스러운 얼굴이었다. 하지만 어떻게 된 심판인지 사내는 그 고통스러운 소리의 얼굴을 버리고 살 수가 없었다. 머리 위에 햇덩이가 뜨겁게 불타고 있지 않으면 그의 육신과 영혼이 속절없이 맥을 놓고 늘어졌다. 그는 그의 햇덩이를 만나기 위해 끊임없이 소리를 찾아다니지 않으면 안 되었다. 그런 식으로 이날 이때까지 반생을 지녀 온 숙명의 태양이요, 소리의 얼굴이었다.

"하니까 그다음 이야기는 이제 말을 하지 않아도 대개 짐작이 가겠네마는, 어쨌거나 나는 그런저런 내력으로 이 나이 마흔이 넘어서도 그 누추한 어릴 적 기억을 버리지 못해 이런 청승맞은 소리 비렁뱅이질[10]을 계속하고 다니는 꼴이라네. 소리를 들으면 어렸을 적에 그 밭두렁 가에 누워 보던 바다 비늘이 아슴아슴[11] 떠오르고 골짜기 숲으로부터 복더위[12]를 씻어 가던 한 줄기 바람결이 내 얼굴을 지나가고…… 아니 그보다도 나는 소리만 들으면 그 이마 위에서 무섭게 들끓고 있던 여름 햇덩이를 다시 보게 되곤 하니 말이네. 그런데 말이네, 그런데 난 오늘 밤 자네한테서 내 눈썹을 불태울 것 같은 그 뜨거운 햇덩이를 다시 보게 된 것일세. 자네처럼 뜨거운 내 햇덩이를 품은 소리를 만난 일이 없는 것 같단 말일세……. 이제 내가 이토록 자네 소리에 끌리는 까닭을 알겠는가……."

사내는 이야기를 끝내고 나서도 마치 아직도 그 들끓는 태양 볕을 머리 위에 견디고 있는 듯이 얼굴을 심히 고통스럽게 찡그리고 있었다.

하지만 여자의 얼굴에는 사내의 이야기가 다 끝날 때까지도 시종 마음이 흔들리는 듯한 흔적이 나타나지 않았다.

여름날 햇볕에 지쳐 난 가로수처럼 무겁고 적막한 모습으로 시종일관 무연스레 허공만 지키고 앉아 있을 뿐이었다. 그것은 차라리 그녀가 가끔 술청 마루 끝 볕발 속으로 나와 앉아 보이지 않는 눈길 속에 끊임없이 무엇인가를 기다리고 있는 듯하던 그 모습 그대로였다. 사내의 이야기가 끝날 때쯤 해서는 오히려 그녀의 그 보이지 않는 눈길 속을 맴돌고 있던 어렴풋한 예감의 빛마저 말끔히 흔적이 가시고 없었다.

---

10 비렁뱅이질 '비럭질'의 잘못. 남에게 구걸하는 짓을 낮잡아 이르는 말.
11 아슴아슴 정신이 흐릿하고 몽롱한 모양.
12 복더위 삼복더위. 삼복 기간의 몹시 심한 더위.

"자, 그러시면 이제 제 소리나 밤새 해 드리겠소."

여자가 이윽고 뭔가 사내를 달래듯한 목소리로 말하면서 자리를 고쳐 앉았다. 그러고는 지금까지 그녀 앞에 안고 있던 북통과 장단 막대를 말없이 사내 앞으로 밀어 놓았다.

소리를 청해 들을 양이면 이제부턴 장단을 좀 잡아 달라는 시늉이었다. 소리를 청해 들을 만한 사람에겐 흔히 해 온 일이었다. 여자는 으레 손님의 솜씨를 믿는 얼굴이었다.

여자의 갑작스러운 주문에 이번에는 오히려 사내 쪽이 뜻밖인 모양이었다. 여자가 밀어 보낸 북통을 앞에 한 사내의 눈길엔 졸지에 일을 당하고 당황해하는 빛이 역력했다. 하지만 그 보이지 않는 여자의 눈길은 거의 일방적으로 손님을 강요해 오고 있는 식이었다.

"하두 오래 손을 잡아 본 일이 없어서…… 내 장단이 자네 소리에 잘 맞아 들지 모르겠네……."

사내도 마침내는 여인을 피할 수 없다고 생각한 듯 천천히 자기 앞으로 북통을 끌어당겨 갔다.

그로부터 여자와 술손은 다시 소리로 꼬박 밤을 지새듯 하였다.

여자는 이제 숨이 짧은 단가에서 본격적인 판소리 가락으로 손님을 휘어잡아 나갔다. 쑥대머리 귀신형용 적막옥방 한 자리에서부터 〈춘향가〉의 옥중비가 한 대목을 넘어가고, 〈흥보가〉 중의 흥보 매품팔이며 신세 한탄 늘어놓는 진양조 한 가락을 엮어 내고, 〈수궁가〉로 〈적벽가〉로 명인 명창들의 이름난 더늠[13]들을 두루 불러 돌아간 후에, 나중에는 〈심청가〉의 심봉사 황성 길 찾아가는 처량한 정경까지 끈질기게 소리를 이어 나갔다.

지칠 줄 모르는 소리였다. 여자의 목청은 남정네들의 그 컬컬하고 장중스러

---

13 더늠 판소리에서, 명창이 자신의 독특한 방식으로 다듬어 부르는 어떤 마당의 한 대목.

운 우조(羽調)[14]뿐 아니라 여인네 특유의 맑고 고운 계면조(界面調)[15] 풍도 함께 겸비하고 있어서, 때로는 바위처럼 우람하고 도저한[16] 기백이 솟아오르는가 하면 때로는 낙화처럼 한스럽고 가을 서릿발처럼 섬뜩섬뜩한 귀기가 넘쳐 났다. 가파른 절벽을 넘고 나면 유장한[17] 강물이 산야를 걸쳐 있고, 사나운 폭풍의 한밤이 지나고 나면 새소리 무르익는 꽃 벌판의 한나절이 펼쳐졌다.

놀라운 것은 그 지칠 줄 모르는 목소리뿐만 아니라 술손의 장단 가락 솜씨 또한 예사가 아니라는 것이었다.

— 춘향이 〈옥중가〉 한 대목이 어떠시오.

— 〈흥부가〉 매품팔이 나가는 신세타령 한 대목이 어떠시오?

여인은 소리를 한 대목씩 시작할 때마다 번번이 손님에게 의향을 묻곤 했다. 그럴 때마다 손님도 "그거 좋겠네, 그거 좋겠네." 즐겁게 화답을 보내며 여자가 첫소리를 시작하자마자 곧바로 장단 가락을 잡아 나가곤 했다. 느리거나 빠르거나 여자의 소리만 시작되면 사내는 마치 장단을 미리 외우고 있었던 것처럼 솜씨가 익숙했다.

그러나 손님이고 여자고 새삼스레 상대편의 솜씨를 놀라워하는 빛은 전혀 서로 내색을 하지 않았다. 여인과 손님은 끊임없이 소리를 하고 장단을 몰아 나갈 뿐이었다.

---

14 우조 《악학궤범》에서 밝힌 거문고와 가야금 따위의 높은 조.
15 계면조 국악에서 쓰이는 음계의 하나. 슬프고 애타는 느낌을 주는 음조.
16 도저하다 행동이나 몸가짐이 빗나가지 않고 곧아서 훌륭하다.
17 유장하다 급하지 않고 느릿하다.

어이 가리 어이 가리 황성 만 리를 어이 가리

오늘은 가다 어데 가 자며 내일은 가다 어데 잘고……

더듬더듬 더듬으며 정향 없이 올라갈 제

때는 삼복 증염[18]이라 별빛은 불꽃같고 땀은 흘러 비 같은데……

여자는 소리를 굴렸다가 꺾았다 멋었다가 풀었다 하면서 온갖 변화무쌍한 조화를 이끌어 냈고, 손님에 대해서도 때로는 장단을 딛지 않고 교묘하게 그 사이를 빠져 넘나드는가 하면, 때로는 장단을 건너가는 엇붙임을 빚어내어 그 솜씨를 마음껏 즐기게 하였다.

그것은 마치 소리와 장단이, 서로 몸을 대지 않고 능히 상대편을 즐기는 음양간의 기막힌 희롱과도 같은 것이었고, 희롱이라기보다는 그 몸을 대지 않는 소리와 장단의 기묘하게 틈이 없는 포옹과도 같은 것이었다.

하지만 그 기묘한 포옹 속에서도 손님과 여인은 역시 놀라움이 없었다. 손님 쪽에 무슨 변화가 있다면 그는 여자의 소리에서 어렸을 적 그의 햇덩이를 다시 만나 그 햇덩이의 뜨거운 열기를 무서운 인내로 견뎌 내듯 일그러진 얼굴에 땀방울이 송송 솟아나고 있다는 것과 그리고 그 열기에 숨이 차오르는 듯 헐떡헐떡 거친 숨소리를 힘겹게 깨물어 삼키고 있다는 것뿐이었다. 그리고 여자는 마치 손님의 그 햇덩이가 그의 이마 위에서 더욱 뜨겁고 고통스럽게 불타오르기를 열망하듯 긴긴 밤 목소리에 여느 때보다도 지침이 없다는 것뿐이었다.

손님과 여자는 새벽녘 동이 틀 무렵에야 간신히 소리를 끝내고 여인의 방에서 함께 잠자리로 들었다. 소리를 좋아하는 술손 중엔 가끔 잠자리까지도 여인과 함께하기를 원해 오는 수가 있었고, 그런 밤 여자가 손님과 잠자리를 함께하는 것을 주인 사내 천 씨마저 그리 불결스러워하는 눈치를 보이지 않았다. 손님 쪽도

---

18 증염 무더위.

그렇고 여자 쪽도 그렇고 소리가 끝났을 때 두 사람은 으레 그래야 할 사람들처럼, 그러기를 미리 작정해 둔 사람들처럼 아무 말이나 스스럼이 없이 한방에다 나란히 잠자리를 펴고 든 것이다. 그리고 아침 날이 밝았을 때 손님은 으레 또 그러기로 되어 있었던 것처럼 말도 없이 슬그머니 주막을 떠나 버리고 없었다.

사람이 떠나가 버린 빈 잠자리가 자리를 들 때 한가지로 고스란했다. 잠을 깨고 난 여자가 손님의 빈 잠자리를 쓰다듬듯 정성스레 개켜 올리고 나서, 천천히 혼자 방문을 열고 밖으로 나왔다. 문 밖엔 이미 술청 마루까지 기어 올라온 아침 햇발 속에 주인 천 씨가 그녀를 기다리고 앉아 있었다.

"손님은 벌써 길을 떠나시던가……."

낌새를 알아차리고 있었던지 주인 사내가 먼저 여자에게 물었다. 그러자 여자는 그 보이지 않는 눈길로 들판 건너 먼 산허리 쪽을 더듬으며 무심스레 내뱉었다.

"그리 되었소. 오라비는 말도 없이 혼자서 떠나셨소."

"오라비라? 간밤의 그 손님이 말인가."

여인의 대꾸에 천 씨 사내가 갑자기 걱정스러운 얼굴로 다시 물었다.

하지만 여자의 얼굴에는 아직도 전혀 마음이 흔들리는 기색이라곤 없었다.

"그렇답니다. 간밤엔 제 오라비를 만났더랍니다."

주인 사내는 비로소 뭔가 짐작이 간다는 듯 고개를 한 차례 크게 끄덕이고 나더니 이윽고 다시 질문의 꼬리를 이었다.

"하기야 나도 간밤부터 뭔가 심상찮은 느낌이 없지 않았다네. 하지만 자넨 여태까지 한 번도 오라비 이야길 한 일이 없었는데……. 그렇다면 그때 그 산 소리가 저녁 어스름을 타고 내려와서 콩밭 여자에게 아이를 배게 하여 낳은 핏덩이가 바로 자네였더란 말인가?"

천 씨 사내는 간밤 동안 두 사람의 이야기를 엿들은 자신을 숨기려 하지 않고 서슴없이 물었다.

"그렇답니다."

여자가 다시 분명하게 대답했다. 사내 앞에선 이제 아무것도 이야기를 숨길 필요가 없다는 식이었다.

"하지만 오라비는 어젯밤 일부러 그 핏덩이가 계집아이였다는 말씀은 참아 버리셨소. 그 소리꾼 노인이 어린 핏덩이를 싸안고 마을을 떠날 때 어린 당신도 길을 함께하고 있던 일까지……. 오라비는 제 기억이 안 닿을 만한 일만 말하시고 기억이 살아 있는 뒷날 일은 입을 덮고 마시더이다. 하지만 전 알고 있었더랍니다."

그러고 나서 여자는 그녀가 기억할 수 있는 옛날 일 몇 대목을 사내 앞에 조용히 털어놓았다.

소리꾼 아비는 나어린 오누이를 앞세우고 이 마을 저 마을 소리로 끼니를 빌고 떠돌아 다녔더라고 했다. 그러면서 아비는 철도 들기 전의 두 어린것들에게 소리를 시키는 것이 소원이었던지, 틈만 나면 성화가 대단했댔다. 산길을 가다 고갯마루 같은 곳에 다리를 쉬고 앉아 있을 때나 어느 마을 사랑채의 헛간 같은 골방 속에 들어앉아 지낼 때나 아비는 한사코 어린것들에게 소리를 배워 주려 애를 쓰고 있었다 했다. 하지만 오라비는 웬 고집으로 끝끝내 소리를 하지 않으려 했고, 어린 그녀만이 무슨 재간이 좀 뻗쳤던지 세월따라 조금씩 조금씩 소리를 익혀 가고 있었다고 했다. 그리하여 아비는 마침내 그녀에게만 소리를 하게 했고, 소리를 싫어하는 오라비에게는 북장단을 익히게 하여 제 누이의 소리를 짚어 나가게 했다는 것이다. 아비 소리꾼이 데리고 다니는 오누이의 소리 솜씨는 한동안 시골 마을 사람들의 얘깃거리가 되곤 할 정도가 되었다. 하지만 오라비는 끝내 그 북채잡이조차도 따르기가 싫었던 모양이다. 어느 해 가을날인가, 인적 드문 산길을 지나가던 아비가 통곡이라도 하듯 두 다리를 벌리고 앉아 〈수궁가〉 한 대목을 처연스럽게 뽑아 넘기고 나서 기운이 파해 드러누워 있을 때, 오라비는 용변이나 보러 가듯 숲속으로 들어가고 나서는 영영 다시 모습을 나타내지 않고 말았다는 것이다.

"오라비가 가고 난 후 노인네는 아마 딸년마저 도망질을 칠까 봐 겁이 나지 않았겠소. 그래 아비는 딸의 눈을 멀게 한 거랍니다."

여자는 비로소 한숨 섞인 음성으로 눈이 멀게 된 사연을 털어놓고 있었다.

하지만 눈을 죽이고 나니까 그 죽은 눈빛이 다시 목청으로 살아났던지 그녀의 소리는 윤택해지고, 그 덕분에 부녀는 오라비가 곁을 떠나고 난 다음에도 힘들이지 않고 이 고을 저 고을로 구걸 유랑을 계속해 다닐 수 있었다고 했다. 그리고 그럭저럭 환갑길에 들어선 노인이 어느 겨울날 저녁 보성 고을 근처 한 헛간 같은 빈집에서 피를 토하며 마지막 숨을 거두게 되었을 때 아비는 비로소 그녀가 모르고 있던 몇 가지 비밀—그녀와 그녀의 달아난 오라비 사이의 어정쩡한 인륜 관계하며 잠든 딸에게 청강수[19]를 찍어 넣어 그녀의 눈을 멀게 한 비정스러운 아비의 업과들을 눈물로 사죄하고 갔다는 것이다.

"하지만 자네한테 오라비가 있었다 해도 어젯밤 손님이 그때의 오라비라고 장담을 할 수는 없지 않은가. 보아하니 자네나 손님이나 양쪽 다 그런 일은 입에도 올리지 않았던 것 같은데 말이네."

묵묵히 이야기를 듣고 있던 주인 천 씨가 아직도 걱정스러운 얼굴로 물었다. 하지만 여자는 아직도 전혀 목소리가 흐트러지는 기색이 없었다.

"오라비가 아닌가 싶은 생각은 벌써 손님을 처음 대했을 때부터 들기 시작했소. 손님이 소리를 찾아다니게 된 내력을 말했을 때는 다시 의심할 여지도 없었고요. 하지만 정말 오라버니 소리가 목에까지 솟아오를 뻔한 것은 북채를 손님께 내어 드리고 나서 제 소리가 오라비의 장단을 만났을 때였답니다. 오라비의 솜씨는 옛날의 제 아비 되는 노인의 솜씨 그대로였소."

"그렇다면 자네 오라비라는 사람도 그땐 자넬 알아보고 있었을 게 아닌가."

---

19 청강수 '염산'을 달리 이르는 말.

"알아보았겠지요. 절 알고 여기까지 길을 찾아오신 건지도 모르고요. 모르고 오셨더라도 그 양반 장단을 놀아 나가면서는 분명히 알고 계셨을 것이오."

"그렇다면 글쎄……. 자네를 알아보고도 오라비는 어째서 끝내 오라비라는 소리 한마디 못 해 보고 그렇게 허망히 길을 떠나가고 말았단 말인가."

"그것은 아마 오라비가 또 날 죽이고 싶었기 때문이었을 것이오."

"오라비가 자넬 죽이고 싶어 하다니?"

사내의 두 눈이 다시 크게 벌어졌다.

"노인네가 돌아가시기 전에 제게 말씀하신 것이 또 한 가지 있었답니다. 당신은 늘 소리를 할 때 오라비 눈에 살기가 도는 것을 보았더라고요. 당신이 소리를 하면 오라비는 이상스럽게 눈빛이 더워지면서 당신을 해치고 싶어 못 견뎌 하더랍니다. 오라비가 싫은 짓을 참아 가면서도 의붓아비를 따라다닌 것은 그 불쌍한 노인네가 당신의 어머니를 죽인 거라 작심하고 어미의 원수를 갚기 위해서였을 거랍니다. 노인네는 그걸 알고 있었기 때문에 어서 원수를 갚으라고 오라비 앞에 더욱 힘이 뻗치게 목청을 돋워 대곤 하셨더라고요……. 하지만 오라비는 결국 원수를 갚기는커녕 당신 편에서 먼저 노인의 소리를 못 이기고 도망을 치고 말았다는 말씀이었지요. 그런데…… 어젯밤엔 저도 소리를 하면서 오라비한테서 그런 살기가 완연하게 느껴져 오더구만요. 오라빈 그걸 무슨 햇덩이 같은 거라고 말씀하고 있었지만, 그게 바로 살기였을 게라요. 오라비가 그 햇덩이 때문에 이마가 뜨거울 때 당신은 그 살기가 일고 있었던 것이오."

"자네는 그럼 오라비한테서 그런 살기를 느끼면서도 무슨 정성으로 밤새껏 그리 목청을 뽑았던가? 오라비 살기가 부풀어 끝장이라도 나고 싶었던가 말이네."

"……."

"그리고 또 자네 오라비란 사람도 그런 살기가 돌았다면 어째서 끝내 자네를 해치지 못하고 말도 없이 문을 나갔겠는가 말이네."

"그야 오라비는 옛날에도 노인을 해치진 못했지요. 노인을 해치고 싶어 했다 뿐, 소리 때문에 외려 당신 쪽에서 몸을 피해 달아난 위인이었다지 않습디까. 오라버닌 제 소리에 살기가 일었을지 모르지만, 제 소리 때문에 또 당신 쪽에서 먼저 몸을 피해 가신 것입네다."

"그걸 자네 오라비도 알았을까. 그 오라비한테도 자네가 이미 오라비를 그토록 알아보고 있는 눈치를 말이네."

"소리가 어우러져 나가면서 오라버니도 족히 그것을 알고 있었을 것이오."

"……."

틈을 주지 않고 물어 대던 사내가 마침내 입을 다물었다. 그러자 이번에는 여자 자신이 묻기도 전에 속절없는 목소리로 혼자서 말을 이어 나갔다.

"오라비가 안 것은 그것만도 아니었을 것이오. 오라비는 제가 어떻게 눈을 잃게 되었는지, 그런 곡절[20]조차 묻질 않았으니까요. 오라비는 그걸 묻지 않아도 벌써 알고 계셨던 거랍니다. 소리를 하거나 소리를 들을 줄 아는 사람은 그걸 아는 법이니께요. 어르신네가 10여 년 동안이나 절 곁에 두고 계시면서도 여태까지 제 신상에 대한 내력은 아무것도 물으려 하지 않고 계신 것 한가지로 말씀이오."

"하기야 자네 소리를 들으면 자네라는 사람을 물어보지 않아도 속을 다 알 수가 있었던 건 사실이었제."

주인 사내가 다시 용기를 얻은 듯, 그러나 이번에는 그 자신 뭔가 창연스러운 감회에 사로잡힌 듯 적막한 목소리로 떠듬거리고 있었다.

"난 자네 오라비처럼은 소리를 모르지만, 그래도 자네 소리에 서린 깊은 정한(情恨)을 만나고 보면 자네가 겪어 온 반생의 사연을 눈으로 보는 듯했다네. 눈이 멀게 된 사연도 자네의 한을 보면 알 수 있고, 자네가 살아온 험난스러운 반생의 내력도 자네의 한을 보면 저절로 다 알아볼 수가 있더란 말이네."

---

20 곡절 순조롭지 아니하게 얽힌 이런저런 복잡한 사정이나 까닭.

그러고 나서 사내는 이제 여자의 아픈 마음을 달래기라도 하듯 한결 더 부드럽고 가라앉은 목소리로 자신 있게 지껄여 대기 시작했다.

"그러고 보면 아마 자네 오라비라는 사람이 그렇게 가 버린 것도 자네의 그 한을 다치지 않으려는 것이 아니었는가 싶네. 사람들 중엔 때로 자기 한 덩어리를 지니고 그것을 소중스럽게 아끼면서 그 한 덩어리를 조금씩 갈아 마시면서 살아가는 위인들이 있는 듯싶데그랴. 자네가 그렇고, 내가 그렇고, 알고 보면 자네 오라비라는 사람도 아마 그 길에서 그리 먼 데 있는 사람은 아닐 걸세. 그런 사람들한테는 그 한이라는 것이 되려 한세상 살아가는 힘이 되고 양식이 되는 폭 아니겠는가. 그 한 덩어리를 원망할 것 없을 것 같네. 더더구나 자네같이 한으로 해서 소리가 열리고 한으로 해서 소리가 깊어지는 사람이라면 더더욱 그것을 소중히 여겨야 할 것일세. 자네 오라비도 아마 그 점을 알고 있었던 듯싶네. 자네는 아까 오라비가 자넬 해치고 싶은 충동을 못 이겨 간 거라고 말했지만, 그 말이 설사 맞는 데가 있다 치더라도 내 짐작이 크게 틀리지는 않을 것 같네. 자네 오라빈 자네 소리에 서린 한을 아껴 주고 싶은 나머지, 자네한테서 그것을 빼앗지 않고 떠나기를 소망했음에 틀림없을 걸세."

여자의 찌부러든 두 눈에서 소리 없이 물기가 맺혀 흐르고 있었다. 하지만 사내는 아직도 미처 여자의 눈물을 알아채지 못하고 있었다.

"너무 망연해할 건 없어. 언제 또 생각나면 그 양반이 자넬 다시 찾아올 때도 있을 법한 일이 아닌가."

사내가 다시 간절한 목소리로 여자를 위로하려고 했다. 하지만 여자는 조용히 고개를 가로젓고 있었다.

"그렇게는 아니 될 줄 싶소. 오라버니도 아마 저 모양으로 당신의 한을 먹고 살아가시는 양반이라면 이제 다시 제게 와서 당신의 한을 앗길[21] 짓을 하시지도

---

21 앗기다 빼앗기거나 가로채이다.

않으실 양반이오."

그러고 나서 그녀가 다시 조용히 뱉어 낸 몇 마디는 주막 주인 천 씨 사내로서도 전혀 예상할 수 없었던 소리였다.

"오라버니가 예까지 다시 절 찾아온다고 해도 우리 남매는 이제 이것으로 두 번 다시 상면을 할 수도 없는 처지고요."

심상찮은 여자의 말에 주인 사내가 문득 수상한 눈길로 그녀를 돌아다보았으나, 여자는 이미 마음을 굳게 작정해 버린 뒤인 것 같았다.

"오라버니가 제 소리를 아껴 주시는데, 저한테도 그 오라비의 한이나마 제 것 한가지로 소중스럽게 아껴 드릴 도리를 다해 드려야 할 듯싶소."

말하고 있는 여자의 표정은 그녀가 그 술청 마루 끝 햇볕 속으로 나와 앉아 보이지도 않는 눈길로 먼 산허리 쪽을 더듬어 대면서 끊임없이 무엇인가를 기다리고 있는 듯하던 그런 때의 그 하염없는 표정 그대로였다.

하지만 여자는, 이제 비로소 형언할 수 없는 절망감으로 그녀 앞에 무너져 내리기 시작한 주인 사내조차 까맣게 잊어버린 듯 한숨 섞인 목소리로 혼잣말처럼 중얼거리고 있었다.

"어르신네 곁을 찾아온 지도 벌써 10년이 넘었구요. 제 팔자를 생각해 보면 당치도 않게 편한 세월이 너무 길었었나 보아요. 이젠 그만 어디론가 몸을 좀 옮겨야 할 때도 되었지요……."

(1978년)

이청준, 《눈길: 이청준 전집 13》(문학과지성사, 2012)

징 소리

문순태

문순태(1941~)

전라남도 담양에서 태어났다. 1965년 〈현대문학〉에 시 〈천재들〉로 추천되었고, 1974년 《한국문학》에 〈백제의 미소〉가 당선되어 소설가로 등단하였다. 문순태의 〈징 소리〉는 산업화로 인해 고향을 상실한 사람들의 아픔을 보여 주는 작품이다. 이처럼 문순태는 농촌을 배경으로 전통적인 공동체 사회가 무너지는 과정에서 선량하고 무지한 농민들이 어떻게 희생되는가를 소설로 형상화한 작가이다. 작품으로 《걸어서 하늘까지》 《느티나무 사랑》 《타오르는 강》 《된장》 등이 있다.

1

방울재 허칠복(許七福)이가 고향을 떠난 지 3년 만에 미쳐서 돌아와 징을 두들기며 댐을 막은 뒤부터 밀려드는 낚시꾼들을 쫓아 댔다.

덩실덩실 춤을 추며 징을 두들기는 칠복이의 모습은 나무탈을 쓴 도깨비 같다고들 했다.

그리고 그가 그렇게 된 것은 고향을 잃은 서러움, 아내를 빼앗긴 원한 때문이라고들 했다.

아무도 기다리는 사람이 없는 고향에 여섯 살 난 딸아이를 업고 불쑥 바람처럼 나타난 그는, 물에 잠겨 버린 지 3년째가 되는 방울재 뒷동산 각시바위에 댕돌같이[1] 앉아서는, 목이 터져라고 마을 사람들의 이름을 하나하나 불러 대는가 하면, 혼자서 고개를 끄덕거려 가며 오순도순 귀신 씨나락 까먹는 소리를 중얼거리다가도, 불컥 고개를 쳐들어 하늘을 찔러 보고, 창자가 등뼈에 달라붙도록 큰 소리로 웃어 대고, 느닷없이 징을 두들기며 겅중겅중 도깨비춤을 추었다.

그런데 이상한 것은 그의 성질이 염병[2]을 앓아 귀머거리가 된 사람처럼 물렁해지고, 바보처럼 느물느물해진 거였다. 황소같이 힘이 세고 성깔이 왁살스럽던[3] 그는, 도깨비 춤추듯 징을 두들기다가도 방울재 사람들이 쫓아와서 한마디만 질러 대도 슬그머니 징채를 감추고 목을 움츠리는 거였다.

---

1 댕돌같이 물체나 몸이 돌과 같이 야무지고 단단하게.
2 염병(染病) '장티푸스'를 속되게 이르는 말.
3 왁살스럽다 우악스럽다. 대단히 무지하고 포악하며 드센 데가 있다.

"덕칠아 봉구야, 싸게싸게 갈치배미 나락 베러 가자."

징 징 징…… 징 징 징…….

칠복이는 징을 치며 장성호(長城湖) 물이 넘칠넘칠 떡갈나무 밑동을 핥아 대는 호숫가를 이리 뛰고 저리 뛰었다. 그가 징을 치고 겅중거릴 때마다 졸래졸래 아비를 따라다니는 여섯 살 난 그의 딸이 징 소리에 맞춰 춤을 추듯 옴죽거렸다[4].

구름 한 가닥 없이 청명한 하늘에서는 명주실처럼 윤기 있는 늦가을의 햇볕이 선득선득 꽂혀 내리고 고속 도로가 뻗고 산들이 삐끔하게 트인 장성읍 쪽으로 아슴히 보이는 댐 위에서부터 삽상한[5] 바람은 수면을 조리질하듯 천천히 훑어 올라왔다.

"덕칠이, 봉구, 팔만이 몽땅 뒤졌는겨 살었는겨?"

칠복이는 부릅뜬 눈으로 호수를 찔러 보며 계속 징을 치고 목청껏 방울재 친구들의 이름을 불렀다.

호숫가에 띄엄띄엄 한가하게 낚싯줄을 드리운, 얼추 헤아려도 여남은 명이 넘을 것 같은 낚시꾼들은 난데없는 징 소리에 벌떡벌떡 일어서서는 울화가 머리끝까지 치민 얼굴로 각시바위 쪽의 칠복이를 꼬나보았다.

징 징 징……징 징 징…….

마치 하늘 어느 한구석이 무너져 내리는 소리 같기도 하고, 수많은 사람들이 떼 지어 울부짖는 소리와도 같은 징 소리는 호수 안통[6] 방울재 골짜기를 샅샅이 쥐흔들었다.

"이봐, 빨리 꺼지지 못해?"

앙바틈한[7] 체구에 챙이 길쭉한 빨간 운동모자를 비뚜름하게 눌러쓴 낚시꾼 하나가 실팍한 돌멩이를 집어 들고 무섭게 노려보며 소리를 치자, 칠복은 잽싸

---

4 옴죽거리다 몸의 한 부분을 옴츠리거나 펴거나 하며 자꾸 움직이다.
5 삽상하다 바람이 시원하게 불어 마음이 아주 상쾌하다.
6 안통 '근방'의 방언.
7 앙바틈하다 짤막하고 딱 바라져 있다.

게 참나무 뒤로 몸을 피하고 잠시 조용해지더니, 이내 다시 징채가 부러지도록 힘껏 휘둘러 댔다. 그때 징 소리는 징징징 우는 것이 아니고 와글바글 사뭇 방울재 골짜기의 너덜겅[8]을 호수로 허물어 내리는 듯싶었다.

"저 미친놈이 끝내 훼방이여!"

낚시꾼들 대여섯 명이 당장 칠복이를 잡아 물속에 처박을 기세로 각시바위 쪽으로 뛰어 올라갔으나, 칠복이는 참나무를 끼고 이리저리 피하며 잠시도 징채를 멈추지 않았다.

단숨에 칠복이를 붙잡지 못한 낚시꾼들은 더욱 화가 치밀어 씩씩거렸고, 칠복이는 칠복이대로 신이 나서, 딸아이마저 팽개친 채 두레패 상쇠놀음 하듯 고개까지 까닥거리며 겅중겅중 뛰었다.

빨간 모자의 낚시꾼이 긴 작대기를 후려치는 바람에, 칠복이는 헉 외마디 소리와 함께 아기다복솔[9] 위로 꼬꾸라지고 말았다. 작대기에 허리를 얻어맞고 쓰러진 칠복이는 징을 빼앗기지 않으려고 가슴에 꼭 안았다.

칠복이가 꼬꾸라지자 대여섯 명의 낚시꾼들이 우르르 달려들어 발길로 엉덩이를 걷어차기도 하고, 어떤 사람은 그의 품에서 징을 빼앗으려고 했으나 그는 솔가지에 얼굴을 묻고 엉덩이를 하늘로 추켜올린 채 고슴도치처럼 몸을 도사렸다.

아비를 따라다니며 징 소리에 맞춰 깡총[10]대던 딸아이가 아빠를 부르며 울음을 터뜨리자, 그들은 비로소 발길질을 멎었다.

"미친 사람이니 용서해 줍쇼!"

그때, 호숫가에 가건물을 지어 놓고 낚시꾼이나 댐을 구경하러 온 관광객들을 상대로 술이며 매운탕을 끓여 파는 방울재 남자 셋이 허위허위[11] 뛰어 올라와

---

8 너덜겅 돌이 많이 흩어져 있는 비탈.
9 아기다복솔 가지가 다보록하게 많이 퍼진 어린 소나무. '다복솔'이라고도 함.
10 깡총 '깡충'의 잘못.
11 허위허위 손발 따위를 이리저리 내두르는 모양.

서 칠복이를 가로막아 서며 사정을 했다.

"아는 사람이우?"

낚시꾼이 물었다.

"한마을 사람이구먼유."

검적검적[12] 점이 많은 얼굴이 발그레하게 술이 오른, 삐쩍 마른 봉구는 연신 허리를 굽적거렸다.

"이 마을에 사는 사람이란 말이우?"

"없어졌지라우."

"없어지다니 뭐가요?"

"방울재가 없어졌지라우. 몽땅 물에 쟁겨 뿌렸어유. 남은 것이라고는 저 뒷골 감나무뿐인갑네유."

봉구는 황새처럼 목을 길게 뽑아 그들이 서 있는 발부리[13] 아래, 찰랑찰랑 허리가 물에 잠긴 채 빨갛게 익어 가고 있는 접시감나무를 가리켰다.

"그러면 우리가 낚시질을 하고 있는 여기가 바로 방울재라는 마을이었단 말이우?"

나이가 지긋하고 턱끝이 도끼날처럼 날캄한[14] 낚시꾼이 흥미가 있다는 말투로 물었다.

"그렇구먼유. 우리덜 지붕 위에다 낚시를 던지신 거나 마찬가지지유."

"히야, 지붕 위에서 낚시질이라!"

빨간 모자는 재미있다는 듯 웃었다.

"선생님들, 이 사람은 우리가 데려갈랍니다요."

"다시는 여기 못 오게들 허쇼."

---

12 검적검적 검은 점이나 얼룩이 굵게 여기저기 박혀 있는 모양.
13 발부리 발끝의 뾰족한 부분.
14 날캄하다 날카롭다.

"염려 놓으십쇼. 다리 모갱이를 작씬 분질러 놓겠으니께유."

방울재 사람들은 왁살스럽게 칠복이의 어깻죽지를 잡아 일으켰다. 조금 전까지만 해도 신들린 사람처럼 겅중대며 징을 두들기던 그 기세는 어디로 숨어 버렸는지, 그는 징을 가슴에 소중하게 두 팔로 꽉 껴안은 채 겁먹은 얼굴로 큰 눈을 뒤룩거렸다.

"미친 사람은 묶어 둬야 합니다. 에잇 재수 없어!"

낚시꾼들은 방울재 사람들이 칠복이를 끌고 내려가는 것을 보고 큰 소리로 다짐을 받고 나서 다시 낚시터에 앉았다.

"좀 올렸습니까요?"

칠복이를 끌고 내려간 줄 알았던 빼빼 마른 봉구가 빨간 모자 옆에 엉거주춤 무릎을 세워 앉으며 물었다. 그는 기왕 예까지 올라온 김에 매운탕 손님 하나라도 미리 잡아 두어야겠다는 생각으로 슬그머니 뒤에 처진 거였다.

"미친놈이 나타나서 훼방을 놓는 바람에 김 팍 새 버렸소."

"옘병헌다고 미쳐 갖고 없어져 뿐진 고향에는 끄덕끄덕 돌아올 꺼유!"

"고향엘 찾아온 걸 보니 미친 사람이 아닌 게로군요."

"오락가락혀유."

봉구는 어룩어룩[15] 때가 묻은 흰 와이셔츠 주머니에서 새마을담배를 꺼내 입에 물고 잠시 고개를 돌려 주막으로 끌려 내려가는 칠복이의 뒷모습을 보았다. 봉구와 칠복이는 방울재 안에서 누구보다 가까운 친구였다. 그들은 마을이 없어지기 전까지만 해도 방울재에서 앞뒷집에 나란히 처마 맞대고 살면서 너냐 나냐 친동기 간처럼 가까웠었다. 봉구는 부자였고 칠복이는 가난했지만 봉구는 칠복이 앞에서 조금도 있는 티를 보이지 않았다.

"저 미친놈이 또 징을 치고 지랄해 싸면 어디 낚시질을 하겠소?"

---

15 어룩어룩 어루룩어루룩. 조금 연하게 어두운 여러 가지 빛깔의 점이나 줄 따위가 고르게 무늬를 이룬 모양.

"아닙니다유. 그런 염려는 붙들어 매십쇼. 앞으로 물가에 얼씬 못 하게 헐 꺼잉께유. 저놈이 날마다 훼방을 치면 낚시꾼들이 안 올 게고, 그라믄 우린 굶어 죽을 낀디 그대로 내버려 두겠어유?"

봉구는 입에서 담배를 빼 들고 사뭇 흥분한 어조로 다급하게 말했다.

"왜 미쳤답니까?"

낚시꾼은 그냥 지나가는 말로 물었다.

"땜 때문이지라우. 고향을 잃고 도회지로 나갔다가 마누라꺼정 도둑맞고 오장이 회까닥 뒤집혔다고 허드만유."

"마누라를 도둑맞아요?"

빨간 모자는 조금씩 깐닥거리는 찌를 향해 시선을 팽팽하게 던지며 물었다.

"가난흐고 못난 촌놈 마다흐고 잘난 도회짓 놈흐고 배가 맞은[16] 거지유. 어이쿠 물었네유. 감잎은 되느만유."

빨간 모자가 아이들 손바닥만 한 붕어를 낚아 올리자, 봉구는 빠른 솜씨로 낚싯줄을 잡아 낚시에서 붕어를 빼 구덕에 넣고 입감[17]까지 끼워 주었다.

"그래서 미친 게로군!"

"고향 잃고 마누라꺼정 뺏겼으니 안 미치게 생겼남유?"

"미인이었소?"

낚시꾼은 흥미 있다는 듯 피시시 웃음을 머금어 날리며 물었다.

"촌에 미인이 있간디유? 새끼 하나만 낳으면 철푸덕 엉덩판만 커지고 무신 매력이 있어야지유. 그래도 그 칠복이 여편네는 얼굴도 반반하고 도회지 바람을 묵어서 촌티는 벗었지라우. 칠복이헌티는 좀 과헌 여자지유."

"마누라 뺏기고 원, 창피해서 지랄한다고 고향엔 와요?"

---

16 배가 맞다 주로 부정한 관계의 남녀 사이에서 남모르게 마음이 맞아 서로 몸을 허락하다. 또는 옳지 못하거나 떳떳하지 못한 일을 하는 데에 있어 서로의 뜻이 통하다.

17 입감 '미끼'의 방언.

"그러다마다유. 하지만, 오죽했으면 고향에 뭐 볼 거 있다고 다시 왔겄남유? 결국 우리덜도 도회지에 나갔다가 발을 못 붙이고 다시 돌아와서 이르케 낚시꾼들 덕으로 살어가고 있습니다만요, 으디 갈 데가 있어야지유. 굶어 죽어도 고향 선산에 뼈를 묻어야겠다는 생각 땜시……."

봉구는 푸우 한숨 섞인 담배 연기를 길게 내뿜으며, 멀고 회한에 가득한 눈으로 산자락 모퉁이 옛날 창평 고씨(昌平高氏) 제각[18]이 있던, 펀펀한 곳에 즐비하게 늘어선 매운탕집 주막들을 바라보았다. 지난봄까지만 해도 선산을 버리고는 죽어도 방울재를 떠나지 않겠다면서 처음부터 집을 뜯어 옮기고 그대로 눌러앉은 박팔만이네를 제하고, 다섯 집밖에 안 되었는데 벌써 열한 집으로 늘어났다.

새로 생긴 방울재 매운탕집들 앞으로는 아카시아 숲이 휘움하게[19] 울타리처럼 둘러쳐져 있고, 아카시아 숲 너머로는 호남 고속 도로와 연결되는 좁장한 신작로[20]가 뻗쳐 들어오고, 그 길을 따라 낚시꾼들이 타고 온 자가용 차들이 집 둘레 여기저기에 번쩍번쩍 햇빛을 쪼개어 날렸다. 봉구의 눈에는 모든 것이 슬프고 어쭙잖게만 보였다.

말이 보상금이지, 보상 가격을 책정해 놓고도 일이 년 뒤에야 지불을 받고 보니, 이미 인근 농토값은 몇 배로 뛰어올라 대토(代土)[21] 잡기에 어려웠고, 도회지로 나가서 살자 해도 전세방을 얻고 나면 자전거 하나 사기도 힘든지라, 아무 짓도 못 하고 솔래솔래[22] 곶감 꼬치 빼 먹듯 하다가는 두 손바닥 탈탈 털고 영락없이 알거지가 되고 만 집이 어디 한두 사람인가.

봉구 그 자신도 보상금 받아 가지고 읍에 나가서 버스 정류장 옆에 가게를 얻어 쌀집을 냈으나 어찌 된 셈인지 남는 것은 없고 옴니암니[23] 본전만 까먹게 되

---

18 제각(祭閣) 무덤 근처에 제청, 즉 제사를 지내는 대청으로 쓰려고 지은 집.
19 휘움하다 조금 휘어져 있다.
20 신작로(新作路) 새로 만든 길이라는 뜻으로, 자동차가 다닐 수 있을 정도로 넓게 새로 낸 길을 이르는 말.
21 대토 땅을 팔고 그 돈으로 대신 장만한 다른 땅.
22 솔래솔래 살짝살짝 조금씩 빠져나가는 모양, 야금야금.
23 옴니암니 다 같은 이인데 자질구레하게 어금니와 앞니를 따진다는 뜻으로, 아주 자질구레한 것을 이르는 말.

어 전셋돈이나마 가까스로 건져 다시 방울재로 돌아오지 않았는가.

"지붕 위에서 낚시질을 한다고 생각하니 기분이 이상합니다."

빨간 모자 낚시꾼은 뚜벅뚜벅 곧잘 말을 걸어왔다.

"사람들꺼정 한꺼븐에 잼겨 뿐 거이 더 마음 아프구먼유."

"누가 빠져 죽었나요?"

"죽은 거나 매한가지라우. 수십 년 동안 얼굴 맞대고 정붙이고 살아온 방울재 사람들을 시방 어디에 가서 찾을 겁니까유. 살아남은 사람들은 몇 집 안 되지라우."

"예끼 여보슈, 난 또 무슨 소리라구!"

"선생님들은 우리 속 몰라유."

"땜이 원망스럽겠군요."

"으째서유?"

"고향을 삼켜 버렸으니까요."

"워디가유. 아무리 배우지 못혔어도 우리가 그러키 앞뒤 꽉 맥힌 멍충이들이란가유? 땜이 생겨서 많은 농민덜이 가뭄 모르고 농사 잘 짓는 거이 을매나 잘헌 일인가유? 우리도 그 정도는 압니다유."

"그렇다면 됐습니다."

"그래도 고향이 없어져 뿔고 정든 사람덜이 뿔뿔이 풍지박산[24]되야 뿐졌는디 으찌."

"딱하게 됐습니다."

"그라니께 우리는 뿌리 없는 나무여라우. 우리헌티 땅이 있소, 기술이 있소?"

빨간 모자가 대꾸를 해 주지 않자, 봉구는 고개를 들어 다시 매운탕집들 위로 내리뻗은 고속 도로를 바라보았다. 자동차들이 바람처럼 쌩쌩 내달았다.

---

24 풍지박산 '풍비박산(사방으로 날아 흩어짐)'의 잘못.

2

호수 위에 검실검실 어둠이 내렸다. 호수를 한 아름 보듬은 산 그림자가 칙칙하게 내려앉기 시작하면서 하늘의 구름들이 낮게 흐르더니 바람이 드세어지고 수면이 거칠어졌다.

어둠이 두꺼워지고 바람이 거칠어지자 낚시꾼들은 하나둘 돌아가 버렸다.

어둠이 무겁게 찌누르는 호수에는 휘휘하고[25] 음산한 그림자들이 일렁이는 듯싶었다. 마치 방울재 사람들의 그림자 같았다.

칠복이는 조금 전 빨간 모자 낚시꾼이 앉았던 자리에 무릎을 세우고 두 손바닥으로 턱을 받쳐 들고 앉아서 우두커니 수면 위에 우줄거리는 칙칙하고 휘휘한 그림자들을 내려다보고 있었다. 그의 옆에는 딸아이가 두 팔로 아비의 세운 무릎을 껴안고 찰싹 달라붙어 있었다.

호수에서 사각사각 나락 베는 소리가 들렸다. 사람들의 두런거리는 말소리도 들렸다. 방울재와 방울재 사람들의 모습이 한눈에 죄 보였다. 금줄을 두른 마을 앞 윗 당산의 늙은 팽나무와 방울재에서는 칠복이 혼자만이 들어 올린 큰 들독이 보였고, 이엉[26]을 입힌 돌담과 판놀이네 탱자나무 울타리, 군데군데 말라붙은 쇠똥이 널린 고샅들, 빨간 고추가 널린 초가지붕이며, 두껍다리[27] 옆 그의 집도 보였다. 외양간에 매여 있는 송아지가 음매 하고 우는 소리, 꿀꿀대는 돼지, 꼬꼬댁 꼬꼬 닭이 알 낳는 소리, 바람 모퉁이 공터에서 아이들이 공치기를 하며 왁자지껄 떠들어 대는 시끌시끌한 소리, 고샅이 쩡쩡 울리도록 아이들 이름을 부르는 소리, 이 자식 저 자식 죽일 놈 살릴 놈 욕을 퍼부어 대며 싸우는 소리들이 귀에 쟁쟁하게 들려왔다.

발그무레하게 꽃이 핀 살구나무 가지들 사이로 훨쩍 열린 순덕이네 싸리문과

---

25 휘휘하다 무서운 느낌이 들 정도로 고요하고 쓸쓸하다.
26 이엉 초가집의 지붕이나 담을 이기 위하여 짚이나 새 따위로 엮은 물건.
27 두껍다리 골목의 도랑이나 시궁창에 걸쳐 놓은 작은 돌다리.

살구꽃처럼 환한 순덕이의 탐스러운 얼굴도 보였다. 순덕이와 함께 만나곤 했던 상엿집 모퉁이의 아카시아 숲속에서는 그때처럼 휘휘한 바람 소리가 들려왔다.

"아빠 추워, 집에 가아."

딸아이가 몸을 웅숭그리며 칭얼대자 그는 무릎을 열어 가랑이 사이에 넣고 꼭 껴안았다.

칠복이는 갈 곳이 없었다. 호수 속에 그의 집이 보였으나 물에 뛰어들 수가 없었다.

"저기 물속에 우리 집이 뵈이자?"

칠복이는 손으로 가리키며 물었다.

"피이, 우리 집이 어딨어?"

"저어기, 물속에. 바보야 우리 집도 안 봬?"

"이잉, 엄마아……."

아이는 울음을 터뜨렸다.

"벼락 맞어 뒈질 년!"

그는 아내의 골통을 박살 내기라도 하려는 듯 큰 돌을 집어 호수에 던졌다. 풍덩 하는 소리에 딸아이가 흠칠 놀랐다.

"이잉, 엄마한테 간다고 해 놓고……."

"그래그래, 네 엄마는 저기 물속에 있다. 물속에 있는 엄마한테 갈래?"

칠복이는 버럭 고함을 지르며 딸을 떠밀어 내려고 겁을 주자 아앙 큰 소리로 울어 댔다.

"개만도 못한 녀언……."

그는 고개를 뒤로 젖버듬히[28] 젖혀 별도 없이 시꺼먼 하늘을 쳐다보며 퍼허 하고 어처구니없는 웃음을 토해 내고 나서 다시 물에 잠긴 방울재를 내려다보

---

28 젖버듬히 뒤로 자빠질 듯이 비스듬하게. 또는 탐탁하게 여기지 않는 듯하게.

았다.

족두리를 쓰고 원삼을 입은 순덕이의 모습이 보였다. 청실홍실을 드리운 합환주를 입에 댈 때 순덕이는, 게슴츠레한 눈으로 신랑인 칠복이를 훔쳐보면서 다른 사람이 눈치 안 채도록 싱긋이 웃어 보일 수 있을 만큼 여유를 보여 주었다.

3년 동안 식모살이를 하면서 도시 바람을 쐰 때문인지, 순덕이는 시골 처녀답지 않게 바라지고[29] 슬거운[30] 데가 있었다. 그런 순덕이를 방울재 칠복이 친구들은 너무 화딱 까졌다거니, 생긴 게 맷맷하여[31] 어딘가 온전치 못한 여자라거니 하며 칠복이와는 어울리지 않는다고 하면서 그녀를 헐뜯고 은근히 훼방을 놓았던 것이었다.

그러나 칠복이 생각은 그렇지가 않았다. 매사에 생각이나 행동거지가 굼뜨지 않고 사리가 분명한 순덕이가 꼭 필요했다.

결혼을 한 지 한 달도 못 되어 순덕이는 도회지로 나가서 살자고 하였다. 그 말에 칠복은 섬찟한 무서움을 느꼈다. 어려서 아버지를 잃고 홀어머니마저 병으로 죽어, 외할머니 치맛자락에 가려 눈칫밥 먹고 자라서 장가를 들 때까지, 방울재에서 30리도 못 떨어진 정읍장과 징병 신체검사할 때 읍에 갔다 온 일 외에는 여지껏 대처[32] 바람을 한 번도 마셔 보지 못한 그로서는 도회지에 나가 산다는 것은 마치 방울재 개울의 미꾸라지를 목포 앞바다에 넣는 것이나 진배없는 일인지라, 그 말을 들을 땐 가슴이 울렁거리고 눈앞이 캄캄했다.

"전답도 없이 이런 촌구석에서 멀 바라고 사께시요."

순덕이는 입버릇처럼 이렇게 되뇌곤 했었다.

"우리도 논밭을 장만하면 될 거 아닌감."

칠복이 생각에, 그녀가 한사코 도회지로 나가 살자고 한 것은 그녀 말마따나

---

29 바라지다 나이에 비하여 지나치게 야무지다.
30 슬겁다 마음씨가 너그럽고 미덥다.
31 맷맷하다 생김새가 매끈하게 곧고 길다.
32 대처(大處) 도회지.

전답이 없는 탓이라고 헤아리고, 뼈가 으스러지도록 밤낮을 안 가리고 일을 했다. 외가에서 장성하도록 머슴 노릇을 하다시피 해 주었는데도 외숙부는 그가 장가들자 겨우 개다리 초가삼간에, 방울재 큰애기들이 하룻밤 오줌만 싸질러대도 새끼내가 넘치고 물난리가 나서 농사를 망친다는 하천부지 자갈논 일곱 되지기[33]를 떼어 주었을 뿐이었다.

"10년 안에 방울재에서 일등 가는 부자가 될 꺼잉께 두고 보드라고잉."

칠복이는 외양간과 돼지우리를 지어 해마다 배냇소[34]를 기르고 힘에 부치도록 고지품[35]을 빌려, 결혼한 지 3년 만에 문서 없는 하천 부지 자갈논 서 마지기를 사들였다. 그대로만 간다면 그의 장담대로 10년 안으로 방울재 일등 부자는 안 되어도 남부럽지 않을 만큼 포실하게[36] 전답을 마련할 것이 분명했다.

그러던 차에, 방울재에 댐을 막아 전답이 몽땅 물에 잠기게 된다는 것을 안 칠복이는 제정신이 아니었다. 사람 하나쯤 죽인다 해도 가슴을 꽉 메운 불덩이 같은 응어리가 없어질 것 같지가 않았다.

"그랑게 머이라고 합디. 우리는 방울재에서 살 팔자가 못 된 거 아니오. 끙끙대 쌓지만 말고 언능 도회지로 나갑시다."

칠복이의 매지매지[37] 오장육부가 무클하게[38] 녹아내리는 속마음을 알 턱이 없는 순덕이는 얼씨구나 싶은 얼굴로 엉덩이를 들썩거렸다.

홧김에 서방질하더라고, 칠복이는 문서 없는 전답에 대해서는 보상 한 푼 못 받은 채 광주시로 옮겨 가, 임업 시험장 옆 산동네 꼭대기에 쥐구멍만 한 사글셋방을 얻어 들었다.

---

33 되지기 논밭 넓이의 단위. 한 되지기는 볍씨 한 되의 모 또는 씨앗을 심을 만한 넓이로 한 마지기의 10분의 1이다.
34 배냇소 남의 소를 송아지 때 가져다가 길러서, 다 자라거나 새끼를 낳으면 원래 주인과 그 이득을 나누어 가지기로 하고 기르는 소.
35 고지품 논 한 마지기에 값을 정하여 모내기부터 마지막 김매기까지의 일을 해 주기로 하고 미리 받아 쓰는 삯. 또는 그 일. 가난한 농민이 농번기에 이르기 전에 식량을 대기 위한 수단으로 사용한다.
36 포실하다 살림이 넉넉하고 오붓하다.
37 매지매지 조금 작은 물건을 여럿으로 나누는 모양.
38 무클하다 썩어서 물크러지는 듯하다.

낯짝이 좋은 아내는 방울재를 떠나온 날부터 신바람 나게 싸대 쌓더니, 사흘 만엔가 큰 식당 주방에서 일을 하게 되었으며 날마다 새벽같이 집을 나가서는 통금 시간이 다 되어서야 돌아오곤 했다.

칠복이는 밤낮 방구석에서 딸아이와 노닥거릴 수만도 없기에 일자리를 찾아다녀 보았지만, 찾아가는 곳마다 무슨 기술이 있느냐는 물음이었고, 그때마다 그는 농사짓는 기술뿐이라고 부끄럼 없이 대답해 주곤 했다.

"농사짓는 기술도 기술이우? 차라리 마누라 배 타는 기술이 있다고 그러슈 원!"

칠복이의 부끄럼 없는 대답에 그들은 기분 나쁘게 킬킬대고 웃어 댔다.

그는 막일이라도 해 보려고 새벽마다 양동 큰다리께 품팔이 시장에 나가 보았지만 팔려 나가는 것은 언제나 목수나 미장이, 도배장이, 타일공 따위의 경험이 있는 기술자들이고, 해가 머리 위에 벌겋게 떠오르도록 남는 것은 칠복이와 같은 무거리[39]들뿐이었다. 그런대로 지난가을까지는 재수가 있는 날이면 질통꾼[40]이나, 목도꾼[41], 모래와 자갈을 차에서 부리는 일 등 기술 없이 뚝심으로 하는 일에 간단히 팔려 나다니기도 했었는데, 날씨가 쌀쌀해지면서부터는 도무지 막일꾼 구하는 사람도 없어, 긴 겨울을 콧구멍만 한 방에서 늙은 곰 겨울잠 자듯 처박혀 살았다.

칠복이는 아내가 벌어다 준 돈으로 가만히 앉아서 몸 편하게 살면서도 방울재의 봉구네 사랑방을 못 잊어 자나 깨나 풀이 죽어 있었는데, 아내는 무슨 좋은 일들이 그리 많은지 하루하루 얼굴에 생기가 돌고 새벽에 집을 나갈 때는 그 주제꼴에 얼굴 토닥거리며 화장을 하고 미장원에 들락거리며 모양을 내는 데 유난을 떠는 것 같았다.

---

39 무거리 변변하지 못하여 한 축 끼이지 못하는 사람을 비유적으로 이르는 말.
40 질통꾼 질통을 지고 물건을 져 나르는 사람을 이르던 말.
41 목도꾼 무거운 물건을 나르는 것을 직업으로 하는 사람.

봄이 오자 칠복이는 양동 품팔이 시장에 나가는 것을 포기하고 혼자서 고향인 장성으로 돌아가, 수몰이 안 된 가까운 마을에서 모내기 일을 해 주었다. 농사철이라 농촌에서는 하루도 쉴 새 없이 바빠서 일자리는 얼마든지 있었으며, 방울재 사람들이나 방울재 사람들의 친척들이 더러 있어서 그런지, 도회지에서 막일하는 것보다는 마음이 편해서 좋았다.

광주에서는 도회지의 찌꺼기가 된 듯싶어 집 밖에 나가기가 그렇게도 부끄럽고 무서웠었는데, 비록 방울재는 아니지만 산과 들이며 하늘, 나무 한 그루 풀이파리 하나까지도 낯익어 조금도 뜨악하거나 부끄러운 마음이 없었다.

칠복이는 장성댐 아랫마을에서 모내기 한철 농사일을 하고, 다시 여름에는 장성읍 과수원에서 살충제도 뿌리고 사과며 복숭아도 따 주어 20만 원을 손에 쥐고 광주로 돌아왔다. 그는 아내를 설득해서 방울재는 없어졌더라도 다시 시골로 들어갈 결심이었다. 생각지도 않게 시골에는 그런대로 일거리가 많았고, 댐 아랫마을 노루목에 머슴으로 들어가면 소작논 다섯 마지기를 떼어 주고 식구들이 따로 한집에서 살 수 있게 문간채[42]를 내어 주겠다는 집도 있었다. 그는 어떻게 해서든지 아내와 같이 다시 시골로 돌아가고 싶었다. 아내가 끝까지 싫다고 한다면 코뚜레를 뚫어서라도 끌고 가야겠다고 단단히 마음을 공글리며[43], 아내가 기다리고 있을 광주로 가기 위해 마지막 밤 버스를 탔다.

시골에 돈벌이를 하러 내려간 뒤에 한 달에 한두 차례씩 잠깐잠깐 아내와 딸아이 얼굴을 보고 오긴 했으나, 식구를 데리고 다시 시골로 돌아갈 가슴 부푼 생각 때문인지 여느 때와는 달리 쿵덕쿵덕 심장이 마구 뛰었다.

버스에서 내린 칠복이는 큰맘 먹고 사과 한 꾸러미와 저육[44] 한 칼을 떠서 달랑달랑 들고 산동네를 향해 마음 졸이며 숨 가쁘게 내달았다.

---

42 문간채 대문간 곁에 있는 집채. 행랑채.
43 공글리다 마음이나 생각 따위를 흔들리지 않도록 다잡다.
44 저육(猪肉) 돼지고기.

그는 아내가 식당에서 집에 돌아올 시간과 맞추기 위해 일부러 느지막이 밤 버스를 탄 거였다. 합동 주차장에 내려 대합실 시계를 보았더니 아내가 돌아오기는 약간 이른 것 같아 식당으로 찾아가서 같이 들어갈까 하다가, 아내가 먼저 집에 올라온 다음에 슬그머니 밤손님처럼 들어가 깜짝 놀래 주려고 지싯지싯[45] 늑장을 부렸던 거다.

산동네 꼭대기까지 허위허위 단숨에 추어 올라간 칠복은 잠시 집 앞에서 미적거리다가 까치발을 하고 손을 넣어 소리 안 나게 판자 대문을 따고 살금살금 그들이 세 들어 살고 있는 작두샘[46] 가에 있는 방 쪽으로 갔다. 불이 꺼져 있는 것으로 보아 아내가 돌아오지 않았거나, 아니면 벌써 돌아와서 잠을 청하고 있는 것인지도 모를 일이었다.

칠복이는 일부러 뒷문으로 가서 살그머니 문을 열고 들어가 더듬더듬 천장을 더듬어 때걱 전기 스위치를 돌렸다. 방에 불이 켜지는 순간, 칠복이의 눈이 확 뒤집히면서 앞이 깜깜해져 버렸다. 분명 그의 아내 임순덕이 외간 남자와 발가벗은 채 한 덩어리가 되어 있지 않겠는가. 이 장면을 보는 순간 그는 하늘이 와르르 무너지는 듯한 놀라움과 울분으로 온몸이 떨리면서 피가 뚝 멎어 버리는 것만 같았다.

아내와 남자가 퍼떡 놀라 일어나 앉는 것과 함께 칠복이는 우르르 부엌으로 뛰어나갔다. 헉헉 숨을 몰아쉬며 식칼을 들고 다시 방으로 뛰어들어 왔을 때 아내와 남자는 이미 방 안에 없었다. 신을 꿸 겨를도 없이 판자문을 박차고 골목까지 뛰어나갔으나 그림자도 보이지 않았다.

그날 밤 칠복이는 눈이 뒤집혀 식칼을 들고 거리를 헤매고 돌아다니다가 경찰에 붙들려 경찰서에서 하룻밤 신세를 지기까지 했는데, 보호실에 갇힌 그는

---

45 지싯지싯 남이 싫어하건 말건 자꾸 짓궂게 구는 모양.
46 작두샘 '펌프'의 방언.

이미 정신이 온전하지가 못해 더럭더럭[47] 고함을 지르고 길길이 뛰었다.

다음 날 산동네에 돌아와 보니 딸아이 혼자 집 밖에서 발을 뻗고 얼굴에 흙 범벅이 된 채 목이 쉬도록 울고 있었다. 그날부터 칠복이는 딸아이를 등에 업고 아내를 찾아 나섰다. 식당에도 가 보았지만 그날 밤 이후로 나타나지 않는다는 거였다. 같이 도망친 남자가 누구인가도 알 길이 없었다. 아내를 찾다가 지친 그는 이제라도 돌아와 주기만 한다면 용서를 해 줄 생각이었다. 아내가 그렇게 된 것은 모두 칠복이 자기 탓으로 치부할 수밖에 없었다. 자신이 못났기 때문에 아내가 식당에 나가게 된 것부터가 잘못이 아니겠는가 싶었다.

아내를 찾아다니느라고 시골에서 벌어 온 돈마저 모두 깨먹어[48] 버리고, 얼마 안 남은 산동네 사글셋방값마저 찾아 쓴 칠복이는, 방울재에서 나올 때 나눠 가진 굿물[49]인 징 하나만을 들고 거렁뱅이 신세가 되어 떠돌음했다.

칠복이는 거렁뱅이 신세가 되어 떠돌음하면서도 방울재에서 가지고 나온 징을 마치 그의 딸아이만큼이나 애지중지하였으며, 밤에 잠을 잘 때는 꼭 그 징을 베고 잤다. 그런데 그 징을 베고 잘 때마다 이상하게 그 징에서는 마치 방울재 할미산 너덜겅이 와르르 허물어지는 것 같은 소리가 귓속이 먹먹하게 들려오기도 하고, 또 어찌 들으면 방울재 사람들의 한 사람 한 사람 우는 소리가 아슴하게 흐느껴 오곤 했다.

그때마다 방울재에 살던 시절이 눈에 선하게 떠올랐다.

칠복이는 징에서 고향 사람들이 그를 오라고 부르는 소리를 들었다. 그 소리를 들은 뒤 딸아이를 업고 꼬박 하루를 걸어 방울재에 닿았다.

"아빠, 배고파잉……."

잠이 든 줄로만 알았던 딸아이가 부스럭부스럭 상반신을 출썩거리며[50] 칭얼

---

47 더럭더럭 어떤 행동을 잇따라 계속하는 모양.
48 깨먹다 '까먹다'의 잘못.
49 굿물 굿에 쓰이는 기물.
50 출썩거리다 주책없이 덜렁거리며 자꾸 돌아다니다.

대기 시작했다.

"천벌을 받을 녀언……."

칠복이는 다시 돌멩이를 집어 호수에 던지며 욕을 퍼부어 댔다.

"아빠…… 배고파아."

"그려그려, 마을로 내려가자."

칠복이는 딸을 업고 일어서며 별 없는 하늘을 쳐다보았다. 이따금씩 빗방울이 얼굴에 떨어졌으나, 그때마다 그의 정신은 더 맑아졌고, 정신이 맑아질수록 고향과 아내를 잃어버린 큰 슬픔이 목울대에 꽉 차올랐다.

"우리 집으로 가아……."

"우리 집? 물속에 있는 집으로?"

"아빤 늘 그 소리뿐이네!"

"그러믄 어떤 집 말이냐?"

"순자네 집 같은 거!"

순자는 봉구의 딸이다.

"그래, 그러믄 순자네 집으로 가자."

"순자네 말고, 우리 집으로 가아……."

"바보 멍충아, 이 세상이 다 우리 집이라고 생각혀!"

칠복이는 딸아이가 알아들을 수 없는 말을 혼잣말처럼 중얼거리며 검정 우단[51]에 보석 몇 알이 흩어진 듯 불빛이 반짝이는 매운탕집들 쪽으로 내려갔다. 바람이 드세고 빗방울까지 비쳐 밤낚시꾼들은 하나도 눈에 띄지 않았다.

칠복이가 후미진 솔수펑[52] 모퉁이를 돌아 불빛이 출렁이는 매운탕집들 가까이 왔을 때 빗방울이 후두둑[53] 떡갈나무 잎들을 요란하게 두들겼다.

---

51 우단(羽緞) 거죽에 곱고 짧은 털이 촘촘히 돋게 짠 비단. 벨벳.
52 솔수펑 솔숲이 있는 곳.
53 후두둑 '후드득'의 잘못. 굵은 빗방울 따위가 성기게 잇따라 떨어지는 소리.

3

봉구네 집에는 매운탕집을 하는 방울재 사람들이 모두 모였다. 그들은 장사가 안 되는 날이면, 옛날 방울재 윗당산머리 봉구네 사랑방에 모여 놀던 버릇대로 밤만 되면 찾아왔다.

하나, 이날 밤 모임은 좀 달랐다. 이날 밤에는 칠복이 문제로 모인 것이었다.

"당장 쫓아 버려야 혀. 옛정도 좋지만 살고 봐야 헐 꺼이 아닌감!"

올봄에, 혼기가 다 찬 두 딸과 중풍에 걸려 기동[54]을 못 하는 병든 아내를 끌고 방울재로 다시 돌아온, 회갑 줄에 앉은 강촌 영감이 아까부터 와락와락 성깔을 부려 가며 큰소리였다.

"차마 워치크롬 쫓아낼 거여."

봉구였다. 옛날에 위아랫집에서 처마 맞대고 살아온 정 때문에, 강촌 영감의 의견에 찬성을 하지 못했다.

"봉구 말도 일리가 있재잉. 고향에 찾아온 사람을 워치기 쫓아낼 거요잉."

덕칠이도 칠복이와 가깝게 지내 왔던 터라, 쫓아내자는 데에는 어딘가 마음이 꺼림했다.

"제정신 갖고, 먹고살겄다고 헌담사 워떤 무지막지헌 놈이 고향 찾어온 사람을 쫓아내자고 허겄어?"

"암, 그러고마니!"

"옴짝달싹 못 허게 묶어 놓으면 으쩌겄소?"

덕칠이였다. 그는 봉구의 눈치를 살피며 말했다.

"묶어 놓으면 징을 치고 지랄 염병은 안 헐 거 아닌고?"

"자석이 말짱헐 때는 암시랑 안 허다가도 날씨만 꾸무럭헐라치면 발광이니……."

---

54 기동(起動) 몸을 일으켜 움직임.

"그랑께 미쳤제."

"오늘 낮에도 나헌티 찾아와서는 여편네 찾으러 가겠담서 새끼를 좀 맡어 달라고 허등만."

"그럴 때는 제정신이 든겨."

"좌우당간에 낚시터에서 미친놈이 징 치고 훼방 친다는 소문이 나면 낚시꾼이 얼씬도 안 헐 거고, 그렇게 됨사 우리는 굶어 죽는 거 아닌가."

강촌 영감은 칠복일 쫓아내자는 의견을 조금도 꺾지 않았다.

"그놈에 징을 뺏어서 물속에 던져 베리까?"

"그러다 살인나게?"

아무도 칠복이에게서 징을 빼앗지는 못했다. 며칠 전에도 그가 낚시꾼들 사이를 강변 덴 소 날뛰듯 하며[55] 징을 두들기고 소리소리 질러, 방울재 사람들이 몰려가서 징을 빼앗아 감춰 버렸었는데, 그때 칠복이는 눈을 허옇게 까뒤집고 쇠스랑[56]을 휘두르며 징을 내놓지 않으면 찍어 죽이겠다고 어찌나 무섭게 어우르는 바람에 슬그머니 두엄자리 속에 감춰 둔 것을 꺼내 주지 않았던가.

"병신 같은 놈, 제 여편네 단속을 그렇게 잘했더라면 뺏기지 않았을 것잉만!"

봉구는 램프불 주위에 새까맣게 달라붙은 벌레들을 멀뚱히 바라보며 한숨 섞인 목소리로 걱정이 되어 한마디 뱉는다.

"오늘 밤에 당장 쫓아 베려!"

강촌 영감이 벌떡 일어나서 큰 소리로 내질렀다.

"쫓아낸다고 갈 놈이우?"

"안 가겠다고 버티면 어쩔 거유."

덕칠이는 친구 된 입장이라, 참으로 난감하여 딱 부러지게 매듭을 짓지 못하

---

55 강변 덴 소 날뛰듯 하다 불이 난 강변에 불에 덴 소가 이리 뛰고 저리 뛰며 날뛰듯 한다는 뜻으로, 위급한 경우를 당하여 황망하게 날뛰는 사람이나 모양을 비유적으로 이르는 말.

56 쇠스랑 땅을 파헤쳐 고르거나 두엄, 풀 무덤 따위를 쳐내는 데 쓰는 갈퀴 모양의 농기구.

고 봉구의 눈치만을 살피는 듯싶었는데, 봉구 역시 강촌 영감 말대로 당장 쫓아 내자는 말을 못 하고 지싯지싯 말꼬리를 흐렸다.

"끌고 가서 차에 태워 보내 베려. 안 가겠다면 꽁꽁 묶어서 버스에 태우면 될 거 아니라고!"

강촌 영감의 말에 모두들 아무 대꾸도 하지 못했다.

"조금 있으면 잠자리 찾어올 테니께, 그때 인정사정 볼 것 없이 쫓아 베리는 거여!"

이때 칠복이가 아이를 등에 업고 고개를 길쭉하게 빼어 내밀어 봉구네 술청 안으로 들어섰다. 그들 부녀는 비를 맞아 머리칼이 능수버드나무처럼 휘주근하게[57] 젖어 있었다.

"다들 여기 있었구만. 그러고 보니 옛날 봉구네 사랑방 친구들은 다 모였네 그려."

칠복이는 아이를 평상에 내려놓고 손으로 머리의 빗방울을 훔쳐 뿌리며 반가운 얼굴로 두렷두렷[58] 주위 사람들을 살폈다. 모두들 아무 말도 없이 칠복이만을 물끄러미 쳐다보았다.

"어이 봉구, 우리 딸내미 식은밥 한 덩이 주소. 배 속에 왕거지가 들앉았는지 쥐창시만 헌 것이 밤낮 처묵어도 배가 고프다고 지랄이니!"

칠복이는 바보처럼 벌룸벌룸[59] 이를 드러내 놓고 웃으며 스스럼없이 봉구에게 한마디 던지고는, 평상 모서리에 철부덕 걸터앉아 소맷자락으로 축축하게 젖은 머리털을 닦고 문질렀다.

"칠복이 나 좀 보세!"

강촌 영감이 시비 투의 가시 걸린 목소리로 칠복이를 불렀다. 칠복이는 버릇

---

57 휘주근하다 빳빳한 기운이 사라지고 축 늘어져 있다.
58 두렷두렷 눈을 굴리며 여기저기 살피는 모양.
59 벌룸벌룸 '벌름벌름'의 방언. 탄력 있는 물체가 크고 부드럽게 벌어졌다 우므러졌다 하는 모양.

대로 벌쭉 웃으며 강촌 영감 쪽으로 얼굴을 돌렸고, 봉구와 덕칠이는 강촌 영감의 입에서 무슨 말이 나올 것이라는 것을 뻔히 알고 있는 터라, 고개를 돌려 외면하려고 하였다.

"저 불렀어유?"

"자네 말이시, 우리가 이러고라도 묵고사는 거이 배가 아픈가?"

"영감님……."

봉구가 강촌 영감의 옆구리를 찔벅거리며[60] 심한 말을 막으려고 했다.

그사이 까무잡잡한 얼굴에 광대뼈가 유난히 툭 불거진 봉구 아내가 결코 달갑잖은 얼굴로 칠복이 부녀의 상을 내왔는데, 그래도 밥그릇이 무춤하고[61] 반찬도 자기네 식구들 먹는 그대로였다.

"칠복이 자네는 정신이 멀쩡헐 때는 방울재 사람이 영락없는디, 정신이 나가면 꼭 옛날 우리 마을에 불두더지(불도저) 들이댄 공사판 사람 같당께로."

강촌 영감의 말에 칠복이는 왕방울 눈을 꿈벅거릴 뿐이었다.

"어차피 고향이 없어졌는디, 고향 사람이라고 있겄는가? 자네 입장은 딱허지만두루 어쩔 수 없어."

강촌 영감은 여기까지 말하고 나서 괴로운 얼굴로 고개를 돌려 버린 채 말이 없었다.

"옘병헌다고 낚시질허는 디 가서 징을 치고 지랄여!"

마지못해 봉구는 혼잣말처럼 입안에서만 웅얼웅얼할 뿐이었다.

"당장 오늘 밤에 떠나게!"

"오늘 밤에유?"

칠복이는 뒤룩거리는 눈에서 왈칵 눈물이 쏟아질 것 같은 얼굴로 강촌 영감과 친구들의 얼굴을 번갈아 쳐다보았다.

---

60 찔벅거리다 '집적거리다'의 방언.
61 무춤하다 '가득하다'의 방언.

"매정헌 사람이라고 헐지 모르재만, 오늘 밤 우리덜 정을 싹둑 짝두질[62]허는 수밖에 도리가 없네."

강촌 영감도 내심은 칼로 심장을 도려내는 것만큼이나 괴로웠다. 그는 말을 하면서 연신 담배를 삐억삐억 빨아 댔다.

"괜시리 없어진 고향 짝사랑허지 말어. 고향이고 여편네고 잊어뿔 건 냉큼 잊어뿌리야 살기가 쉬워!"

"강촌 영감님, 부탁입니다유. 지발 쫓아내지만 마셔유. 다시는 훼방 치지 않겠구먼유. 이렇게 빌께유."

칠복이는 우르르 강촌 영감에게로 달라붙어 어깻죽지며 팔을 붙들고 애원을 하다가는 그대로 땅에 무릎을 꿇고 비대발괄[63] 빌어 대는 게 아닌가.

이 모습을 본 봉구와 덕칠이, 강촌 영감까지도 목울대에 모닥불이 타오르면서 시울이 시큰시큰했다.

"안 가겠다면 덕석몰이[64]를 혀서라도 내쫓을 껴여!"

강촌 영감은 담배 연기를 허공에 토해 내며 결연히 말했다.

"봉구, 덕칠이, 팔만이 나를 내쫓지 말어. 고향에서 내쫓기면 워디로 갈 것인감. 이보게덜 내 사정 좀 봐줘!"

칠복이는 무릎을 꿇은 채 친구들의 아랫도리를 두 팔로 덥석 껴안으며 통사정을 해 보았으나 그들 방울재 친구들은 도시 말이 없었다.

칠복이는 소리 내어 울고 싶었으나 이를 응등물고[65] 참아 냈다. 강촌 영감의 말마따나 고향이 없어져 버린 판국에 고향 사람인들 남아 있을 리 없지 않겠느냐는 생각이 들었다.

그런데 이상한 일이었다. 칠복이 자신이 참 알 수 없는 일은 때때로 그의 눈

---

62 짝두질 '작두질(칼이나 가위 따위로 무엇을 동강동강 썰거나 자르는 일)'의 방언.
63 비대발괄 억울한 사정을 하소연하면서 간절히 청하여 빎.
64 덕석몰이 여기서는 '규범이나 도덕을 위반한 자를 멍석에 말아서 매를 가해 혼내 주던 형벌 제도'를 의미한다.
65 응등물다 '악물다'의 방언.

에 방울재와 방울재의 옛사람들이 너무도 선명하게 보이면서, 그가 영락없이 방울재 사람들과 한데 어울려 살고 있는 환각에 정신을 가늠할 수 없게 된 거였다. 방울재를 삼킨 호수의 물도 거대한 댐도 보이지 않고 낯익은 하늘, 반갑게 맞아 주는 마을 사람들만이 눈에 가득 들어오고, 그럴 때는 정월 대보름날 밤 메기굿[66]을 할 때처럼 어깨가 들썩거리면서 겅중겅중 춤을 추고 싶어져 징을 찾아 들고 나서는 거였다.

그러다가 온몸이 흠뻑 땀에 젖은 채 정신을 차리고 보면, 방울재와 낯익은 사람들은 온데간데없고 호수의 물만이 그를 삼킬 듯 넘실거리고 댐은 더욱 하늘 닿게 높아지는 듯싶었다.

"자네 정신 말짱허니께 허는 소리네만 좋은 얼굴로 헤어지세. 지발 부탁이니 지금 떠나도록 히여."

강촌 영감이 볼멘소리로, 그러나 약간은 사정 조로 말하고 나서 칠복의 겨드랑이에 손을 넣어 일으키려고 했다.

"낼 아침 떠나라 허고 싶네만, 정은 단칼에 자르는 거이 좋은 겨."

칠복이는 아이를 업고 천천히 일어서서 희끄무레한 램프 불빛에 비춰 보이는 침울하게 가라앉은 마을 사람들의 얼굴들을 하나하나 가슴속 깊이깊이 새기며 찬찬히 뜯어보았다. 그의 눈에서는 금방 눈물이 소나기처럼 주르륵 쏟아질 것만 같았다.

"핑 서둘러 나가면 광주 나가는 버스를 탈 꺼여!"

강촌 영감이 앞서 술청을 나가며 하는 말이다. 강촌 영감을 따라 칠복이가 고개를 떨구고 나갔고, 뒤이어 봉구와 덕칠이, 팔만이가 차례로 몸을 움직였다.

봉구네 주막에서 나온 그들은 칠복이를 앞세우고 미루나무가 두 줄로 가지런히 비를 맞고 늘어서 있는 자갈길 구신작로를 향해 어둠 속을 걸었다. 그들은 아

---

66 메기굿 지신밟기.

무도 입을 열지 않았다. 칠복이의 등에 업힌 그의 딸아이가 캘록캘록 기침을 하자, 바짝 뒤를 따르던 봉구가 잠바를 벗어 덮어씌워 주었다.

빗방울은 점점 굵어졌고 호수를 훑고 온 물에 젖은 가을바람에 으스스 몸이 떨렸다.

이따금씩 고속 도로에서 자동차들이 헤드라이트로 눅눅한 어둠의 이 구석 저 구석을 쿡쿡 쑤셔 대며 바람처럼 내달았다. 자동차의 불빛이 길게 어둠을 가를 때마다 칠복이를 앞세우고 걷는 방울재 사람들의 가슴이 마치 총을 맞는 것만큼이나 섬찟섬찟했다.

신작로에 당도해서 조금 기다리자 읍으로 들어가는 헌털뱅이[67] 버스가 왔으며, 그들은 서둘러 차를 세우고 칠복이를 밀어 넣었다.

"징헌 고향 다시는 오지 말어."

봉구가 천 원짜리 두 장을 칠복이의 호주머니에 푹 쑤셔 넣어 주며 울먹울먹한 목소리로 말했다.

칠복이가 무슨 말인가 하는 것 같았으나 부르릉 버스가 굴러가는 바람에 알아들을 수가 없었다.

그들은 버스가 어둠 속에 묻히고 자동차 불빛이 보이지 않게 되어서야 말없이 돌아섰다.

한사코 가기 싫다는 칠복이 부녀를 억지로 버스에 태워 쫓아 보낸 그날 밤, 방울재 사람들은 잠을 이룰 수가 없었다. 후두둑후두둑 빗방울이 굵어지고 땅껍질 벗겨 가는 소리가 드세어질 무렵, 봉구는 잠결에 아슴푸레하게 들려오는 징 소리에 퍼뜩 놀라 일어나 앉았다.

"아니, 이 밤중에 무신 징 소리당가?"

그는 마른기침을 토해 내고 삐그덕 방문을 열어, 송곳 하나 박을 틈도 없이

---

67 헌털뱅이 '헌것'을 속되게 이르는 말.

꽉 들어찬 어둠의 여기저기를 쑤석여[68] 보았다. 어둠 속 어디선가 딸을 업은 칠복이가 휘주근하게 비에 젖은 채 바보처럼 벌쭉벌쭉 웃으면서 불쑥 나타날 것만 같았다.

그는 문을 안으로 걸어 잠그고 자리에 들어 아내의 툽상스러운[69] 허리를 꼭 껴안고 잠을 청하려고 했으나, 땅껍질을 두드리는 빗방울 소리 사이사이로, 징 소리가 쉬지 않고 큰 황소 울음처럼 사납고도 구슬프게 들려왔기 때문에 잠시도 눈을 붙일 수가 없었다. 어쩌면 바람 소리와도 같은 그 징 소리는 바로 뒤란의 아카시아 숲께에서 가깝게 들린 것 같다가도 다시 댐 쪽으로 아슴푸레 멀어져 가곤 했다.

"바람 소린지, 징 소린지."

봉구는 벌떡 일어나 더듬더듬 담배를 찾아 성냥불을 붙였다. 그는 좀처럼 잠을 이루지 못하고 몇 번인가 누웠다 앉았다 하며 담배만 피웠다. 자꾸만 귓바퀴를 후벼 파고 들려오는 징 소리가 오목가슴 깊숙이에 가시처럼 걸린 때문이었다.

이날 밤, 팔만이도, 덕칠이도, 강촌 영감도 다 같이 방울재 안통 여기저기서 쉴새없이 들려오는 징 소리 때문에 한숨도 잠을 이루지 못하고 뒤척였다.

징 소리는 점점 더 가깝게, 그리고 때로는 상여 소리처럼 슬프게 들렸는데, 그 소리에 잠을 이루지 못한 방울재 사람들은, 그게 어쩌면 그들한테 쫓겨난 칠복이의 우는 소리일지도 모른다는 생각들을 다 같이했다. 그 생각과 함께 징 소리가 더욱 무서워졌으며 아침을 맞기조차 두려웠다.

(1978년)

---

68 쑤석이다 함부로 들추거나 뒤지거나 쑤시다.
69 툽상스럽다 투박하고 상스러운 데가 있다.

우상의 눈물

전상국

전상국(1940~)

〈우상의 눈물〉은 드러난 악의 폭력성보다 숨겨진 위선의 폭력이 더욱 무서움을 보여 주는 작품이다. 치밀한 사건 구성을 통해 호의를 가장한 위선의 폭력성을 그려 낸 전상국은 우리 사회에 만연한 문제점들을 포착하여 작품으로 형상화한 작가이다. 이처럼 학교 사회를 중심으로 학생·교사·학교를 둘러싼 이야기를 그린 작품으로 〈돼지새끼들의 울음〉 〈음지의 눈〉 등이 있다.

•

•

학교 강당 뒤편 으슥한 곳에 끌려가 머리에 털 나고 처음인 그런 무서운 린치[1]를 당했다. 끽소리[2] 한 번 못한 채 고스란히 당해야만 했다. 설사 소리를 내질렀다고 하더라도 누구 한 사람 쫓아와 그 공포로부터 나를 건져 올리지 못했을 것이다. 토요일 늦은 오후였고 도서실에서 강당까지 끌려가는 동안 나는 교정에 단 한 사람도 얼씬거리는 걸 보지 못했다. 더욱이 강당은 본관에서 운동장을 가로질러 아주 까마아득 멀리 떨어져 있었다. 재수파들은 모두 일곱 명이었다. 그들은 무언극을 하듯 말을 아꼈다. 그러나 민첩하고 분명하게 움직였다. 기표가 웃옷을 벗어 던진 다음 바른손에 거머쥐고 있던 사이다 병을 담벽에 깠다. 깨어져 나간 사이다 병의 날카로운 유리 조각을 그의 걷어 올린 팔뚝에 사악사악 그어 갔다. 금 간 살갗에서 검붉은 피가 꽃망울처럼 터져 올랐다. 기표가 그 팔뚝을 내 눈앞에 들이댔다. 핥아! 기표 아닌 다른 애가 말했다. 내가 고개를 옆으로 비키자 곁에 둘러선 서너 명의 구두 끝이 정강이에 조인트[3]를 먹였다. 진득한 액체가 혀끝에 닿자 구역질이 났다. 오장이 뒤집히듯 역한 것이 치밀었다. 나는 비로소 온몸을 와들와들 떨기 시작했다. 나 자신도 헤아릴 길 없는 거센 공포로 해서 나는 그 자리에 무릎을 꿇고 앉아 두 손을 비비댔다. 그들이 나를 일으켜 세웠다. 내 바지에서 혁대가 풀려나간 다음 벗겨져 맨살이 드러난 허벅지에 칼끝이 박히는 것 같은 아픔이 왔다. 나는 그들에게 양쪽 겨드랑이를 잡힌 채 몸부림

---

1 린치(lynch) 법의 정당한 절차를 밟지 않고 잔인한 형벌을 가하는 일.
2 끽소리 아주 조금이라도 떠들거나 반항하려는 말이나 태도.
3 조인트 속된 말로, 구둣발로 정강이뼈를 걷어찬다는 뜻의 '조인트(를) 까다'라는 관용구에서 비롯된 말.

쳤다. 도저히 견딜 수 없는 고통이었다. 칼끝은 상당히 오랜 시간 허벅지에 박혀 있는 것 같았다. 나는 내 살이 타는 냄새를 맡았다. 칼침이 아니라 그들은 담뱃불로 내 허벅지 다섯 군데나 지짐질을 했던 것이다. 소리 질러 봐, 죽여 버릴 테니, 한 놈이 귓가에 속삭였다. 나는 드디어 허물어져 내리듯 의식을 잃어 갔다. 그런 몽롱한 의식 속에서 기표가 씨불여 댄 한마디 말소릴 놓치지 않았다.

— 메시껍게 놀지 마!

어처구니없게도 그들이 내게 린치를 가한 이유란 단지 그것이었다. 2학년 재수파들이 나를 첫 표적으로 삼은 것은 내가 그들 눈에 메스껍게 보였기 때문이다.

"유대야, 너 그대로 참을 거냐?"

분식집에서 만난 형우가 슬쩍 내 심중을 떠보고 있었다. 내가 입 한 번 벙긋하지 않았는데도 그 소문은 파다했다. 소문이 쉬쉬 떠도는 며칠 동안 나는 심한 공포에 휩싸였다. 그 소문이 학교 선생들에게 알려져 문제가 생길 경우 십중팔구 나는 결딴이 나고 말 것이다. 기표는 그런 일을 충분히 해낼 수 있는 아이였다.

"그 새낀 악마다."

형우가 동정 어린 눈으로 나를 충동질했다. 그러나 나는 대답 없이 빙그레 웃어 보였을 뿐이다. 누구에게나 그렇게 해 보였다. 그것은 이미 겪은 우월감 같은 오만감이었다. 나는 나를 충동질하는 형우의 눈에서 자기도 미지에 당해야 하는 두려움과 아울러 나에 대한 선망이 깔려 있음을 놓치지 않았다. 형우가 기표에게 당할 것은 너무나 당연했다. 그것은 기표와 같은 배에 오른 우리들의 공동 운명이었던 것이다.

그날 편반이 끝나고 키 크기에 따른 각자의 번호와 교실 좌석까지 다 정해졌을 때 새 담임이 된 김 선생이 입을 열었다.

"이제부터 66명이 운명을 함께하는 역사적 출항을 선언한다. 목적지에 이를 때까지 단 한 사람의 낙오자나 이탈자가 없기를 진심으로 기원한다. 아울러 이 시간 분명히 밝혀 둘 것은 우리들의 항해를 방해하는 자, 배의 순탄한 진로를 헛갈리게 하는 놈은 용서하지 않을 것이다. 우리가 나무를 전정[4]할 때 역행 가지를 잘라 버려야 하듯 여러분의 항해에 역행하는 놈은 여러분 스스로가 엄단할 수 있어야 한다. 더 중요한 것은 1년간의 일사불란한 항해를 위해서는 서로 사랑과 신뢰로써 반을 하나로 결속하는 슬기를 보이는 일이다."

새 담임 선생은 과학 교사답지 않게 적절한 비유로써 자기가 맡은 반 아이들에게 뭔가 불어넣으려 애쓰고 있는 것 같았다. 그에게 중요한 것은 무사안일[5] 속의 1년이었던 것이다.

"고삐는 여러분 손에 쥐어져 있다. 필요하다고 생각할 때 그 고삐를 당겨 여러분 스스로를 제어해 주기 바란다. 내가 가장 우려하는 바는 여러분 스스로가 내 손에 그 고삐를 쥐여 주는 일이다. 나는 자율이라는 낱말을 좋아한다."

담임 선생님은 자율이라는 낱말로 요술을 부려 우리들을 묶고 있었다. 어느 연극 잡지에서 완숙한 연출가는 배우 스스로가 연출하도록 유도하는 비결을 가지고 있다는 것을 읽은 것이 생각났다. 대단한 담임을 만났다는 기대로 아이들은 가슴을 부풀리며 앉아 있었다. 열네 개 반에서 네댓 명씩 떨어져 나와 새로이 편성된 새 반의 분위기는 사뭇 숙연했다. 나는 문득 이런 숙연한 분위기가 우습게 생각되었다. 단 며칠 못 가 형편없이 허물어질 아이들이 목에 잔뜩 힘을 주고 앉아 담임 선생의 말을 경청하고 있는 게 우습게 보였던 것이다. 이들의 긴장을 풀어 주고 싶은 충동을 받았다.

"선생님, 우리가 탄 배의 선장은 누굽니까?"

내가 불쑥 일어나서 말했다. 선장은 도대체 누구란 말인가. 자율이라는 낱말

---

4 전정(剪定) 과수의 생육과 결실을 균일히 하고 미관상 고르게 하려고 가지의 일부를 자름. 가지치기.
5 무사안일(無事安逸) 큰 탈이 없이 편안하고 한가로움. 무사는 '아무 탈 없이 편안함'을 안일은 '편안하고 한가로움. 또는 편안함만을 누리려는 태도'를 의미한다.

로 우리를 묶으면서도 실상 우리들 머리 위에 군왕처럼 군림하고 싶은 그의 저의를 찔러 주고 싶었던 것이다. 아이들이 내 느닷없는 질문에 부스럭부스럭 굳은 몸을 풀고 있었다.

"이 배의 선장이 누구냐, 그렇게 묻고 있는 사람의 번호와 이름은?"

담임이 얼굴 가득 미소를 잡으며 여유 있게 나를 훑었다. 반격을 당한 나는 얼굴을 붉히며 엉거주춤 다시 일어나야 했다.

"35번 이유댑니다."

"예수를 판 유단가, 이스라엘 유댄가?"

아이들이 와하하 웃음을 터뜨렸다.

"오얏 리, 옥 유, 큰 대 자, 이유대입니다."

"좋았어. 이유대 군이 오늘 이 시간부터 일주일간 2학년 13반의 임시 선장이다. 물론 일주일 뒤에는 새 선장을 뽑겠다. 다시 한번 강조해 두겠다. 이 배의 주인은 여러분 자신이다. 이유대 선장, 내 말의 뜻을 알겠나?"

아이들이 와하하 웃으며 박수를 쳤다. 반장 하고 싶어 몸살 난 애라구요. 그렇게 소리 지르는 놈도 있었다. 실로 난처한 입장이 돼 버렸다. 한낱 농으로 시작한 일이 담임의 임기응변에 의해 꼼짝없이 임시 반장 감투를 쓰게 되었다. 꽁무닐 빼고 어쩌고 할 기회를 주지 않은 채 담임은 첫 만남을 끝냈다. 이렇게 해서 된 임시 반장이 기표의 비위를 사납게 하는 결정적인 이유가 됐을 것이다.

"어떤가, 약 일주일간 반장을 하면서 느낀 우리 반에 대한 소감은?"

담임 선생이 가정 방문을 나왔다. 학교에서 만나는 선생과 집에서 만나는 선생의 이미지는 전연 다르게 마련이다. 학교에서보다 훨씬 부드럽게 대해 주는데도 공연히 거북스럽고 몸이 짜부러든다. 그래서 우리들이 경험한 바에 의하면 담임 선생에게 가정 방문을 당한 뒤로는 독 빠진 뱀처럼 맥을 쓸 수 없게 된다. 가정 방문을 나온 담임 선생은 대개 여러 가지 정보를 얻어 내려 부심[6]하게 된다.

"얘네 반 아이들이 좋은 담임 선생님을 만났다고 좋아들 한답니다."

곁에서 엄마가 의례적인 아부의 말을 했고 담임은 내 얼굴에서 눈을 떼지 않은 채 못 들은 척했다. 사실 아이들은 좋은 선생이 어떤 사람인가를 알았다. 좋은 선생이란 조건 없이 아이들의 입장을 이해한 다음 그것을 가볍게 입 밖으로 내지 않는 사람이었던 것이다.

"어때, 유대가 그대로 반장을 맡는 게?"

이번에는 담임이 엄마의 귀를 겨냥한 말을 했다.

"아닙니다. 전 그런 일이 적성에 맞지 않습니다."

내가 단호한 어조로 말했고 엄마가 거들었다.

"그래요 선생님, 얜 반장 하는 게 죽어두 싫다는군요."

뭔가 아쉬워하면서도 엄마는 내 뜻을 따라 주었다. 반장을 하면 성적이 떨어지게 마련이란 내 생각을 잊지 않고 있었던 것이다. 남 앞에 나서는 일, 남들보다 한 발짝 높은 데 선다는 일이 얼마나 외롭고 번거로운 일인가를 나는 엄마의 극성에 의해 중학교 3년간 반장을 하면서 절실히 체득했던 것이다. 그것은 내게 무서운 구속이었다. 남을 다스리는 그런 자유보다 남에게 다스림받는 데서 얻는 마음의 안일이 내게는 더 좋았다. 나는 고독하기를 바라지 않는다. 기표 같은 애들이 누리는 지배욕 그 안쪽에 몸을 뒤틀고 있는 고독의 그림자를 나는 어렴풋하게나마 본 것 같았다.

"맞습니다. 사실 유대는 반장을 하는 것보다 공부에 달라붙는 게 더 좋을 겝니다. 아깝지만 유대를 위해서 제가 양보할 수밖에요."

우리의 담임 선생은 일을 요령 있게 풀어 나가 재치 있게 마무리하는 명수였다. 아무튼 나는 굴레에서 벗어났고 담임 선생의 논리대로라면 누군가 나 대신

---

6 부심(腐心) 어떤 문제를 해결하기 위한 방안을 생각해 내느라고 몹시 애씀.

희생이 되어야 한다.

"임형우, 걔가 반장으론 괜찮지?"

일주일 동안 그는 우리들을 상당히 깊게 파악한 것처럼 보였다. 그의 안목은 대단했다. 반장이 되고 싶어 하는 아이를 알고 있는 담임이었다.

"형우라면 틀림없습니다."

내 말의 꼬리를 잡아 엄마가 끼어들었다.

"형우라니? 오매, 형우하고 또 한 반이 됐냐? 선생님, 얘하고 형우는 중학교 때부터 친구랍니다. 걔하고 늘 전교에서 일이 등을 다퉜는걸요. 그룹 과외도 같은 데서 죽 함께해 왔고……. 우리 유대가 늘 앞선 편이긴 했지만…… 그래요, 걘 반장 같은 건 잘할 거예요. 애가 통솔력이 보통이 아녜요."

중학교 3년 동안 아들에게서 위대한 통솔력이 나타나 주기를 고대했던 엄마의 푸념이 깃들인 말대로 형우는 반장이 될 만한 여건을 많이 갖추고 있었다. 무게가 있고 때로는 교만하고 생각한 것을 무슨 일이 있어도 해내는 결단력도 대단했다. 학교 당국의 지시에는 일단 긍정적인 생각을 가지고 임하다가도 어떤 결점이 보일 때는 무섭게 반격을 가하는 용기도 갖추고 있었다. 한마디로 그는 아이들에게 인기가 있었다.

"어떤가, 우리 반에 크게 문제가 될 만한 애는 없겠지?"

첫 만남에서 담임이 말한 우리들의 항해에 방해가 될 만한 그런 역행 가지를 귀띔해 달라는 것일 게다. 나는 불현듯 담뱃불에 지짐질당해 아직도 진물이 줄줄 흐르는 내 허벅지를 내보이고 싶은 충동을 받았다. 어쩌면 담임도 내 입에서 기표에 대한 얘기가 나오길 기대하고 있을는지 모른다. 1학년 때의 기표 담임이 기표가 1학년 때 한 번 유급한 경력을 가지고 있다는 얘길 전하지 않았을 리가 없기 때문이다. 그러나 나는 입을 열 수가 없었다. 엄마 앞에서 반우[7]를 매도하

7 반우 함께 짝하여 지내는 친구. 또는 반 친구.

는 일 같은 건 할 수 없다고 생각한 것이다.

"최기표, 그놈 괜찮을까?"

담임 선생이 조심스럽게 내 반응을 살폈다. 나는 내 허벅지의 상처를 내보인 것처럼 불유쾌한 기분이 되어 얼굴을 돌렸다.

"최기표라면 그 1학년 때 낙제해서 한 해 묵었다는 애 말이구나?"

엄마는 교육에 관심이 많았다. 학교에서 일어나는 모든 걸 알고 싶어 안달했다. 일주일에 두 번씩 담임 선생한테 전화를 걸곤 했다. 그러나 엄마는 가장 가까운 데 있는 내 허벅지의 담뱃불 자국을 알지 못하고 있다. 최기표의 이름을 알고 있으면서도 최기표가 어떤 아이인지를 진정 모르는 어른들에 대해서 내 상처를 내보이는 것은 무의미한 일이었다.

"맞습니다. 걘 유급한 것도 문제지만 보통 말썽꾸러기가 아니지요. 왜, 한눈에 이건 범죄형이다, 그렇게 보이는 얼굴이 있지 않습니까? 개가 바로 그런 전형적인 범죄형이지요. 음침하고 포악스럽고…… 1학년 때 개 담임을 한 선생이 그러더군요. 십년감수를 했다구요. 그러면서 나를 동정한다는 얘기였어요. 그 정도면 알조[8]가 아닙니까?"

"그런 애가 어떻게 여태 퇴학을 안 당했나요. 교칙이 엄하기로 이름난 학교인데……."

엄마가 의아하다는 듯 얼굴에 그늘을 깔았다.

"바로 그겁니다. 이놈이 원래 교활하고 지능적이어서 도대체 제적을 당할 만한 큰일에는 직접 앞에 나타나지 않고 뒤로 쏙 빠진다 그겁니다. 엉뚱한 놈이 당하곤 하지요. 정학을 몇 번 당하긴 했지만 어떤 결정적 꼬투릴 잡을 수 없으니까 제적을 못 시키는 거지요."

기표가 무서워서, 그의 안하무인한 앙갚음이 두려워서 제적을 못 시켰다는

---

8 알조 **알 만한 일.**

그런 얘기는 할 수 없을 것이다. 어떻든 나는 놀라지 않을 수 없었다. 며칠 사이에 기표에 대해서 이처럼 깊이 파악하고 있다니 — 과연 기표는 이름난 애라는 생각이 들었다. 더구나 기표 얘기를 입에 올리는 담임은 얼굴까지 벌겋게 상기돼 있었다.

나는 문득 이제부터 1년간 담임 선생과 최기표 사이에 치열하게 벌어질 싸움을 상상해 보았다. 이제까지의 결과로 미루어 보아 최기표에게 승산이 크다는 생각이 들면서도 우리의 담임 선생 또한 그렇게 만만치 않으리란 예감이 들었다. 어쩌면 그 싸움에 임형우도 한몫 끼어들지 모른다. 그가 어떤 편에 서느냐 하는 문제도 퍽 흥미 있는 문제일 것이다. 아무튼 이처럼 멀찍이 떨어져서 그네들 싸움을 구경한다는 것은 진정 즐거운 일임에 틀림이 없다.

"이놈들이 옛날과 달라서 선생을 우습게 알기 때문에……."

담임 선생은 엄마와 함께 교육론을 펴고 있었다.

그랬다. 슬픈 일이지만 우리들은 언제부터인가 교사들을 한낱 껄끄러운 존재로 여길 뿐 오히려 그룹 과외 선생의 완벽함에 더 매료되곤 했다. 그것은 상대적이었다. 우리들이 교사들을 존경하지 않는 것처럼 교사들도 우리를 사랑으로 가르치지 않았다. 그렇다고 그룹 과외 선생처럼 철저하게 얼굴에 철판도 깔지 못하고 어정쩡한 태도를 취했다. 문제는 지배에 대한 견해의 다름이었다. 그네들이 옛날 훈장이 누렸던 권위가 고스란히 쥐어지길 바랐고 실상 그러한 권위만이 변화된 가치 속에서 그들이 누릴 수 있는 유일한 보상이었다. 그러나 우리들은 그러한 인습적 권위에 대해서 콧방귀를 날릴 수 있을 만큼 그보다 더 완벽하고 조직적인 분명한 권위의 다스림 속에 몸을 맡기길 좋아하고 있었다. 그 한 가지 예로 우리 엄마는 촌지 봉투로 담임 선생을 움직일 수 있다는 확신을 가지고 있었던 것이다.

"선생님, 그 기표라는 애네 집에 가 보셨어요?"

무슨 얘기 끝인가 엄마가 물었다.

"아직 못 갔습니다. 1학년 때 담임들도 걔 부모를 못 만났다더군요. 놈이 중간에서 훼방을 놓은 거지요. 한양천 뚝방 동네에 살고 있는 건 틀림이 없는데 번지를 제대로 알아도 집 찾아내기가 어렵다더군요. 어떤 애 얘기론 기표 아버지가 중풍으로 드러누운 폐인이래요."

담임 선생은 우리 집 방문을 끝내고 다른 집으로 가는 도중에 내게 말했다.

"유대, 네 도움이 필요하다."

"뭘 말입니까?"

"우리 반을 위해서 네 협조를 받고 싶다는 얘기다. 물론 나는 네가 반에서 일어나는 일들을 일일이 고자질하는 그런 사람이라곤 생각하지 않는다. 다만 내가 원하는 것은 반 전체를 위한 너의 조언이다. 어때? 협조해 줄 수 있겠지?"

나는 얼굴에 열기가 끼쳤다. 이것은 치욕이었다. 담임은 나를 자신의 첩자로 삼으려는 것이다. 1학년 때도 그랬다. 나는 담임 선생이 원하는 대로 반에서 일어나는 일들을 하나도 빼놓지 않고 담임에게 알렸다. 그것은 즐거운 일이었다. 역사를 만든다고 생각하는 사람들이 바로 그런 즐거움을 느낄 것이다. 내 입에서 전해진 말이 요술을 부려 아이들이 일사불란하게 움직이고 있는 것을 시치미 떼고 바라볼 수 있다는 것은 통쾌한 일이었다. 아이들 자신을 위해서 내가 이바지했다고 하는 자부였다. '우리'를 위해서 내 힘이 쓰이고 있다는 기꺼움[9] 때문에 나는 그러한 고자질을 해낼 수 있었던 것이다. 그러나 나는 내가 어수룩하다고 생각했던 많은 아이들에게 따돌림받았다. 나는 한낱 '우리'의 힘을 해치는 담임의 첩자였을 뿐이다. 나를 이용해 먹은 담임이 그 사실을 새 담임에게 인계하는 배신을 했다는 것을 안다는 것은 울화통이 터질 일이었다.

"불쾌하게 생각하지 않기를 바란다. 다만 나는……."

내 표정이 꽤 굳어 보였던 모양이다. 담임 선생은 내 눈치를 살피며 말했다.

---

9 기꺼움 마음속으로 은근히 기쁨.

"다만 나는 인간적인 면에서 네 도움을 받고 싶을 뿐이다."

"선생님, 그런 일이라면 임형우가 잘해 줄 겁니다. 선생님이 염려하는 최기표도 형우가 잘 다스려 나갈 겁니다. 내일 당장 형우를 반장에 임명하세요."

"그럴까? 네 말대로 임형우가 최기표를 잘 다스려 준다면 고맙겠지만…… 내 생각엔 최기표를 부반장에 임명하면……."

"선생님, 기표 한 개인을 위해서입니까, 아니면 기표의 힘을 빼어 반 아이들을 보호하기 위해서입니까?"

담임은 무슨 소리냐는 듯 내 얼굴을 뻔히 쳐다보다가 음모의 한 귀퉁이를 드러내 보인 무안감을 감추기라도 하듯,

"여러 사람에게 해가 되는 그런 힘은 아예 빼 버리는 게 좋은 거다."

기표가 이 세상을 살아갈 수 있는 힘은 바로 그런 것에 있는지도 모르는데요. — 이렇게 말하려다 나는 그만두었다. 그 대신,

"선생님, 기표는 유급생인 데다 여러 번 정학을 당했잖아요. 그런 아이를 간부로 임명하면 아이들이 좋지 않게 생각할 겁니다."

기표가 학교의 지시 사항을 전달하기 위해 교단 위에 서서 아이들한테 애원하는 광경은 생각만 해도 불쾌했다. 누가 사자를 우리 속에 넣어 길들이는 발상을 처음 했는가. 나는 내 허벅지의 상처를 결코 격하시키고 싶지 않았다.

춘계 교내 체육 대회를 위해서 우리는 정해진 체육복 외에도 매스 게임[10]용 추리닝 한 벌을 사야 했다. 협동심과 조화 속의 미를 창조하는 데 그것은 없어서는 안 되는 일이었다. 툴툴거리는 아이도 몇 없지는 않았지만 결국 그들도 그것을 모두 준비했다. 그러나 우리 반에 단 둘뿐인 재수파들은 끝내 그것을 사 입지 않았다. 담임이 말했다.

"두 사람 때문에 반의 일사불란한 결속이 깨질 수 없다. 두 사람 모두 집이

10 매스 게임(mass game) 많은 사람이 일제히 동일한 체조나 댄스 등을 하는 일.

어려운 걸로 알고 있다. 그래서 담임이 두 사람 것을 준비했다. 받아 주면 고맙겠다."

한 아이가 기표의 눈치를 살피며 머뭇거렸다. 그러나 기표는 무표정한 얼굴로 창 쪽을 바라보고 있었다. 담임 선생이 그 추리닝을 기표와 또 한 아이의 책상 위에 놓은 다음 교실을 나갔다.

담임 선생이 교실을 나가기가 무섭게 기표가 주머니에서 칼을 꺼내 그 추리닝을 찢기 시작했다. 너덜너덜 조각난 추리닝을 쓰레기통 쪽으로 던졌다. 다른 한 아이가 기표처럼 그렇게 추리닝을 찢었다. 기표가 반의 총무를 맡고 있는 정수라는 애한테 다가갔다.

"야, 네 추리닝 나 줄 수 없냐?"

정수가 고개를 끄덕거렸다. 정수 뒤의 애한테도 같은 말을 했다.

"재도 나처럼 돈이 없어 못 사 입었다. 네 꺼 좀 얻자. 줄래?"

정수 뒤에 앉은 애도 고개를 끄덕거렸다. 이렇게 해서 우리 반 66명은 매스게임용 추리닝을 다 사 입었다.

우리가 볼 때 기표는 구제불능이었다. 그의 환경이 그를 그렇게 만들었다고 보기보다 선천적인 어떤 포악성을 가지고 있는 것처럼 보였다. 냉혈 동물처럼 피가 찬지도 모르는 일이었다. 그는 뱀처럼 작고 징그러운 눈을 가지고 있었다. 그는 교활한 자들이 가끔 보이는 그런 거짓 착함마저도 나타내 보일 줄 몰랐다. 철저하게 악할 뿐이었다. 평생을 두고 사랑이라는 낱말로 미화될 수 있는 행동거지를 해 보일 인간과는 거리가 멀어 보였다. 물론 그는 자신의 그런 포악성 때문에 누구에게도 사랑받지 못할 것이다. 그의 표정은 항상 독기를 음울하게 깔고 있어 맞서는 사람으로 하여금 섬뜩함을 느끼게 했다.

그런데 이해하기 어려운 것은 중학교 때부터 기표를 알고 지내 온 아이들(대부분 3학년이거나 졸업했다.)은 기표가 그처럼 철저하게 나쁜 애임에도 불구하고 그에 대해서 좋지 않게 말하는 것을 들어 본 적이 없다는 것이다. 물론 좋은 애라고 말하는 일도 없었지만 아무도 기표를 욕하지 않았다. 피해를 직접 받은 애들마저도 기표에 대해 나쁘게 말하지 않았다.

— 말하길 꺼리는 거야. 악에 대한 공포 때문이지.

나는 이렇게 생각해 보았다. 그러나 나는 내 생각이 옳지 않음을 내 자신의 경험 속에서 너무나 잘 알고 있었다. 기표에 대한 공포는 그에게 린치를 당할 때뿐이었다. 내가 린치를 당한 사실을 아무에게도 털어놓지 않은 것은 앙갚음에 대한 두려움 때문이 아니었다. 나는 또한 그처럼 무자비한 린치를 당했으면서도 그를 미워할 수가 없었다. 무언가 헤아릴 수 없는 힘이 그에게 있는 것 같았다.

"형!"

동급생이면서도 우리들은 2학년에 재학하는 유급생 20여 명을 꼭 공대[11]했다. 재수파들이 그렇게 대해 주길 바랐기 때문이기도 했지만 그렇게 공대하면서도 입이 껄끄럽지 않은 것은 재수파를 이끌고 있는 기표의 위력 때문인지도 모른다.

"야, 체육복 좀 빌려줘라."

재수 없는 아이가 유급생인지 모르고 말을 함부로 놓을 때가 더러 있었다. 그럴 때 그 아이는 영락없이 얻어터졌다. 일의 특징을 따지지 않는 게 기표가 행하는 악의 특징이었다.

— 명칭, 조직의 목적, 모임의 횟수를 모두 대라구!

교실에서의 집단 구타 사건으로 그들이 걸려들었을 때 학생 주임은 전말서를 내밀며 소리쳤다. 기표는 1학년 때부터 음성 서클로 지목되어 수차례 조사를 받아 왔기 때문이다. 그러나 학생 주임은 번번이 아무것도 알아내지 못했다. 하나도 그것에 대해 알고 있는 게 없었기 때문이다. 재수파는 우리들이 편

---

11 공대(恭待) 공손하게 대접함.

의상 붙인 이름이었을 뿐이다. 조직이 아니기 때문에 어떤 목적이나 정기적인 모임 같은 게 없었다. 동물 영화를 보면 밀림을 달리는 맹수 떼들은 리더를 중심으로 같은 방향으로 달려간다. 그들도 그랬다. 그냥 기표를 중심해서 그들은 모였고 계획된 것이 아니라 지극히 우발적인 악이 그들에 의해서 저질러졌을 뿐이다.

기표는 교실에서 담배를 피웠다. 그의 담배 은닉처[12]는 고흐의 자화상이 있는 액자 뒤쪽이었다. 쉬는 시간이면 그는 액자 뒤쪽을 더듬어 담배를 꺼냈다. 미션[13] 계통의 학교라 일주일에 몇 번씩 있는 채플 시간을 통해 교목[14]이 인간 양심의 타락을 개탄했다. 바로 그러한 시간에 기표는 주번을 대신해서 교실에 남아 담배를 피우거나 아이들 도시락을 먹어 버리는 일을 했다. 그는 적어도 하루 두 개의 도시락을 축냈다. 아무도 그것을 항의하지 않았지만 기표 또한 미안해하는 표정이나 사과의 말을 남기는 법이 없었다.

기표들에게 린치를 당하고 학교 골목을 절뚝거리며 나오던 그 고통스럽고 긴 시간, 내가 생각한 것은 기표야말로 우리들이 흔히 말하는 악마의 자식이 아닐까 하는 생각이었다.

---

12 은닉처(隱匿處) 불법적으로 얻은 물건 따위를 감춰 두는 장소.
13 미션(mission) 기독교 단체에서 전도와 교육 사업을 목적으로 운영하는 학교인 '미션 스쿨(mission school)'을 이르는 말.
14 교목(校牧) 학교에서, 예배와 종교 교육을 맡아보는 목사.

내가 이런 생각을 얘기가 통할 만한 집안의 어떤 형에게 말했더니 그가 대답했다.

— 맞아. 신이 매우 거북하게 생각하는 악마란 바로 네가 말한 놈처럼 착함을 가질 수 있는 가능성이 전혀 없는 그런 순수한 악마지. 그러한 순수한 악마만이 신을 돋보이게 하기 때문에 신은 마음속으로 괴로운 거야. 그렇기 때문에 신은 결코 악마를 영원히 추방하지 않아. 항상 곁에 두고 자신을 돋보이게 하는 일에 그것을 이용할 뿐이야.

5월 중간고사가 끝나는 날 오후 반장인 임형우가 드디어 재수파한테 당했다. 아무도 상상하지 못한 일이었다. 그처럼 근본이 포악한 기표마저도 형우의 애기라면 귀를 기울이곤 했다. 그처럼 형우는 모든 아이들의 인심을 살 줄 알았다. 형우의 성실성이, 남을 위해 자기를 던질 줄 아는 의협심이, 그의 천성적으로 착하게 보이는 외모가 아이들을 사로잡았다. 다른 반 선생님들도 2학년 13반 반장 임형우를 칭찬했다. 형우의 겸손함이 다른 선생들의 호감을 샀다. 형우는 특히 기표에게 잘해 주었다. 아우가 형을 대하듯 스스럼없이 사랑해 주었다. 그렇다고 기표에게 특혜를 얻어 주려고 노력하는 것 같지도 않았다. 유독 그의 환심을 사려고 노력하는 것 같지도 않았다. 물론 다른 아이들이 기표에 대해 갖는 그런 공포 같은 것도 없어 보였다.

그런데 5월 고사에 이르러 형우가 결정적 실수를 했다. 시험을 며칠 앞둔 어느 날 형우가 반에서 성적이 괜찮은 몇몇 아이를 모았다.

"두 사람을 조금씩 도와주자."

그가 제의했다.

"이번 시험을 잘 못 보면 또 낙제할 가능성이 있다고 담임 선생님이 말했다."

"나쁜 낙제 제도 때문에 그들이 구제불능의 상태에 놓이도록 방관하는 것은 옳지 못한 것 같다. 물론 공부를 잘 못하는 것은 그들의 책임이다. 그러나 책임으로 그들을 추궁하기에는 그들이 너무 한심한 상태의 아이들이다."

"결국 동정하자는 거군."

어떤 아이가 말했다.

"인간을 구제한다는 것은 값싼 동정과는 근본적으로 다르다."

"다투고 싶지 않다. 결국 우리가 어떻게 돕자는 거냐?"

먼저 아이가 물었다.

"조금씩만 돕자."

"결국 부정행위를 하란 말이냐?"

"그렇다. 커닝이 교칙에 위반된다고 해서 하기 싫으면 안 해도 좋다. 나는 다만 너희에게 부탁했을 뿐이다."

"걸렸을 때는?"

"모든 책임은 내가 진다. 내가 시켜서 했다고 해라."

"걔들이 우리들의 도움을 거부하면?"

어떤 애가 그런 우려를 내놓았다. 충분히 있을 수 있는 일이었다.

"거부하지 않을 것이다. 4월 고사에서 내가 약간 시도해 보았기 때문에 자신할 수 있다."

나는 형우의 눈꼬리에 매달린 교활해 뵈는 웃음을 보았다. 나는 참지 못하고 말했다.

"누구를 위해서 그렇게 하자는 거냐? 기표냐, 아니면 우리들 자신이냐?"

"유대, 네 말은 대답할 가치가 없다고 생각해서 대답을 않겠다."

"대답해라. 대답 못 할 것도 없을 텐데?"

내가 빈정거리는 투로 다그쳤다.

"그렇게 해 주는 것이 옳다고 판단했기 때문이다. 왜 옳은가는 너 자신이 생각해도 된다."

"네 의협심을 존중한다."

내가 간단히 손을 들어 버리자 형우가 당연하다는 듯이 씨익 웃었다.

"이왕 얘기가 났으니 말이지만 이 일은 우리 모두를 위해서 하는 것이라고 생각해도 좋다. 최소한 반장인 내가 기표의 환심을 사려는 개인적인 일이 아니라는 것만 알아줘라. 마지막으로 부탁할 것은 이 일이 내 제안에 의해 이루어졌다는 걸 기표가 모르도록 해 달라는 것이다."

우리들은 형우의 말을 믿었다. 자기가 모든 것을 책임지겠다고 하는 얘기도 그의 진심으로 받아들였다. 4월 중순께 기표가 3학년 형을 구타한 일로 벌을 받게 됐을 때 학급 전원이 서명해서 기표를 구하기 위해 일사불란하게 움직였던 것처럼 우리는 형우의 지시에 따라 세심한 계획을 짜고 시험 날을 기다렸던 것이다. 무슨 과목은 누가 어떤 방법으로 도와준다는 등, 그들이 또다시 유급하지 않을 정도의 점수를 올리기 위해 우리들은 빈틈없이 준비했다. 남을 위해서 일한다는 것이 마음에 이다지 큰 기꺼움을 준다는 것도 비로소 알게 되었다.

3일간 계속되는 중간고사 첫날이었다. 기표와 대각으로 앉게 된 정수가 자리의 이점을 이용해서 답안지를 바른쪽 허리께로 내리밀어 기표가 보기 좋게 해 주었다. 첫 시간에 기표가 정수의 그러한 호의를 어떻게 받아들였는지는 알 수 없었다. 다만 그는 퇴장할 수 있는 30분이 되자 제일 먼저 답안지를 놓고 나갔을 뿐이다. 시간이 끝나고 답안지를 거둔 아이의 말에 의하면 기표의 답안지는 거의 백지에 가까웠다는 것만 알았을 뿐이다. 둘째 시간은 영어였다. 총무를 맡은 애가 시간 중간쯤에 문제 번호와 답을 쓴 커닝 페이퍼를 몇 사람 손을 거쳐 기표에게 전달했다. 그러나 그것이 문제였다. 기표가 벌떡 일어나 감독 선생 앞으로 걸어 나갔다.

"어떤 새끼가 이걸 나한테 전해 왔습니다."

그는 감독으로 들어온 선생한테 쪽지 한 장을 내밀었다. 그리고 제자리에 돌아와 앉으며 사방을 휘이 적의 깊게 노려봤다. 악한 자의 간특한 미소가 입가에 고물고물 기어 다녔다.

감독으로 들어온 선생은 마음 너그럽기로 이름난 영어 선생이었다. 그는 기표가 내놓은 종이쪽지를 한참 들여다본 후에 말했다.

"누가 이런 메모지를 지금 저 학생한테 전달했나?"

문제 풀기에 여념이 없던 아이들이 한 번씩 고개를 들었다간 다시 문제로 돌아갔다.

"누군가?"

그래도 대답이 없었다.

"어떤 개새끼야?"

이번에는 기표가 자리에 앉은 채 으르렁거렸다.

"선생님, 제가 그랬습니다."

반장인 임형우가 벌떡 일어섰다. 감독 선생이 어이없다는 듯 허허 웃었다.

"아닙니다. 그건 제가 썼습니다."

불쑥 딴 자리에서 또 한 애가 일어섰다. 총무를 맡아 보는 애였다.

"아닙니다. 제가 그랬습니다."

다른 아이 하나가 또 일어섰다. 함께 모의를 했던 아이 중의 하나였다.

"접니다."

또 다른 놈이 일어섰다. 접니다. 접니다. 사방에서 우르르 아이들이 일어섰다.

허, 허허, 허허허……. 감독 선생은 이 어처구니없는 사태에 어리둥절한 모양이었다. 기표의 얼굴이 노오랗게 질렸다.

"자, 모두 앉아요."

감독 선생이 뭔가 사태를 파악한 듯 이삼십 명의 아이들을 자리에 앉도록 지시했다. 아이들이 다 자리에 앉은 다음, 그 나이 많은 감독 선생이 말했다.

"오늘 이 일은 전연 없었던 것으로 해 두기로 한다. 아주 훌륭한 사람들이 모인 반이라는 생각이 든다. 종이쪽지를 가지고 나왔던 사람의 곧은 정신이나, 우정이 무엇인가를 여실히 보여 준 여러분 모두의 결의는 대단히 훌륭했다."

일은 이런 방향으로 매듭지어졌다. 그 시간이 끝나자 아이들은 숨을 죽이고 기표를 살폈지만 그는 자리에 보이지 않았다. 끝 시간인 셋째 시간도 별일 없이 끝났다. 종례가 끝나고 청소 시간까지 아무런 일이 없었다.

"유대야, 담임이 아까 오라고 한 사람 빨리 교무실로 오래."

한 애가 내게 말을 전해 왔다. 종례가 끝나고 교무실로 돌아가던 담임이 복도에서 나를 불러내어 청소가 다 끝난 뒤 나와 반장 그리고 정수를 교무실로 오라고 했던 것이다.

함께 교무실로 가려고 찾으니 반장도 정수도 보이지 않았다. 나는 운동장으로 내려서는 계단 휴게실까지 가 보았다. 거기도 그들은 없었다. 교무실에 먼저 가 있겠거니 하고 계단을 올라서는데 정수가 학교 후문 있는 데서 뛰어오면서 손짓하고 있는 게 보였다.

"반장은 어디 갔나?"

담임 선생은 그날 끝낸 화학 시험지의 답안지를 정리하면서 건성으로 물었다.

"아무리 찾아도 보이지 않아 저희들만 왔습니다."

나는 정수의 얼굴을 쳐다보지 않은 채 대답했다. 곁에 선 정수의 숨소리는 아직도 고르지 않았다.

"응, 됐어, 너희들 둘이 해도 되겠지."

짐작했던 대로였다. 우리는 담임 선생의 채점 기계로 호출된 것이다. 답안지를 든 담임 선생을 따라 우리는 화학실로 올라갔다.

"나 화학실에 있다고 사환 애한테 알려 둬라. 밖에서 전화 올 게 있다."

복도에서 담임이 말했다. 내가 아래층 교무실로 뛰어 내려갔다. 우리들 사이에 넙쩍이라고 불리는 사환 계집애가 만화책을 보고 있었다.

"우리 담임 선생님 화학실에 계셔. 무슨 일 있으면 그리 연락하라고!"

넙쩍이가 고개를 들지 않은 채, 알았어- 했다.

우리는 담임 선생과 함께 아이들의 답안지에 ○, × 해 나갔다. 맞은 것 틀린 것, 좋은 답 나쁜 답, 착한 놈 나쁜 놈……. 우리들이 동그라미 하나 더 치면 그 아이는 5점이 올라갈 수 있었다.

"야, 느덜 오늘은 속도가 느리구나."

담임의 말이 사실이었다. 우리는 다른 때와 달리 몇 장 넘기지 못하고 있었다. 정수나 나나 매한가지였다. 정수는 눈에 띄게 허둥거리고 있었다. 나 역시 답안지의 내용이 자꾸 헛갈렸다. 적어도 일곱 명쯤의 재수파들 속에 형우가 무릎을 꿇고 와들와들 떨고 있을 것이다. 명치를 찌르는 주먹, 정강이뼈를 겨냥한 구둣발 세례, 피가 꽃망울처럼 솟아오르는 기표의 팔뚝, 허벅지를 태우는 살내……. 하나, 두우울, 세에-엣, 네에-엣, 다아……아악. 소리 질러 봐, 죽여 버릴 거니! 석공이 돌을 다듬듯 완벽한 솜씨로 그들은 형우의 육체와 영혼을 주장질[15]시키는 일에 탐닉하고 있을 것이다. 형우는 지금 어떤 표정으로 무슨 생각을 하고 있을까. 정수가 담임에게 일러바쳐 지금쯤 자기를 구원해 주러 오는 사람들을 기다리고 있을 것인가, 아니면 죽기를 각오하고 그들에게 도도한 자세를 보일 것인가. 나는 짐짓 정수의 눈을 찾았다. 나를 바라보는 정수의 눈이 애원하듯 타고 있었다. 그렇게 무서우면 네가 말해! 그런 뜻의 눈짓을 내가 보냈지만 목덜미를 더욱 벌겋게 달구며 고개를 꺾었다.

"너희들이 잘해 주어서 올해는 퍽 수월하게 넘어갈 것 같구나."

담임 선생은 채점을 쉬며 담배를 피워 물었다.

"반장이 생각했던 것보다 잘해 주는 것 같단 말이야. 느이들이 알다시피 우리 반이 2학년 전체에서 제일이거든. 지난 춘계 체육 대회 때 종합 우승이며 이번 이사분기 납부금 실적도 단연 으뜸이고……."

나는 실소하며 정수의 눈을 찾았다. 그러나 정수는 고개를 들지 않았다. 아직 한 권에서 반도 넘기지 못한 채였다. 나는 다시 한번 실소했다. 담임 선생이 지

---

15 주장질 몹시 나무라거나 때리는 일.

금 형우가 처하고 있을 상황을 안다면 어떤 표정으로 바뀔 것인가.

"참 알 수 없는 일은 최기표가 듣던 것과는 달리 양처럼 순하다 그거야. 몇 번 말썽이 있긴 했지만 그까짓 거야 별거 아니지. 어떻든 그놈도 본성은 착한 놈인데 가정 형편이 좋지 않은가 보더라."

담임 선생은 자기가 부리는 채점 기계의 묵묵한 작업에 눈을 보낸 채 자못 흐뭇한 표정이었다.

"다 담임 선생님께서 잘 지도해 주신 덕분이죠, 뭐."

내가 시치미를 떼면서 말하자,

"아닌 게 아니라 나로서도 그동안 너희들이 이해 못할 애로 사항[16]이 많았다. 인간을 교육한다는 것이 새삼 어렵다는 걸 깨닫게 됐고, 또한 그런 어려움 속에서 교육하는 보람도 얻을 수 있었던 거지."

정수가 비로소 고개를 들어 나를 쳐다보았다. 그의 이마에 번지르르 땀이 배어나고 있었다. 그의 눈알이 불안하게 움직였다. 그는 몹시 괴로워하고 있음이 분명했다. 형우가 재수파들한테 끌려 학교 뒷산 으슥한 곳으로 끌려갔다는 사실을 내게 전해 준 것만으로도 그는 마음이 가벼워질 줄 알았을 것이다. 그러나 그는 지금 그 사실을 나한테 얘기한 것을 몹시 후회하고 있는지도 모른다. 나라면 담임 선생한테 그 사실을 쉽게 알릴 수 있으리라고 생각한 자신의 판단이 빗나간 데 대한 당혹감으로 그는 떨고 있는 것이다.

— 인마, 느덜이 생각한 것처럼 난 담임 선생의 첩자가 아냐.

나는 다시 정수의 눈에 맞춰 눈싸움을 벌였다. 정수는 금방 울음을 터뜨릴 것 같은 표정이었다. 자칫하다가는 이 녀석이 발광을 할는지도 모른다는 생각이 들었다.

1학년 때 나는 해중이란 아이가 기표 때문에 학교를 그만둔 일을 알고 있었

---

16 애로 사항(隘路事項) 어떤 일을 하는 데 장애가 되는 일의 항목이나 내용.

다. 그 애 역시 재수파였다. 다섯 놈이 캠핑을 나가 여학생 하나를 결딴냈다. 피해자 측에서 사생결단하고 덤벼 일이 크게 번졌다. 당한 애가 인상을 말했기 때문에 범위는 대번 좁혀져 재수파들이 학생부실에 불려 갔다. 그러나 그들은 한사코 잡아뗐다. 하루 내내 족쳐도 헛일이었다. 여학생과 대면을 시키겠다고 해도 만나게 해 달라고 날뛰었다. 그때 그들 재수파 중의 한 아이 어머니가 학교에 나타난 것이다. 그네는 학생부실에 들어가기가 무섭게 기표를 손가락질했다. 저놈, 저놈이 우리 해중일 맨날 불러냈지! 우리 해중일 망치는 놈이 바로 저놈이라우! 모두 기표를 바라보았다. 기표는 눈썹 하나 까닥하지 않은 채 해중이를 돌아다보았다. 이 새끼야 내가 느네 엄마 말대로 널 맨날 불러냈냐? 소름이 끼치도록 낮고 매서운 추궁이었다. 말해라, 이 녀석아, 왜 사실대로 말 못 하는 게야? 해중이 엄마가 퍼 댔다. 말해! 기표가 씹어뱉듯 말했다. 해중이가 느닷없이 몸을 와들와들 떨기 시작했다. 그리고 미친 사람처럼 부르짖기 시작했다. 엄마, 기표는 우리 집에 한 번도 안 왔어. 우리 집도 모른단 말이야. 선생님, 접때 그 일은 제가 했어요. 딴 학교 애들하고 그랬단 말예요. 그는 말을 마치기가 무섭게 학생부실 시멘트 벽에 머리를 두어 번 부딪쳤다. 해중이가 병원으로 들려 간 뒤 학생부 선생이 함께 조사를 받던 놈들한테 물었다. 해중이 말이 사실이냐? 기표가 고개를 끄덕거린 다음, 그 썅새끼- 하고 중얼거렸다. 다른 애들도 모두 기표처럼 고개를 끄덕거렸다. 해중이가 스스로 학교를 물러난 것으로 일은 끝나 버렸던 것이다.

"아직 멀었냐?"

담배를 피운 다음 책상에 앉아 잠시 졸고 난 선생이 다시 물었다.

"느 정말 오늘 왜 이렇게 늦냐?"

우리들은 대답할 수가 없었다.

"어때, 90점 이상 많이 나오냐?"

"하나도 없는데요."

"참 느덜 공부 안 해 큰일 났다."

그때 화학실 문이 열렸다. 넙쩍이 아가씨가 거기 서 있었다.

"왜, 나한테 전화 왔냐? 여자지?"

그러나 넙쩍이 아가씨가 헐떡이는 목소리로 말했다.

"전화가 아네요. 선생님 빨리 내려가 보세요. 야단났어요."

담임 선생이 허둥지둥 달려나갔다. 정수의 얼굴이 하얗게 질리고 있었다.

"유대야, 말하는 건데 그랬다."

"난 네가 말할 줄 알았지."

"아까 네가 말랬잖아? 난 네가……."

정수는 금방 울음을 터뜨리기라도 할 듯 얼굴을 우그러뜨렸다.

"기표가 안 좋아할걸, 고자질하는 거 말이야."

"그렇지만 형우가……."

"아마 형우도 원하지 않았을 거다."

"왜, 왜 그렇게 생각하니?"

"응, 형우는 자신이 스스로 그렇게 당하길 원했거든."

정수가 무슨 얘기냐는 듯 나를 보았지만 나는 짐짓 딴전을 부렸다.

"죽진 않았을 거다."

우리들이 답안지를 정리해 들고 교무실로 내려왔을 때는 교무실은 넙쩍이 아가씨 혼자 있었다.

"김 선생님이 빨리 한강병원으로 오라고 하던데요."

"무슨 일이래요?"

"어떤 아줌마가 아까 막 달려와서 학생들이 뒷산에서 사람을 죽인다고 해 학생 주임 선생님이 가 봤더니요, 2학년 13반 반장이 혼자 뒹굴고 있더래요."

우리들은 학교에서 가까운 한강병원까지 단 한마디 말도 않은 채 달려갔다. 죽지 않았을 거다. 나는 뛰면서 생각했다. 기표가 사람을 죽일 리가 없지. 기표는…….

형우는 응급실 의자에 엉거주춤 누워 있었다. 형우가 외관상 멀쩡해 보이는 데 대한 한 가닥 실망이 스쳤다. 그러나 자세히 보니 형우의 얼굴은 퉁퉁 부어 있었고 임시로 잡아맨 넓적다리의 붕대 위엔 꽃송이처럼 선명한 핏자국이 피어올랐다.

우리를 발견한 형우가 재빠른 동작으로 손가락 하나를 퉁퉁 부은 제 입술에 댔다가 떼었다. 나는 고개를 끄덕거려 주었다.

"유대야, 너 형우네 집 전화번호 알지?"

학생 주임과 함께 서 있던 담임이 물었다.

"모르겠는데요."

나는 시치미를 떼며 형우의 표정을 살폈다. 형우는 얼굴을 찡그리며 말했다.

"선생님, 제발 저를 그냥 돌아가게 해 주세요. 전 아무렇지도 않단 말씀이에요."

"인마, 여길 나가기 전에 사실대로 대란 말이다."

학생 주임이 다그쳤다.

"말씀드릴 수 없습니다. 제가 잘못한 일로 싸웠는데 왜 친구들을 괴롭혀야 합니까."

"인마, 넌 싸우지 않았어. 본 사람이 그랬어, 네가 몰매를 맞더라고."

"아닙니다. 선생님, 제가 먼저 그 아이한테 시비를 걸었던 것입니다. 그리고 싸웠던 겁니다."

"그게 누구냔 말이다."

"말할 수 없습니다."

"너 정말……."

학생 주임이 혀를 내둘렀다.

"너 정말 학교를 허수아비로 아는 거냐? 학교 다니기 싫어?"

"저는 처벌을 달게 받겠습니다. 그러나 그 아이들을 말할 수는 없습니다."

담임 선생은 얼굴에 그늘을 깐 채 팔짱을 끼고 한편에 묵묵히 서 있었다. 우리 반의 일사불란한 항해를 거스른 자가 누구일 것인가, 그것을 생각하고 있는지도 몰랐다. 이제야말로 우리들 손에서 고삐를 낚아채어 거머쥐고 목을 옥죄고 싶은 심정일 것이다.

"유대, 넌 알 거다, 형우를 때린 놈들이 기표네 패라는 걸 말이다."

"형우가 그렇게 말했나요?"

"그런 건 아니지만 그건 틀림이 없다. 기표 놈이 아니곤 그런 짓을 할 놈이 없다."

담임은 헐떡거렸다. 양같이 순하게 길들여졌다고 확신했던 자신의 어리석음을 질타하고 있을 것이다.

"선생님, 형우가 뭘 잘못했다는 걸까요?"

내가 짐짓 떠보았다.

"형우가 거짓말을 하고 있는 거다. 잘못하기는커녕 형우가 그놈들을 위해서 얼마나 많은 일들을 했는지 넌 모를 게다."

담임 선생은 몹시 흥분하고 있었다. 기표에 대한 혐오감으로 해서 얼굴이 벌겋게 달아올랐다. 기표를 미워하다니. 나 역시 담임 선생에 대한 적대감으로 몸을 떨었다.

"뭡니까, 선생님. 형우가 기표를 위해서 무얼 했단 말입니까?"

내 반감 짙은 어투에 놀랐는지 담임 선생은 좀 멈칫했다. 그러나 곧 비웃음을 섞어 말했다.

"인마, 나는 다 알고 있어. 기표가 저질러 온 짓 말이다. 유대, 너도 기표한테 당했잖아! 그리고 너희들이 그놈들 부정행위를 거들어 준 것도 알고 있다."

그랬겠지. 나는 속으로 신음처럼 중얼거렸다. 무서웠다. 어른들의 저 음흉스러움, 알면서도 모른 체 시치미를 뗀 그 저의는 무엇인가.

형우는 우리들 사이에서 일약 영웅이 돼 버렸다. 예상 안 한 건 아니지만 그 여세는 보통이 아니었다. 3학년에도, 1학년 하급생들도 2학년 13반 반장 임형우가 입에 올랐다. 전치 2주의 상해를 입고도 끝내 그 상대를 입에 올리지 않음으로 해서 형우의 존재는 풍선처럼 부풀었다.

기표가 그 사건 다음 날부터 내리 사흘이나 학교에 나오지 않았어도 재수파들은 학생부에 불려 가지 않았다. 아무도 그것을 문제 삼지 않았다.

담임이 학교에 나오지 않는 기표를 찾기 위해 뚝방 동네를 연이틀이나 헤맨 사실도 학교에 널리 알려졌다. 기표가 학교에 나온 날 담임은 조회 시간에 간단히 말했다.

"최기표 군은 그동안 피치 못한 가정 사정으로 결석했다. 앞으로 다시는 결석이 없을 것으로 안다."

항상 빳빳하게 쳐들고 앉았던 기표의 고개가 잠깐 숙여지는가 싶게 느껴졌다. 그것은 이상한 조짐이었다.

형우가 병원에서 퇴원을 해 2주일 만에 학교에 나왔다. 악수 세례가 쏟아지고, 등을 두드리고, 체육 시간에는 헹가래까지 시키려고 했지만 형우가 도망을 쳤다. 그렇게 하면서 우리들은 숨죽여 기표의 동정을 살폈다. 그러나 그의 차가운 시선에 부딪힌 아이들은 섬뜩한 느낌으로 고개를 돌리곤 했다. 나는 후우- 가슴을 쓸어내렸다.

"형, 우리 미술 시간에 라면 먹으러 갈까?"

내가 말을 건넸다. 우리들은 가끔 후동 교사 뒷담을 넘어 구멍가게에서 라면을 사 먹은 다음 감쪽같이 들어오곤 했다. 재수파들이 그 전문이었던 것이다.

"필요 없어."

기표가 쳐다보지도 않은 채 퉁명스럽게 뱉었다. 그는 국어책을 읽고 있었다.

안톤 슈나크의 〈우리를 슬프게 하는 것들〉 — 울음 우는 아이는 우리를 슬프게 한다.

다른 반 애들이 말했다. 선생들이 교실에 들어올 때마다 임형우의 일화가 예로 들어지면서, 학우를 아끼고 의리로써 지켜 준 참다운 우정과 반의 결속을 위해 담임 선생님과 함께 남모르게 애써 온 그 숨은 이야기가 술술 펼쳐지더란 것이다. 교정에 모여 선 아이들도 입에 입에 형우의 얘기로 만발했다.

"우리들이 커닝을 도와준 것이 기표의 비위를 상하게 한 모양이지?"

병원에 있을 때는 남의 눈을 생각해 못 물어본 걸 하굣길 둘만의 자리가 됐을 때 내가 넌지시 물어보았다.

"글쎄 그런 것 같았다."

형우가 짐짓 좌우를 둘러보면서 대답했다.

"그때 그 일, 담임 선생님이 시켜서 한 거지?"

내가 넘겨짚자 형우가 한순간 당황하는 것 같았다. 언제고 밝히고 싶었던 것이라 나는 다시 다그쳤다.

"그렇지?"

"꼭 그런 건 아니지만 그 문제를 담임 선생님과 의논한 건 사실이다."

"합법적으로 만들기 위해서냐?"

"아니다. 담임 선생님이 기표를 나한테 일임하겠다고 말했기 때문이다. 선생님은 기표를 구원해 주고 싶었던 것이다."

"그랬겠지. 형우야, 넌 지금 네가 기표를 구원했다고 보니?"

"아직 완전히는……. 그러나 멀지 않았다."

나는 웃어 주었다.

"기표는 그렇게 생각하지 않을걸. 형우, 네가 구원해 주고 있다고 말이야."

"그것은 기표가 생각할 일이 아니다."

"무슨 뜻이냐?"

"우리가 무서워했던 건 기표가 아니라 기표를 둘러싸고 있는 재수파들이었다."

"그런데?"

"이제 그 조직은 없어졌다."

"무슨 근거로 그렇게 말하는 거냐?"

"내가 병원에 있을 때 그 애들이 모두 나한테 사과하러 왔다. 하나하나 서로가 모르게 다녀갔다."

"기표두 왔었니?"

내가 헐떡이면서 물었다.

"오지 않았다. 그러나 난 그런 놈한테 사과도 받고 싶지 않다."

그럴 테지. 나는 후우 가슴을 쓸어내렸다.

"그래, 다른 애들이 너한테 사과를 했다고 해서 재수파가 없어졌다고 생각하는 건 잘못일 거야."

"물론 겉으로야 그대로 남아 있겠지. 그러나 그들은 이빨 뺀 뱀이나 다름없어. 걔들이 모두 나한테 말했다. 기표는 악마라고. 자기들 피를 빨아먹고 사는 흡혈귀라고."

형우와 갈라서야 하는 길목에 와 있었다. 나는 형우네 집 쪽으로 따라가며 물었다.

"너 지금 무슨 얘길 하는 거냐?"

형우가 나를 향해 싱긋 웃었다.

"기표는 다 아는 것처럼 가난한 집 애다. 거기다가 그 부모가 다 병들어 누워 있다. 시집간 기표 누나가 주는 돈으로 겨우겨우 먹고 산댄다. 기표 동생이 셋이나 있다. 기표 바로 밑의 동생이 버스 안내원을 해서 생활비를 보탰는데 요즘 무슨 일로 해서 그것도 그만두었다. 아무튼 생활이 말두 아니란 거야. 재수파들이 매달 얼마씩 모아 생활비를 보태 줬다는 거야. 집에서 돈을 뜯어낼 수 없는 애들은 혈액은행에 가 피를 뽑아 그 돈을 내놓았다는 거다."

"그렇게 해 달라고 기표가 강요한 건 아닐 텐데."

"마찬가지다. 재수파들은 기표가 무서웠다는 거야."

"지금도 무서워하고 있는걸."

"그렇지 않아."

병원에서 지내는 동안 혈색이 더 좋아진 형우가 자신 있게 말했다.

"이제 아무도 기표를 무서워하지 않게 될 거다."

형우가 손을 흔들고 자기 집 골목으로 사라져 버렸다. 그는 유능한 반장이 틀림없다고 나는 생각했다. 씁쓸한 느낌이 가슴을 스쳤다.

담임의 예언대로 기표는 결석을 하지 않았다. 형우와 기표 사이에도 이렇다 할 마찰이 없이 여름 방학이 지났다. 교실에서 도시락이 없어지는 일도 드물었다. 물론 재수파들이 기표를 찾아 교실에 들락거리는 횟수는 잦았지만 아이들은 그다지 신경을 곤두세우지 않아도 되었다. 기표는 여전히 침묵하고 있었다. 담임 선생이 가끔 기표에게 학급 사무를 맡기는 게 눈에 띄었다. 기표가 별 표정 없이 그런 일을 맡아 했다.

그날도 기표는 담임 선생의 지시에 의해 체육부실에 내려가 우리 반 아이들의 체력 검사 통계를 내고 있었다. 그럴 시각 담임 선생이 말했다.

"66명이 탄 우리 배는 순풍을 맞아 참으로 순탄한 항해를 하고 있다. 다 여러분의 노력에 의한 것이라고 생각한다. 그런데 한 가지 알려 줄 게 있다. 여러분의 한 친구가 매우 어려운 처지에 놓여 있다. 그 자세한 얘기는 반장이 해 줄 것이다. 다만 담임으로서 당부하고 싶은 것은 그것이 남의 일 아닌 내 일이라고 생각해서 그 사람을 돕는 일에 앞장서 주기 바란다."

담임 선생이 교단에서 내려서고 그 대신 반장 임형우가 사뭇 엄숙한 표정으로 단 위에 섰다.

"담임 선생님의 말씀처럼 지금 우리 친구 하나가 매우 어려운 처지에 놓여 있다. 좀 늦은 감이 있지만 지금이라도 힘을 합쳐 그 친구를 구원해 주어야 한다고 생각한다."

이렇게 서두를 잡은 형우는 언젠가 하굣길에서 내게 들려준 기표네 가정 형편을 반 아이들한테 이야기하기 시작했다. 그런데 놀라운 일은 형우의 혀였다. 나한테 얘기를 들려줄 때의 그런 적대감은 씻은 듯 감추고 오직 우의와 신뢰 가득한 말로써 우리의 친구 기표를 미화하는 일에 열을 올렸던 것이다.

기표 아버지가 중풍에 걸려 식물인간처럼 누워 있는 정경이며 기표 어머니의 심장병, 그러한 부모들을 위해서 버스 안내원을 하던 기표 여동생의 눈물겨운 얘기, 라면으로 끼니를 때우는 기표네 식구들의 배고픔이 눈에 보이듯 열거되었다. 그런 가난 속에서도 가난을 결코 겉에 나타내지 않고 묵묵히 학교에 나온 기표의 의지가 또한 높게 치하되었다. 더구나 그런 가난 속에서 유급을 했기 때문에 1년간의 학비를 더 마련해야 했던 그 고통스러운 얘기도 우리들 가슴에 뭉클 뭔가 던져 주었다.

"나는 얼마 전 기표가 버스 안내원을 하던 여동생을 몹시 때린 일을 알고 있습니다. 그 여동생은 몸이 약해 버스 안내원을 그만두었던 것인데 생활이 더 어렵게 되자 돈을 벌기 위해 술집에 나가기로 했었다는 것입니다. 우리는 그 여동생이 앞으로 어떤 무서운 수렁에 떨어져 내릴는지 아무도 알 수가 없습니다."

반 아이들은 사뭇 숙연한 자세로 형우의 말에 귀를 기울였다.

형우는 기표네 가정 사정을 낱낱이 얘기함으로써 이제까지 우리들에게 신화적 존재로 군림해 온 기표의 허상을 빈곤이라는 그 역겨운 것의 한 자락에 붙들어 맨 다음 벌거벗기려 하는 것 같았다. 기표는 판잣집 그 냄새나는 어둑한 방에서 라면 가락을 허겁지겁 건져 먹는 한 마리 동정받아 마땅한 벌레로 변신되어 나타났다.

"한 가지 또 알려 줄 게 있습니다. 그것은 어려운 처지의 친구를 위해서 이제까지 남이 모르게 도와 온 우정이 있다는 것입니다. 그것은 기표의 가까운 친구들입니다. 이제까지 우리들이 재수파라고 불러 온 아이들입니다. 우리들이 무시해 온 그들이야말로 진정 아름다운 우정이 어떤 것인가를 보여 주었던 것입니다. 그들은 매달 용돈을 저축하고 또는 방학 때 공사장에 나가 일을 해서 받는 돈으로 기표를 도와 온 것입니다. 그들 중에는 매달 자신의 귀한 피를 뽑아 그 돈을 내놓기도 했습니다. 한 달에 피를 세 번이나 뽑았기 때문에 빈혈을 일으켜 병원에 입원했던 사람도 있습니다. 사회에서 구원받지 못한 가난을 우정으로써 구원하려 한 그들이야말로 훌륭한 정신의 소유자입니다. 협동과 봉사- 기여 정신의 산증인들입니다. 우리들은 가끔 학교에 싸 가지고 온 도시락이 텅텅 비어 있는 것을 발견하고 기분 나쁘게 생각한 적이 있습니다. 그것은 진정으로 배고파 보지 못한 우리들의 우매함이었습니다. 남의 찬 도시락을 훔쳐 먹어야 했던 우리의 가난한 이웃을 우리는 너무나 모르고 지냈습니다. 나는 반장으로서 그 사실을 몹시 부끄럽게 생각합니다. 그것을 사과하는 뜻에서 나는 오늘이라도 우리의 친구 기표를 돕는 일에 앞장서기로 결심한 것입니다."

아이들이 술렁거리기 시작했다. 깊은 감동의 강물이 모두의 가슴 한가운데를 출렁이며 흘러가고 있었던 것이다.

담임 선생이 교단으로 다가갔다. 그는 주머니에서 만 원짜리 한 장을 꺼내어 교탁 위에 놓았다. 반장도 안주머니에 손을 넣었다. 아이들이 조용한 술렁거림 속에서 모두 돈을 찾아 들었다.

"오늘 돈이 없는 사람은 내일 가져오는 게 어떻습니까?"

한 아이가 일어나서 큰 소리로 제안하자 모두, 그럽시다- 소리쳤다. 박수가 쏟아져 나왔다.

모 일간지 편집부 국장을 지내는 학부형이 우리 반에 있었다. 담임 선생님과 반장이 그 학부형을 만나러 갔다. 그 신문사 기자가 학교에도 여러 번 다녀갔다.

며칠 뒤에 신문 미담란에 우리 반 얘기가 크게 다뤄졌다. 박스 기사였다. 기표의 갸륵한 효성에서부터 재수파들의 우정 어린 피 뽑기와 급우들로부터 시작된 친구 돕기 운동이 전교적으로 파급되어 이룩한 성과가 자세하게 났다. 기표의 여동생 얘기도 끼어 있어 그 기사를 읽은 우리들의 콧등이 새삼 찡했다. 기사 맨 위에 담임 선생과 반장, 그리고 기표의 사진이 박혀 있었다. 교장 선생님의 지시에 의해 그 기사는 각 교실 뒤편 게시판에 붙이게 돼 있었다.

그 신문 기사가 나가고부터 월요 조회 때마다 교장 선생님은 사회 각계에서 보내오는 성금과 위문편지를 최기표에게 전달했다. 담임 선생도 종례 때면 기표에게 편지 여러 장을 건네며,

"거기 여학생 편지도 많이 있으니까 혼자 몰래 보라구."

아이들이 와하하 웃었다. 기표가 얼굴을 벌겋게 달구며 편지 다발을 책상 속에 넣곤 했다. 그럴 때마다 아이들이 박수를 쳤다. 실로 화기애애한 반이 되었던 것이다.

"기표 얘기가 영화로 된다며?"

"그렇대. 재수파들을 중심으로 한 얘긴데 텔레비전에 나오는 〈제3 교실〉 같은 거겠지."

어디서 나온 얘긴지 기표의 얘기가 영화로 만들어진다는 소문이 파다했다. 이제 아이들은 아무도 기표를 무서워하지 않았다. 형이라고 호칭하는 아이도 드물었다. 아무나 곁에 가서 말을 걸 수가 있었고 때로는 어깨도 쳤다.

그것은 기표가 아주 부끄러움을 잘 타는 아이로 변해 버렸기 때문이다. 누구를 만나도 수줍어하는 그 아이는 그렇게 당당하던 체구마저도 왜소하게 짜부라진 채 우리가 보통 사진을 찍을 적에 '치이즈' 하고 웃듯 그런 미소를 얼굴에 담고 있었다.

우리는 그렇게 미소 짓는 기표의 얼굴을 보면서 일사불란한 항해를 계속했다. 담임은 더욱 깊은 이해로써 우리 반을 돌봐 주었다. 반장 형우는 그 나름의 성실과 지혜로 '우리'를 위해 헌신했다. 우리 교실에 들어오는 선생님마다 칭찬

의 말을 아끼지 않았다. 기표의 얘기가 영화로 만들어진다는 얘기가 더욱 구체적으로 드러나기 시작했고 우리들은 덩달아 들떠서 술렁거렸다.

그러던 어느 날 우리는 기표의 자리가 빈 것을 알았다. 다음 날도 그는 결석했다. 무단 결석이었다. 담임 선생이 한 아이를 기표네 집에 보냈다.

"집에도 없어. 이틀 전에 집을 나갔대."

우리들은 서로 얼굴을 마주 보며 술렁거리기 시작했다. 뭔가 심상찮은 생각들이 머리를 스치고 지나갔다.

기표가 내리 사흘이나 결석을 한 아침 나절이었다. 수업 중인데 담임이 형우와 나를 찾는 쪽지가 왔다.

우리가 교무실에 내려갔을 때 담임 선생은 병색이 완연해 뵈는 어떤 여자와 얘기를 나누고 있었다. 그네는 초가을인데도 낡고 두터운 오바[17]를 걸치고 있었다.

"아이구, 우리 기표 친구들이구만, 시상에 이렇게 고마운 친구들이 어디 있겠누. 그런데 이눔에 자슥이……."

그네는 몸을 일으켜 우리에게 굽실거리며 때 낀 손수건으로 눈물을 찍어 냈다. 그네는 우리의 손을 더듬어 쥐고 싶어 했다.

"자, 이제 고만 돌아가십시오. 애들하고 의논해서 찾아보겠습니다."

담임 선생은 기표 어머니를 내쫓듯 교무실에서 밀고 나갔다. 그네는 교무실을 나가며 자꾸 아쉬운 듯 우리들 얼굴을 돌아다보았다.

그네를 배웅하고 돌아온 담임이 의자에 소리 나게 주저앉으며 부들부들 떨리는 손으로 담배를 피워 물었다.

"이 망할 새끼가 끝까지 말썽이란 말이야."

그는 담배 연기를 깊이 빨아들였다가 내뿜으며 투덜거렸다.

"내일 천일영화사 사람들하고 만나기로 약속한 날이잖나? 그런데 이 망할 새

---

17 오바 외투. '오버코트(overcoat)'에서 비롯된 말이다.

끼가…….”

그는 서랍에서 편지 하나를 꺼내 우리들 앞에 내던졌다. 기표가 바로 밑의 여동생한테 보낸 편지였다. 편지 맨 앞줄에 이렇게 쓰여 있었다.

— 무섭다. 나는 무서워서 살 수가 없다.

(1980년)

공중누각

최수철

최수철(1958~)

강원도 춘천에서 태어나 1981년 〈조선일보〉 신춘문예에 〈맹점〉이 당선되며 문단에 등장했다. 최수철은 〈공중누각〉에서 자의식에 대한 치밀한 묘사를 통해 현대 사회의 소통 부재라는 문제를 다루었다. 그는 인간의 의식과 언어에 대한 집요한 탐구를 소설로 형상화한 작가이다. 이러한 경향은 〈공중누각〉을 비롯하여, 신체 언어에 대한 탐색을 보인 〈소리에 대한 명상〉 〈시선고〉 〈말(馬)처럼 뛰는 말(言)〉 〈코〉 〈몸짓 언어〉, 만남의 언어, 건강한 소통의 언어를 추구한 《화두, 기록, 화석》 등에서 두드러지게 나타난다.

•
•

그는 아직 졸음이 섞여 있는 눈을 가늘게 뜨고 의자에 앉아 있었다. 그는 창밖의 담과 길을 바라보고 있는 것이 아니라 그저 텅 빈 시선을 그쪽으로 고정시키고 있었으므로 투명한 유리창을 바라보고 있다는 표현이 더 정확할 것이었다. 유리창 뒤에는 바다색 방충망이 있어서 가뜩이나 날씨가 흐린 바깥의 풍경은 그에게 점묘화[1]처럼 미세한 입자들로 분할되어 있는 듯이 보이다가 때때로 눈의 초점이 졸음으로 더욱 흐려질 때에는 바둑판무늬의 물결처럼 보이기도 했다.

그러나 그가 점점 더 안구에 힘을 줌에 따라 그물 사이의 미세한 각각의 조각들도 차츰 그 윤곽을 드러내기 시작했다. 그리고 그 풍경의 부분들은 나일론 그물의 날과 올 덕분에, 그것들이 속해 있는 담벼락이나 줄장미, 은행나무 등등의 전체에서 독립하여, 모두 나름의 색깔과 소리와 냄새의 독특한 성질을 가지면서 이를테면 감각의 무정부 상태를 준비하기 시작했다. 맞은편 건물 중앙에 붙어 있는 창문의 푸른색이 게릴라처럼, 아니면 인디언 전사처럼 그물코를 타고 조금씩 확산되어 나가다가 줄장미의 붉은색과 초록색에 부딪혀 갑작스럽게 원래의 크기대로 수축되어 버리고, 줄장미의 붉은색과 푸른색은 바람 탓인지 가볍게 몸을 움직이면서 원숭이처럼 그물눈의 이쪽에서 몇 칸 건너 저쪽까지 넘나들고 있었다. 그러자 밤새도록 어두운 방구석에 버려져 있던 그의 코와 귀, 눈의 감각 세포들이 뇌(腦)가 잠들어 있던 동안에 부스럭거리고 뒤척이며 꾀하고

1 점묘화(點描畫) 점으로 찍어서 그린 그림.

있던 음모를 결행[2]이라도 하려는 듯이 조금씩 반란을 일으키기 시작했다. 그의 감각 세포들은 방충망의 잘고 무수한 그물코를 통해 멋대로 바깥 풍경의 조각들을 끌어들여서 스스로 자극을 받고 기꺼워하며 흥분하거나 제풀에 기가 꺾이곤 하는 것이었다.

시신경 세포 속에서 단단하게 뭉쳐진 진흙 덩어리 하나가 그물코를 빠져나가 요란한 소리를 내며 앞집 창문을 산산조각으로 부수어 버렸다. 회색 창문이 열리면서 붉은색 상의의 여인이 머리를 내밀어 무심하게 밖을 살폈다. 그녀에게서 장미꽃 내음이 나는 듯하다가 이내 코를 찌를 듯한 매캐한 냄새가 그의 귓구멍 속에서 붉은 여인이 지르는 몇 마디 말과 뒤섞여서 아래턱을 떨리게 할 정도의 불협화음을 일으켰다.

그는 속으로 빨리 이 비정상적인 상태에서 벗어나서 정상으로 돌아가야 한다고 소리치고 있었다. 그러나 그는 그의 안과 밖의 혼란, 혹은 반죽 덩어리의 뒤섞임 속에서 오히려 온몸의 아홉 개 구멍이 서로 뚫려서 공기가 자유로이 내왕하는 듯한 조금 휑하기까지 한 트임, 허공으로 떠오를 수도 있을 듯한 무중력을 느끼고 있었다. 그런 상태가 한동안 더 지속되었더라면 앉은 자세 그대로 승천(昇天)을 하거나 입지(入地)를 할[3] 수 있었을지도 모르는 일이었다. 아니면 최소한 그의 모든 감각 기관은 물론 신체의 각 부분들이 전혀 그의 의지에 상관없이, 예를 들어 이두박근이 불쑥불쑥 튀어 오르거나 안면 근육이 씰룩거리면서 이완과 수축을 거듭하는 일이 일어났을지도, 심지어는 온몸의 살갗이 파동을 일으키는 물결처럼 제멋대로 밀렸다가 펴지는 일을 되풀이했을지도 또 모르는 일이었다.

그러나 그는 엉덩이를 받쳐 주는 나무 의자의 감촉을 느끼기 시작하면서 자

2 결행(決行) 결단하여 실행함.
3 승천을 하거나 입지를 하다 승천입지. 하늘로 오르고 땅속으로 들어간다는 뜻으로, 자취를 감추고 없어짐을 이르는 말.

신의 콧구멍이나 귓구멍·망막·콧날개[4]·눈꺼풀·혀끝·귓바퀴에서 꿈틀거리는 자극들을 불편하게 여기기 시작했다. 다시 말하면 한 발 뒤로 물러서서 그것들을 바라보게 되었던 것이었다. 그때 그는 풍경을 모자이크화처럼 조각조각으로 해체하는 것이 앞쪽에서 시야를 막고 서 있는 바다색 방충망이라는 사실을 새삼스럽게 깨달을 수 있었다. 그는 몸을 일으키고 손을 뻗어서 그것을 확인했다. 그 순간 그는 갑자기 그 망(網)이 얼굴에 덮쳐드는 듯한 착각을 느끼며 의자에 털썩 주저앉았다.

이제 잠은 완전히 달아난 셈이었다. 그러나 여전히 창을 향해 고정되어 있는 그의 시각의 귀퉁이에서 그는, 티끌이 눈에 들어간 듯 그를 괴롭히는 엷은 갈색의 덩어리를 보았다. 그는 간신히 초점과 방향을 맞추어 그것을 바라보았다. 그것은 바깥쪽에서 방충망에 올라앉아 그에게 배를 들이대고 있는 작은 나방이었다. 보통 나방들처럼 날개로 몸을 싸거나 수평으로 펴지 않고 날개를 아래쪽으로 곧게 내려뜨린 그것은 여러 개의 다리로 망에 단단하게 매달려서 미동도 않고 있었다. 그는 창문을 열고 얼굴을 그쪽으로 가져갔다. 나비보다 통통한 몸통과 두 개의 촉각[5]과 눈을 잠시 들여다보던 그는 엄지손가락과 집게손가락을 지렛대처럼 이용해서 그것을 가볍게 튕겼다. 그러자 그 작은 생물은 하마터면 발을 놓칠 뻔했다는 투로 요란스럽게 몸을 가누다가 이내 다시 조용한 자세로 돌아갔다. 그는 이번에는 손가락 끝에 힘을 주어서 새벽잠에 집착하는 나방의 아랫배를 세게 쳤다. 불시에 안쪽에서 가해진 타격에 밀려 나방은 공중에 날아올랐다가 날개를 퍼드덕거리면서 떨어져 내렸다. 그것은 어렵게 몸의 균형을 잡고 좀 전에 앉아 있었던 자리보다 훨씬 아래쪽에 내려앉았다. 그러고도 한동안 현기증 때문인지 고통을 견디어 내기 위해서인지 조금씩 몸을 움직이면서 부산떨기를 멈추지 않았다. 그는 손을 거두고 그것을 바라보았다. 그는 나방의 무늬

---

4 콧날개 '콧방울'의 잘못.
5 촉각(觸角) 더듬이. 절지동물의 머리 부분에 있는 감각 기관.

와 주름, 털 등의 세부 모습에 익숙해지면서 여느 날과 마찬가지로 새벽녘의 곤혹과 신체 각부의 고통이, 몸 위에서 쉬지 않고 걸어 다니는 다족류[6]의 곤충이 남기는 감각처럼 여기저기에서 피어오르는 것을 느끼고 있었다.

그는 의자에 앉은 채로 찌뿌드드한 몸을 이리저리 비틀어 보았다. 두 팔을 들어 어깨 위로 돌리고 힘을 주자 언제나처럼 팔과 어깨의 관절에서 두두둑 소리가 들렸다. 뼈마디가 조금은 상쾌해지긴 했지만 매일 아침마다 그러하듯이 그는 뼈마디에서 나는 소리에 섬뜩 놀라 팔을 멈추었다. 그러나 그는 매일의 주어진 일과를 성실히 수행하는 모범 장기 근속자처럼 다음 작업으로 들어갔다. 어금니를 꽉 물었다가 아래쪽 턱을 툭 내려뜨리자 역시 양쪽 방골(方骨)[7]에서 따닥 소리가 일어났다. 매번 아무 이상이 없었음을 알면서도 그는 성실하게 턱과 어금니 쪽을 쓰다듬으면서 혹시 위턱과 아래턱이 빠지지는 않았는가 하는 고장의 유무를 확인했다. 마르고 건조해진 그의 몸의 관절들은 철사로 연결된 양철 병정처럼 자주 불유쾌한 타음을 일으켰다. 계속해서 그는 두 손을 모아 쥐고 양쪽 열 개의 손가락을 꺾고, 이어서 양쪽 열 개의 발가락까지 일일이 꺾어서 도합 스무 개의 소리를 확인한 후에 의자에서 일어섰다.

손가락으로 말해서 검지에 해당하는 오른쪽 발의 두 번째 발가락 부분이 약간 시큰거렸다. 그 부분만은 이상하게도 여간해서 아침 작업에 협조적이 아니었다. 잘 소리도 나지 않았을뿐더러 겨우 소리를 낸 후에는 통증이 느껴지기 일쑤였다. 허리에 두 손을 대고 목을 한 바퀴 돌리자 부서지는 듯한 자잘한 소리들이 목 속에서 일어났다. 그 소리를 들을 때마다 그에게는 살점이라곤 별로 없이 잔뼈들로 이루어진 통닭의 목 부분이 연상되었다. 아마도 목이라고 구별되는 신체의 부위를 지닌 모든 척추동물들은 그 부분의 오밀조밀한 뼈의 조합에 있

6 다족류(多足類) 절지동물문에 속한 지네강과 노래기강을 통틀어 이르는 말. 대개 머리에 한 쌍의 촉각이 있고, 몸통은 여러 개의 마디로 되어 있으며 길쭉하다. 몸마디마다 한두 쌍의 발이 붙어 있다. 지네, 노래기, 그리마 따위가 이에 속한다.
7 방골(方骨) 위턱과 아래턱의 두 끝을 잇는 작은 뼈.

어서는 서로 유사할 것이었다.

그는 간단하게 아침 식사를 마치고 소파에 앉아 신문을 펴 들었다. 잠시 후 그는 고개를 떨구고 두 손을 의자의 팔걸이에 건 채, 무릎 위의 신문 석 장이 그의 발밑 여기저기에 흩어질 때까지 한동안을 일어나지 않고 있었다. 그러다가 언뜻 그는 그런 상태에서 꽤 오랜 시간이 지났다는 것을 깨닫고는 자리에서 몸을 일으켰다. 그의 거의 완벽한 무위(無爲)를 시간이 파괴한 셈이었다. 왜냐하면 최소한 그는 시간을 보내고 있는 것이 되어 버렸기 때문이었다.

앞의 꼬리를 송곳니로 깊숙이 물고 그의 뇌리를 스쳐 가는 무수하고 잡다한 상념, 혹은 영상들이 각기 어김없이 초(秒)와 분(分)의 단위로 환산되고 있었다는 사실에 그는 잠시 어리둥절해졌다. 그도 그럴 것이 그 상념들의 연쇄는 어떤 구체적인 궤적을 그리거나 각각의 상황이나 사건의 전반을 더듬는 것이 아니라, 단지 칸유리를 통과해서 흐리게 맺힌 상(像)처럼, 지극히 말초적인 그의 감정이 작은 거품으로 의식의 표면에 떠오르는 것에 불과했던 것이다. 여러 상념들은 컵에 부어 놓은 사이다 속에서 기포들이 정확하게 규칙적인 간격으로 위로 떠오르듯이 어떤 시간 차를 두고 그의 의식에 조그만 파문들을 일으키는 것이었다.

이러한 과정이 진행되는 동안 그의 자세에는 전혀 변화가 없이, 양쪽 손바닥을 활짝 열고 밑으로 무너져 내릴 듯이 앉아 있었지만, 거의 무표정하여 약간 입을 벌리고 있는 그의 얼굴 위에서는 간간이 변화가 일어나고 있었다. 세심하게 관찰해 보면 그는 멍한 표정의 사이사이에 미간을 찌푸려 콧등에 주름을 그어서 고통스러운 표정을 짓곤 하는 것이었다. 그 곤혹의 표정은 그의 머릿속에 기억하기 싫은 사건이나 상황이 불쑥 튀어나와서 그의 의식이 전파 방해를 받는 TV 화면처럼 잠시 온통 뒤죽박죽이 되어 버리는 상태였다.

사실 그는 이런 상태로 행동을 멈추고 생각이 제멋대로 치달리도록 내버려 두는 것은 위험하고 무모한 일이라고까지 생각하고 있었다. 왜냐하면 결국 지금 그의 자의식은 자기를 갉아 내고, 뜯어내고 치고받는 일 외에는 아무것도 생각할 수 없기 때문이었다. 그러나 그럼에도 불구하고 그는 손이 닿을 수 없는 곳에서부터 오는 고통을 감수하듯이 이 고문을 견디어 내고 있었다.

그것은 거의 대부분 그의 게으름에서 기인하고 있었다. 다시 말하면 그에게는 오랜 시간을 상념하면서 보내는 것과 무위의 시간을 견뎌 내기 위해서 상념에 몸을, 전 감각을 내맡기는 것이 역설적으로 거의 같은 것이었다.

따라서 그는 이 시간 동안에 모든 행위를 상념으로 대치시키는 노력을 주도면밀하게 수행하고 있었다. 예를 들어 혀끝에 올라선 갈증을 느끼면 그는 이런 상태에서는 냉장고로 다가가서 열고 물을 꺼내 벌컥벌컥 마시는 대신에, 이전에 언젠가 버스에서 발등이 밟혔던 기억이나 고층 빌딩의 옥상 난간에 서 있었을 때, 아니면 은행에서 주간지를 읽던 때의 기억을 꼼꼼하게 되살리곤 하는 것이었다.

물론 직접 물을 마시는 행위와 머릿속에서 쫓는 엉뚱한 상념이 처음에는 팽팽히 맞서지만 대개의 경우 그 머릿속의 생각으로도 갈증이 충분히 해소되곤 하는 것이었다. 그 긴장된 대립 상태는 그때의 충동의 성질에 따라 다르겠지만 그에게는 몇 가지 행위에 대해서 사전에 상념의 대응책이 준비되어 있었다. 말하자면 가려운 곳이 있으면 그곳을 긁는 행위 대신에 어느 겨울에 본 연극의 무대 한쪽에 이유 없이 놓여져 있던 목제 의자를 떠올리면 되었다. 그는 성적(性的)인 충동을 일으키는 대상, 즉 심지어 만년필이나 미지근한 물, 모래, 구름 등등을 피하는 불문율을 가지고 있었다. 왜냐하면 일단 생각이 그런 불건전한 식으로 빠져 버리면 정상적인 방법으로는 헤어 나올 수가 없기 때문이었다.

따라서 그는 생각의 흐름을 바로잡으려 하거나 아니면 생각이 끊기는 것을 막으려 할 때, 그저 지푸라기처럼 매달릴 것이 필요할 경우에, 그는 온몸을 동원해서 머릿속에서 땅을 파헤치기 시작하곤 했다. 그는 우선 삽과 손으로 잡목림을 걷어 낸다. 흙덩어리가 매달린 뿌리가 뽑혀 나온다. 자갈을 발로 차 내고 삽의 날을 세워 발로 밟아 땅에 깊이 박아 넣는다. 흙덩이를 한 삽 퍼내고, 이후 삽질 사이사이에 곡괭이를 하늘 높이 쳐들었다가 내리꽂는다. 흙가루가 튀어 얼굴에 부딪히고 손등으로 비비면 땀에 섞여 으깨어져서 얼굴에 발라진다. 큰 돌이 곡괭이질에 부수어져서 끌려 나온다. 잠시 후 다소 축축한 흙이 나오면 그는 먼지가 가라앉길 기다려 연장을 집어 던지고 구덩이 앞에 무릎을 꿇고 앉아 흙을 손으로 퍼내기 시작한다. 손끝이 얼얼해지고 기분 좋은 것은 흙냄새가 그를 흙기둥으로 화(化)하게 할 수 있을 듯한 정도의 도취감을 느끼게 한다.

대개의 경우 상념은 여기에서 그치고 만다. 그리고 집요하게 땅을 파는 행위는 그저 파는 행위에 지나지 않았고 그의 상념 속에서 무언가를 파낸다거나 파묻는 적은 한 번도 없었다.

그러나 그것은 어느 한도 내에서만 가능한 일이었다. 상념으로 육체적 감각과 행위를 충분히 오랫동안 상쇄시켜 나갈 수 있다 하더라도 급기야는 그 모두가 뒤죽박죽이 되어 버려서 순식간에 서로 굳은 매듭을 이루면서 점차 더 크고 둥근 덩어리로 불어나기 시작하는 것이었다. 그 실뭉치의 처음이나 끝부분이라 생각하여 실을 당겨 보면 오히려 더욱 단단하게 매듭을 짓는 결과를 초래할 뿐이었다. 그렇게 되면 그는 머릿속에 털실 뭉치가 채워진 듯한 기분에 빠져들게 되는 것이었다. 그것은 그저 약간의 탄력과 부피만을 지닌, 무게 따위는 가지지 않는 것이었다. 그때 그는 순전히 머릿속의 거북함 때문에 콧등을 찡그려 바로 그 곤혹스러운 표정을 짓게 되는 것이고, 그 틈에 결국 이번처럼 시간이 많이 흘러 버렸다는 깨달음이 그의 뒷골 위에 올라타게 되는 것이었다. 그리고 그런 깨달음을 얻자마자 그 실뭉치는 그 자체가 하나의 복잡한 매듭이 되어 버리는데, 그것은 아마도 무의식적으로 그가 여태껏의 상념들을 단번에 시간적인 순서로 재배열하려는 의지가 개입되었기 때문인 듯싶은 것이었다.

머릿속이 이렇듯 결석화(結石化)되는 것 같을 때, 그는 그 자리에서 벌떡 일어나 냉장고 쪽으로 달려가거나, 창문을 열어젖히거나, 때로 이미 가려움이 사라진 부위를 손톱을 세워 긁어 대곤 하는 것이었으나 그 매듭이 풀릴 가능성은 애초에 전무한 것이었다. 그때 그는 대개의 경우 자의식이 제멋대로 날뛰도록 내버려 둔 자신의 게으름을 탓하며 애써서라도 밀린 일상의 업무에 적응하여 처리하곤 했다. 그러나 그는 이날만은 자리에서 일어선 채로 정면을 응시하며 한동안 서 있다가 허리를 굽혀 바닥에 떨어져 있던 신문지를 두 손에 꾸겨 들고 허리를 편 다음, 냉장고 옆의 쓰레기통 속에 쑤셔 박았다. 그러고는 거의 간격을 두지 않고 구두를 끌면서 집을 나왔다. 빈정거리는 듯한 어감을 제(除)하고 원래 의미 그대로 가히 그는, 신탁이 내린 매듭을 칼로 내리친 알렉산더와 비견할 만했다.

등 뒤로 현관문을 닫은 후에야 그는 자신의 행위를 의식했다. 그는 자신을 붙잡는 일상 업무가 하나씩 생각날 때마다 앞으로 크게 한 걸음 내디뎠다. 잠시 후 이미 그는 큰길가에 나와 있었다.

바깥은 평범한 흐린 날씨와 역시 일상적인 거리와 사람들, 건물들이 적당한 배합으로 버무려져 있었다. 그는 음악 소리가 요란하게 울리고 있는 전파상 앞의 공중전화 박스 쪽으로 걸어갔다. 텅 빈 전화박스가 그에게 요술 상자나, 혹은 만화경, 혹은 주크박스처럼 여겨졌기 때문이었는지 확인할 길은 없지만 어쨌든 그가 보기에 좋았더라고 말할 수 있을 것이었다.

그는 바지 주머니에 오른손을 찌르고 박스 안으로 들어섰다. 일곱 자리 숫자를 돌리고 신호가 세 번 갔을 때 그는 상대방과 통화를 할 수 있었다. 그는 길 맞은편의 가구점 앞에 전시되어 있는 안락의자들을 바라보며 말했다.

"여보세요. (　　) 저, 실례지만…… (　　) 아, 나 방기본이야. (　　) 그래, 날세. (　　) 내가 올라왔는지 어떻게 알았나? (　　) 그래? (　　) 이제 며칠 됐네. (　　) 글쎄, 일단은 그럴 수밖에 없지 않나, 두고 봐야지. (　　) 그래. (　　) 오호, 그게 그렇게 되는구나. (　　) 별일은 아니야. 벌써 그렇게 됐나? (　　) 그렇지, 그럴 순 없지. (　　) 그럼, 그렇구말구. (　　) 요즘 바쁘겠군. (　　) 그래 그러지. (　　) 음, 잘 있게."

전화를 끝냈을 때 이미 기본은 눈으로 건너편 가구점의 의자 하나하나에 모두 앉아 보고 난 뒤였다. 의자들은 마치 여자들이 그러한 것처럼 각기 나름의 편리한 점과 불편한 점, 쓸 만한 점과 그저 버리기 아까운 점들을 가지고서 개성인 양 전시되고 있다는 느낌이 그가 간접적으로 앉아 보고 난 후의 감상이었다. 그때 무표정하게 전화박스를 벗어나던 그는 갑작스럽게 예의 그 표정, 그러나 이번에는 훨씬 도가 심하게, 미간과 콧잔등을 심하게 찡그리고 입까지 비틀면서 고개를 숙이고 걷기 시작했다.

그는 굳이 길을 건너려는 생각도 없이, 사람들이 모여 있는 횡단보도 앞에서 멈추어 섰다. 그는 입술을 뜨겁게 하는 담배꽁초를 뽑아 바닥에 던지고 밟으려 했다. 그러나 그것은 빠져나온 타일의 모서리에 튕겨서 차도에 내려서 있는 사내의 옆으로 굴러갔다. 기본은 어쩌는 수 없이 사내가 왼발을 들어 필터 부분을 지그시 밟아서 바닥에 비비기 시작하는 것을 바라보았다. 그리 세게 밟고 있지 않아서인지 꽁초는 천천히 해체되었다. 먼저 재가 된 검은 가루가 흩어져 나오다가 겉 종이가 터지면서 짙은 고동색의 내용물이 흩어졌다. 회색 타일 위에 검은 황토 흙을 뿌려 놓은 듯했다. 사내는 여전히 발바닥에 비비는 행위를 멈추지 않고 있었다. 이제는 누렇게 변색된 필터가 드러나면서 긴 조각으로 나누어져서 바닥의 흙과 담뱃가루에 섞이기 시작했다. 기본은 무표정한 얼굴로 사내의 발의 롤러 같은 기계적인 행위를 지켜보고 있었다.

그때 신호등이 바뀌며 사람들이 길을 건너기 시작하자 사내는 마지막으로 발목을 비틀어 세게 바닥을 비빈 후 앞으로 걷기 시작했다. 기본은 조금 늦게 사내를 따라 걸으면서 그를 관찰했다. 사내는 보폭이 제법 넓은 편이었으며, 발을 내디딜 때마다 흡사 바지를 추스르는 듯한, 엉덩이를 조금 치켜올리는 듯한 몸짓이 조금씩 나타나고 있었다. 반도 채 못 건너서 신호등의 불이 바뀌는 바람에 서둘러서 반대편 인도에 오른 기본은 천천히 발을 끌며 걸어서 사내의 뒤쪽 몇 보쯤 떨어진 곳에 서서 다시 담배를 피워 물었다. 사내는 버스 몇 대를 그냥 보내면서도 느긋하게 서 있었다. 조금씩 지루해지기 시작한 기본은 사내의 뒷모습을 바라보며 그제야, 조금 전 담배꽁초가 부서질 때 잠깐잠깐씩 자신의 살갗이 땅바닥에 비벼져서 림프액이 바닥에 스며들고, 실핏줄이 터지고 살점들이 잘게 갈겨져서 바닥에 고루, 그리고 다소 불결하게 흩어지는 기분을 느꼈기 때문에 자신이 이 사내에게 적대감을 가지고 있는지도 모른다고 생각했다. 그리고 그것은 다분히 타당한 일로 여겨졌다. 사내는 여전히 한가로운 자세로 길가의 테니스장을 넘겨보고 있었다.

그때 짐작할 수 있었던 대로 흐려졌던 하늘에서 빗방울이 떨어지기 시작했다. 비는 더 심해질 것 같지는 않고 그저 한동안 그런 식으로 지속되다가 말 듯했다. 그는 조금도 당황하지 않는 사내처럼 그 자리에서 비를 맞아야 했다. 빗물이 무엇인가를 씻어 낸다니 그건 천만의 말씀이라고 그는 생각했다. 빗방울은 마치 화농균[8]처럼 포장이 안 된 인도나 웅덩이 위로, 그리고 주위의 건물 위에 떨어져서 종기 같은 파문을 일으키고 있었고, 그의 몸에 닿으면서 아뜩아뜩한 무게로 이미 꺼져 버린 그의 의식의 재를 뒤적거렸다. 천식을 유발하는 습기가 도처에서 모든 사물들의 기관지에 경련을 일으키고 호흡을 곤란하게 하여, 이같이 빗방울이 듣는 날에는 사물들은 창백한 안면으로 눕지도 못하고 앉아서, 낮고 급하게 호흡을 해야 할 것이었다. 이 눅진한 습기는 삶이라거나 혹은 빈 병, 손수건, 혹은 그 외의 무엇으로도 불릴 수 있는 어떤 것을 서서히 마멸[9]시키고 부식시켜 버리거나 아니면 간혹 그것의 초라한 털을 적셔서 푸드덕푸드덕 몸을 흔들어 물기를 털어 버리도록 만들기도 할 것이었다.

그때 무심코 뒤로 돌리던 그의 시선은 코앞에 닥쳐온 한 사내의 모습에 세게 부딪혔다. 아주 허름한 차림의 그 사내 쪽에서도 전혀 그를 의식하지 못했던 것인지 사내가 기본을 바라보는 눈빛도 크게 흔들렸고 그에 못지않게 몸도 심하

8 화농균(化膿菌) 종기가 곪아서 고름이 생기는 화농을 일으키는 세균의 총칭.
9 마멸(磨滅) 갈려서 닳아 없어짐.

게 비틀거렸다. 그러나 어쨌든 기본은 그에게 방해물이면서 동시에 의지물일 수밖에 없었다. 서로 이쪽저쪽 몸을 놀리던 그들의 돌연한 마주침은 급기야 사내가 그에게 덮쳐들다가 기본이 옆으로 비키는 바람에 바닥에 나동그라지는 것으로 끝장이 났다. 사내는 이내 몸을 일으켜 다리를 꺾은 채로 땅에 주저앉아 일어설 염도 없이 멍하니 앞을 바라보고 있었다. 거의 초로(初老)[10]에 들어선 듯한 사내의 입가에서는 빗물과 분명히 구별되는 침이 흐르고 있었다. 이상한 점은 비가 별로 내리지 않았는데도 그의 바지는 거의 젖어 있었던 것이었다. 기본은 천천히 그의 옆을 지나쳤다. 그것은 왜냐하면 빗물이 빠르게 등줄기를 거쳐 사타구니로 흘러든 듯한 기분 때문이었다.

다시 말하면 그는 사내의 초점 없는 눈을 들여다보았을 때 그 눈알이 자신의 손바닥에 덜컥 올라앉는 듯한 감각을 거의 생생하게 느꼈던 것이었다. 그것은 연한 갈색으로서 그가 배운 대로 전체의 모양이 타원체가 아니라 거의 구형에 가까웠고 그 감촉은 매끄럽고 차가운 젤리와 같았으며 손바닥에 알맞게 수용되어서 조금만 힘을 줘도 물고기의 부레처럼 픽 하고 터져 버릴 듯했다. 그는 촛농이 손바닥에 떨어진 듯한 기분에서 벗어나기 위해 바짓단에 대고 손바닥을 썩썩 비볐다.

그가 다시 주위를 돌아보며 그의 담배꽁초를, 아니 그를 밟아 비비댔던 사내를 찾았을 때 이미 그 사내는 미행을 따돌리는 절호의 기회를 놓치지 않고 사라진 뒤였다. 대신 그 사내가 서 있던 쪽에는 노선버스 한 대가 막 마지막 승객을 태우고 떠나려 하고 있었다. 기본은 달려가서 떠나는 버스의 옆구리를 세게 두들겼다. 차는 다행히 다시 정거했고 그는 겨우 올라탈 수 있었다. 숨을 몰아쉬며 실내를 돌아보았지만 그러나 사내는 발견되지 않았다. 그는 서둘러서 김이 서린 차창을 손으로 비비며 사내가 서 있던 쪽을 바라보았다. 기본이 탄 버스가 떠

---

10 초로 초로기. 노년기의 초기로, 늙는 과정이 시작되는 대략 45~50세의 시기.

나자마자 그 사내가 입가에 웃음을 띠며 길모퉁이에서 걸어 나올 듯했기 때문이었다. 그러나 이미 버스는 네거리를 지나고 있었다.

그가 버스에서 내려 외국 재단에 의해 지어진 문화 단체의 건물 앞에 섰을 때는 비가 이미 그쳐 있었다. 그는 잠시 자료실 건물을 바라보며 그 입구에서 머뭇거렸다. 그 현대식 5층 건물은 창문을 제외하고는 외부 장식이 거의 없는 붉은 벽돌색의 직육면체였는데, 비가 온 탓인지 눅진함으로 충만된 그 커다란 덩어리는 자신의 육감적인 분위기를 더 견뎌 내지 못하고 밑동부터 무너져 내릴 듯한 모습으로 서 있었다. 그것은 습기와 큰 나무들이 이루어 주는 애매한 상황의 탓으로 다른 풍경들 속에 뭉뚱그려져서 조금은 방심한 태도로, 키 작은 서양인이 동양인들 사이에 스며 들어가 있듯이 겉으로 드러나지 않으면서도 본래의 오만한 냄새와 더 이상 숨길 수 없는 피곤함을 주체하지 못하고 있었다.

잠시 후 그는 머리카락을 손으로 털며 건물의 터진 부분, 악성 난치 종양과 같은 입구로 걸어 들어갔다.

그는 곧장 3층으로 올라가서 접수계의 여직원이 내민 출입자 명부를 펴 들었다. 그는 '15, 김공도, 대학원생, 미술, 회원'이라고 쓴 칸의 아래에, '16, 방기본, ·, 문학, 300'이라고 쓰고 300원을 지불했다. 그때 조그만 열쇠를 꺼내 든 여직원이 그를 올려다보며 물었다.

"소지품은 없나요?"

"없는데요."

그는 대답하자마자 너무나 빨라서 오히려 고저나 박자를 파악할 수 없는 그녀의 목소리에 무언가 여운처럼 남는 호기심을 느꼈다. 그는 대화를 연장시켰다.

"여기 책들은 관외 대출이 됩니까?"

"회원이 아니면 안 돼요."

그녀의 혀는 매우 짧았다. 스타카토로 튀어 오르는 그녀의 말의 음질들은 그 짧은 혀 때문이었다. 그러나 짧은 혀가 일으키는 분위기는 그 나름대로 의외로 오래 지속되고 있었다. 마치 성량이 풍부한 목소리가 귀청을 오랫동안 진동시키듯이.

명부를 받은 여인이 막 돌아서려는 그에게 물었다.

"직업은요? 여기 쓰셔야죠."

그러나 그는 그대로 몸을 돌려 앞으로 걸어갔다. 서가들 사이에 대여섯 명의 사람들이 앉아 있는 자료실 안은 매우 조용했다. 그는 그들의 정숙함 사이를 걸어서 서가들을 기웃거리다가, 문예지 한 권, 연극에 관한 잡지, 그리고 두툼하고 색감이 좋은 원서 두 권을 뽑아서 팔로 싸 들고 창가의 자리로 가서 앉았다. 그는 마치 몸의 어느 부위가 불편해서 스스로 진단을 내릴 수 있기 위해 의학 사전을 뒤지러 온 사람처럼 책을 읽었다. 그러나 그는 오줌 색깔의 변화에 따른 몸의 상태라거나 머리털이 많이 빠지는 이유 따위를 궁금해하는 사람보다는 훨씬 덜한 집중력과 흥미를 가지고 있었다.

그의 눈은 그저 끌려가듯이 글자의 행렬을 뒤따르고 있었다. 각각의 페이지에는 아래로, 옆으로 혹은 비스듬히 획획 삐치게 그어진 획들이 어떤 균열이나 아니면 날카로운 촉수처럼 선명하게 인각[11]되어 있었고, 간간이 간교한 곡선이나 원들이 마치 별일 없다는 듯이 뒷짐을 지고 서서 딴전을 피우고 있었다. 그리고 각 음절들은 띄어쓰기와 줄 바꿈에도 불구하고 바로 앞의 음절을 먹이로 하여 사슬처럼 탐욕스럽게 전개되어 있었다. 각 음절 속에서도 마찬가지였다. 말하자면 ㄱ은 ㅏ를 낳고, ㅏ는 ㅈ을 낳고, ㅈ은 ㅓ를 낳고, ㅓ는 ㅇ을 낳고, ㅇ은 ㅁ을 낳고, ㅁ은 ㅣ를 낳고, ㅣ는 ㅌ을 낳고, ㅌ은 ㅇ을 낳고, 낳고는 낳고를 낳고…….

그것들은 일종의 살벌한 장치였다. 날카롭게 벼려진 획들로 이루어진 사슬은

11 인각(印刻) 글자나 그림을 새김.

그 자체로 글을 쓰는 사람도 읽는 사람도 모두 꽁꽁 묶어 버릴 수 있을 것이었다. 수많은 환충류(環蟲類)[12] 생물들 같은 각각의 음절들은 서서히 아주 서서히 탁자 위에 쏟아지듯이 내려와서 그의 손가락을 타고 손등 위로 기어오르고, 쉬지 않고 손목을 거쳐 팔뚝을 지나면서 그에게 간지러움을 느끼게 했다. 그 지독한 연쇄가 그의 상체에 온통 퍼져 들고 있을 때 그는 크게 하품을 했다.

그는 무거워지는 눈꺼풀을 의식하고 억지로 치떴지만 그의 시선은 우중(雨中)에 날개를 퍼덕이며 땅에 붙을 정도로 낮게 날아가는 작은 새처럼 흔들렸다. 그러나 이미 초점을 잃어 가기 시작하는 그의 시선은 실내의 어떤 물체에도 내려앉지 못하고 헛되이 방황하고 있었다. 그는 누렇게 변색된 책장을 내려다보았다. 그러자 진하게 찍힌 상태로 남아 있는 글자들은 마치 오래된 문창호지에 뚫려 있는 수많은 잔구멍들 같아 보였다. 모든 구멍들은 여전히 움직이고 있었다. 그때 그의 주위에 강력한 효모가 뿌려진 듯이 모든 것들이 꿈틀거리며 움직이기 시작했다. 책상 위의 책들이 무겁게 부풀어 올라 청동처럼 푸르뎅뎅하게, 기도처럼 음울하게 공기 속으로 확산되고 있었다. 그때 그는 지렁이 같은 글자들 몇 개가 드디어 얼굴을 가로질러 그의 동공에까지 기어 와 있는 것을 느끼며 이마를 책장 위에 뉘었다. 그의 콧김 탓인지 실내의 냄새들과, 그보다 훨씬 짙은 책의 냄새가 눅눅한 습기를 머금고서 그의 코에 느껴졌다. 그리고 이내 그 냄새마저 사라져 버렸다.

잠시 후 그는 목 뒷덜미에 통증을 느끼면서 눈을 떴다. 그는 오른손으로 뻐근한 부위를 두드렸다. 그가 잠들기 전에 실내 안쪽에 앉아서 두터운 사전류를 몇 권 놓고 무언가 베끼고 있던 여인은 여전히 작업에 열중하고 있었다. 그녀는 끊임없이 사전을 뒤적이고 있었다. 그의 쪽에서 볼 때 그녀의 얼굴은 반도 채 보이

---

12 환충류 노래기강의 절지동물을 통틀어 이르는 말. 몸의 길이는 3~28밀리미터로, 몸은 원통형으로 길며, 등은 붉은 갈색에 한 마디에 두 짝의 짧은 발이 있다. 건드리면 둥글게 말리고 고약한 노린내를 풍기며, 햇볕을 싫어하고 주로 습기가 많은 낙엽 밑이나, 초가지붕에 많이 산다.

지 않았지만 나머지 부분도 미루어 짐작할 수 있을 정도로 윤곽이 뚜렷했다. 그녀는 하나의 단어를 찾아내는 데에 겨우 오류 초박에 걸리지 않는 듯했다. 마치 책장의 이곳저곳을 무심하게 임의적으로 펴 보는 듯이 보일 정도였다. 그가 막 그녀에게서 눈을 돌리려 할 때 그는 속에서부터 밀려 나오는 어떤 힘을 느끼며 다시 한번 크게 하품을 했다. 그러나 이번에는 졸음이 가신 뒤라서 하품을 하는 자신의 모습을 잘 관찰할 수가 있었다. 콧날개 양쪽과 양 볼 사이에, 그리고 입 끝에서 턱 밑으로 깊게 패인 주름살이 입 주위로 선명하게 드러났을 것이었다. 그러자 귓속과 바깥 대기와의 기압 차이로 인해 귀청이 진동을 멈춘다는 그의 학습 기억대로 그의 귀는 환청이 들릴 정도로 멍한 정적에 빠져들었다. 게다가 근육의 수축으로 자극을 받은 눈물샘에서 분비된 눈물이 눈동자를 덮어서 잠시나마 일종의 콘택트렌즈를 쓴 효과를 주었기 때문에 실내의 모든 것들이 그가 미처 보지 못했던 흠집 하나까지 들고 일어섰다.

그는 의자를 뒤로 밀고 일어서서 창가로 걸어갔다. 한쪽 벽의 전면을 차지하고 있는 유리창의 바깥쪽에는 아직 다듬어지지 않은 비 온 후의 햇살들이 하얀 송곳니를 번득거리고 있었다. 당장이라도 유리창이 밀려 부서지면서 빛의 홍수가 걷잡을 수 없이 쓸려 들 듯했다. 그때 어디에선가부터 대포 소리인지, 비행기가 음속을 돌파하는 소리인지 확인할 수 없는 폭음이 들렸고 유리창들은 심하게 진동을 했다.

창문은 고통스러울 만큼 허약했다. 그는 투명한 각막 같은 창을 통해 밖을 내다보았다. 그의 시선은 바깥에서 변덕스럽게 방향을 바꾸며 흐르고 있을 바람의 유동[13]만큼이나 아무 생각 없이 이리저리 휩쓸리거나 때때로 급히 꺾이고, 시계추처럼 한동안 진동하고 전율하고 맴돌다가 진공 속에서 헛되이 한 사물 위에 내려앉아서 한참이나 시간을 보내고 있었다. 그러나 차츰 그의 시선에는, 창

13 유동 자유로이 움직임.

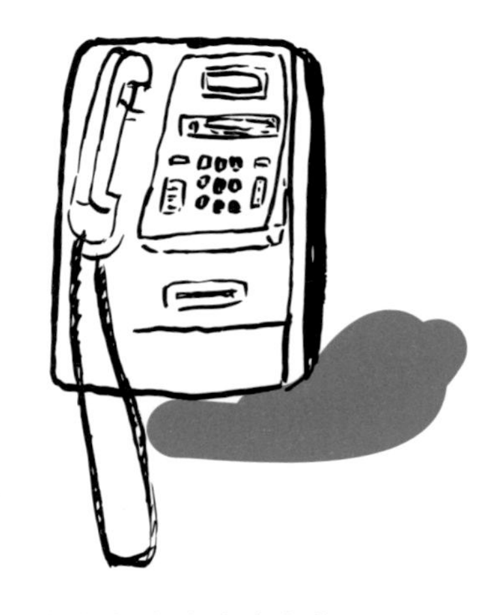

밖의 풍경이 인간 신진대사의 일부분처럼 공기와 물을 식량으로 하여, 때로는 심지어 동물이나 인간들까지도 잡아먹으려 들며 호흡기와 순환기를 따라 한없이 변전하고[14] 있는 듯이 여겨졌다. 그는 풍경의 지나치게 거짓된 고정됨을 노려보았다. 그리고 헛된 애를 써서라도 사물의 주위를 떠돌거나 관통하는 유성류[15]의 흐름을 간파해 내기 위해 눈에 힘을 주었다.

건물의 밑동 그늘진 부분에는 아직도 지난밤의 어둠의 가지가 땅바닥에까지 휘어져서 절지 곤충처럼 바닥에 음울하게 웅크리고 있었다. 그는 건물 바로 아래쪽에 몇 그루의 나무들 사이에 서 있는 공중전화 박스를 바라보았다. 전화를 거는 사람은 없었다. 주황빛 전화기의 아래쪽 끝부분이 눈에 띄었다. 그는 오랫동안 전화박스의 폐쇄된 듯하면서도 안온하게 느껴지는 공간을 바라보며 서 있었다. 그리고 이토록 무수한 책들이 꽂혀 있는 서가에서 내려다보이는 저 전화박스는 무언가 그에게 큰 암시를 하고 있는지도 모른다고 생각했다. 그러나 그 이상은 아무것도 추론해 낼 수 없었다.

처음에 이곳에 들어왔을 때, 실내의 모든 것들이 두껍게 니스 칠을 한 듯이 매끄러워서 공기라거나 분위기, 심지어 먼지까지도 제대로 안착하지 못하고 담녹색의 잔꽃이 피어 있는 개구리밥처럼 부동하고[16] 있었다. 그러나 이제 그는 홀로 된 고즈넉함과 정적 속에서 온갖 소리와 냄새가 바닥에서 정확하게 무릎까지의 높이에 촘촘히 깔려 버리고 그 위로부터 그의 귀를 지나 좀 더 위쪽까지는 완벽한 진공이 이루어져 있는 듯한 둔한 멍함을 느끼고 있었다. 그리고 바닥에서 기화해 올라오는 수많은 입자들은 그 진공 속으로 들어서자마자 권태라거나

---

14 변전하다 이리저리 변하여 달라지다.
15 유성류(流星類) 태양의 둘레를 돌고 있는 혜성의 잔재 물질이 지구 대기에 들어오면서 마치 비가 쏟아지듯이 밝게 보이는 현상.
16 부동하다 공기 중에 떠서 움직이다.

무위의 색깔을 띠며 오히려 그 진공 상태를 더 잘 유지시키는 데에 기여하고 있었다. 그는 멍멍한 귀를 몇 번 두드렸다. 그러자 귀에서부터 시작된 두통이 머릿속 전체에 퍼져 들었고 머리 가죽이 당겨지는 듯하기까지 했다.

그러자 그는 갑자기 자기 속의 한 부분이 날카로운 도끼에 패어 나가 흔적도 없이 사라져 버린 듯한 기분에 사로잡혔다. 그는 다시 한번 전화박스를 흘겨보고 창가를 떠나 자리에 돌아와서 책들을 제자리로 되돌리고 조금 서둘러서 자료실을 빠져나왔다.

그는 입구 옆의 나무를 돌아 전화박스 안으로 들어섰다. 다이얼을 돌리고 신호가 떨어지기를 기다리면서 그는 기둥에 기대어 조금 전 그가 서 있던 3층의 창문을 올려다보았다. 유리창에는 무언가 형체를 알 수 없는 것들의 그림자가 마치 프라이팬에 뿌려진 식용유처럼 멋대로 번지거나 뭉쳐져 있었다.

"아, 여보세요. (　　) 저, 방기본입니다. 오랜만이군요. (　　) 며칠 됐죠. (　　) 그야 편지보다는 전화가 편할 것 같아서죠. (　　) 그래요, 벌써 그렇게 됐나? (　　) 물론 나도 전화보다는 한번 만나는 게 훨씬 편하다는 걸 압니다. (　　) 그렇겠군요. (　　) 그야 뭐 일단은 두고 보는 수밖에 없죠. (　　) 예, 저도 그 얘긴 들었습니다. (　　) 바로 좀 전에요. 잘된 일입니다. (　　) 그럼요. (　　) 별 도리가 없겠네요. (　　) 글쎄요, 굳이 그렇게 생각하실 필요가…… (　　) 예, 예. (　　) 그럼 그렇게 하죠. (　　) 아니 괜찮습니다. (　　) 그래요. 그럼 다음에 언제 뵙게 되겠죠. (　　) 예. 안녕히 계십시오."

그는 사형수를 교수형 시키듯이 전화기를 걸이쇠에 거꾸로 매달았다. 전화선이 위쪽에서부터 구불구불 비어져 나와 밑으로 흘러내리고 있었다.

그는 이 끝으로 입술을 씹으면서 아주 천천히 걸었다. 그러자 팔과 발의 보조를 맞추기가 점점 힘들어졌다. 앞으로 쭉 내뻗은 길은 높은 담을 따라 그보다 저만치 앞서서 코뿔소의 코를 쳐들고 게걸스럽게 달려 나가다가 때때로 들쥐들처럼 이곳저곳으로 샛길을 만들어 빠져 달아나고 있었다. 소아마비를 앓았던 듯한 사내가 발만큼 손을 휘저으며 그의 옆을 지나쳤다.

그때 한산한 길모퉁이를 돌아서 서로 엇비슷한 퍼머[17] 머리와 고만고만한 복장을 한 세 명의 여자들이 어깨를 가지런히 하고 걸어 나왔다. 그녀들은 무언가를 소곤거리며 모의를 나누다가 때로 마주 오는 그를 힐끔거렸다. 그녀들은 그렇게 재잘대고 가볍게 웃으며 다가오다가 막 그와 교차되고 난 순간에 더 이상 못 참겠다는 듯이 애써 무거운 돌을 얹어 놓고 내리누르던 웃음을 터뜨렸다. 그는 그 자리에서 멈추어 섰다. 그리고 돌아보지 않으면서 뒤쪽에서 들려오는 키득키득 소리가 완전히 사라져 버릴 때까지 그 자리에 서 있었다.

잠시 후 그는 자신의 실수를 깨달았다. 몇 번의 당황을 겪고 나서도 또다시 범한 이번의 실수는 그래도 그중 덜 난처한 편이었다. 그는 손을 앞으로 가져가서 활짝 열려 있을 바지 지퍼를 만졌다. 그러나 놀랍게도, 자주 벌어져서 환기작용을 시켜 주는 동시에 그를 곤란하게 만들던 바지 지퍼는 난공불락[18]의 요새처럼 굳게 맞물려 있었고 지퍼의 고리도 아주 위쪽까지 올려져 있었다. 그는 손을 거두지도 않은 채 뒤로 돌아섰다. 그리고 한참을 그렇게 서 있다가 더 천천히 텅 빈 거리를 걸어갔다. 그의 발에 밟힌 맨홀의 뚜껑이 잘 닫히지 않았었는지 그가 발걸음을 떼자 덜커덩 소리를 냈다. 그가 조금 전에 걸어왔던 그 길은 하수도물의 흐름보다 느리게, 길 위를 지나치는 바람보다도 느리게, 그러나 그의 발의 속도만큼 바닥에 끌리는 구두 발자국 소리를 내며 꾸준히 앞으로 나아가고 있었다.

바람이 다소 세게 일었다. 그의 머리카락을 흐트러뜨려서 기어이 가리마[19]의 방향을 바꾸어 놓은 바람은 이번에는 앞에서 걸어가는 여인의 치마를 한쪽으로 밀어붙여서 그 속의 둥근 곡선이 명확하게 드러나게 하고 있었다. 그것은 손끝

---

17 퍼머 '파마'의 잘못.
18 난공불락(難攻不落) 공격하기가 어려워 쉽사리 함락되지 아니함.
19 가리마 '가르마'의 잘못.

이 알알할 정도로 분명한 촉각적 감각이었다. 바람이 죽자 치마는 정강이까지 흘러내려서 어떤 통(桶)처럼 되어 길가의 건물 안으로 들어갔다. 그는 곧 그녀를 따라 세 칸짜리 층계를 올라 안으로 들어갔다. 그녀는 무언가 보자기에 싼 것을 들고 있었다. 그녀가 막 다방으로 통하는 층계를 오르려 할 때, 수위실 안의 경비원이 유리창을 두드려서 그녀를 불렀다.

"미스 민, 미안하지만 시원한 보리차 한 컵 갖다줄 수 있겠어?"

"그러세요."

그녀는 잠깐 고개를 돌려 대답을 마치고 다시 층계를 올라갔다. 그는 공중전화를 떠올리며 2층의 다방으로 들어섰다. 그러나 카운터 옆의 공중전화기에 두 명의 여자가 서서 왼쪽 발에 체중을 싣고 발을 꼬고 있었다. 그는 입구 쪽의 벽에 붙은 의자에 앉았다. 미스 민이 엽차 잔을 놓으며 그에게 물었다.

"뭘 드시겠어요?"

그녀는 손등으로 하품을 가리고 손바닥을 그에게 내보이며 말했기 때문에 그녀의 말은 형편없이 파괴되어 그에게 들렸다. 그는 대답 대신 그녀를 바라보며 웃었다. 그녀도 눈을 깜박이며 따라 웃었다.

"우선 전화부터 하구요."

"그렇게 하세요."

그녀는 쟁반을 들고 그에게서 비켜났다. 그는 수첩을 꺼내 탁자 위에 꺼내 놓고 주위를 돌아보았다. 실내 장식은 훌륭한 편이었다. 탁자들은 모두 낮았고, 탁자 높이의 의자들은 안락했으며, 실내의 전반적인 색조는 다소 어두운 무채색들이었다.

실내에는 온갖 종류의 소리들이 제각기 다른 음색과 박자로 울리고 있었다. 그것들은 마치 순식간에 자라나는 가시나무의 잔가시들처럼 솟아나와서 차츰 실내 전체를 가시나무 덩굴로 덮어 버릴 듯했다. 그 사이를 매끄럽게 빠져 다니는 레지들은 이를테면 날랜 토끼들이었다. 그리고 그 가시들은 설전음·치음·

순음·후음·아음·경구개음·설후음·연구개음·파열음·마찰음 등등의 무디거나 혹은 날카로운 끝을 가지고 그의 귓속의 음습한 공간 속에서 함부로 부딪고 솟구치고 부서져 나가고 있었다. 그는 벌써 오랫동안 통화를 거듭하는 여인의 옆모습을 바라보다가 수첩을 열었다. 그리고 아무 곳이나 펴서 읽기 시작했다. 진· ·, 434-2524, 김· ·, 3-0198, 심· ·, 878-4597, 한· ·, 323-6495, 김· ·, 269-5551~9 총무부. 꽁초의 담뱃재가 지면 위에 떨어져 구르면서 흰색과 검은색의 가루가 흩어졌다. 그는 전화번호를 하나씩 읽으면서 오랫동안 입안에 넣고 우물거렸다. 그러나 어금니뿐만 아니라 송곳니까지 동원했지만 그것들은 참나무 껍질처럼 여간해서 잘 씹히지도 부서지지도 않았다. 소화는 물론 더욱 안 될 듯했다.

그는 그때 수첩을 넘기다가 무언가가 수첩에서 팔랑거리며 탁자 밑으로 떨어지는 것을 본 듯했다. 그는 의자를 뒤로 빼고 몸을 숙여서 그것을 집어 들었다. 그것은 한 장의 천연색 사진이었다. 언젠가 친구들과 산행(山行)을 했을 때 그곳에서 만난 여자들과 사진을 찍은 적이 있었는데, 그것이 언제부턴가 반으로 접혀져서 그의 수첩 뒷장의 비닐 뒤에 끼워져 있었던 모양이었다. 사진은 여섯 명의 남녀가 섞여서 좁은 구멍으로 얼굴을 들이밀고 있는 형국을 하고 있었는데 그 속에는, 물론 돌이켜 보니 그러한 것이지만, 젊은 남녀들이 만나서 이루었던 극(劇)의 모든 상황이 은유적으로 압축되어 있었다. 게다가 그 후 몇 번의 계속된 만남을 통해서 그들 사이에서 연출되던 모든 감정에까지 연루될 수 있는 요소들의 실밥들이 이미 사진의 이곳저곳에 싸구려 기성복처럼 빠져나오고 있었다. 그의 얼굴은 반으로 접혔던 선(線)의 바로 오른쪽에서 꼼짝도 않고 있었다. 사진 속의 그는 뒷줄에 엉거주춤 서서 입술 한쪽 끝을 약간 들어 올리고 그쪽 눈살을 부신 듯이 찌푸리고 있었는데, 그로서는 자신이 왜 그러고 있었는지 기억할 수 없었다. 사진 속의 세부는, 상황으로서는 그에게 납득이 갔지만 그의 구체적인 기억이 닿을 수 있는 범위가 아니었다. 앞줄의 오른쪽 끝에 앉아 있는 여인의 얼굴 주위에는 파란색 볼펜으로 단 한 번에 그어진 거의 완벽한 원(圓)이 돌아가고 있었다. 푸른 잉크가 조금 번져서 그녀의 얼굴은 푸르스름한 이끼가 끼어 있는 듯했지만, 그래도 그 원에서 수은등의 후광을 받는 듯이 그 자체로 충만한 자족적(自足的)인 우주를 완성시키고 있었다.

그는 자신의 얼굴을 유심히 바라보았다. 거기에는 입 끝에서 지류처럼 번져나가다가 눈으로 연결된 경직된 신경선의 자취가 있었다. 파인 그 홈은 얼굴의 한쪽을 떼어 낼 듯이 가르고 있어서 마치 그쪽은 훼손된 데스마스크[20] 같아 보였다. 그는 손으로 얼굴을 썩썩 문질렀다. 그러고는 손바닥으로 사진을 몇 번 쓰다듬다가 그 양끝을 양손의 검지와 중지 사이에 끼웠다. 그는 왼손의 손가락들 사이에 사진을 고정시키고 오른손으로 손가락들 사이로 그것을 좌(左)에서 우(右)로 쓸었다. 사람들의 얼굴들이 이루는 다각형들이 쓸려 나갔다가는 곧 다시 밀려들었다. 그는 오른쪽 손가락들 사이에도 힘을 가해서 사진을 양쪽으로 팽팽하게 잡아당겼다. 그리고 아주 서서히 양쪽 손가락에 힘을 주었다. 그러자 사진은 미끄러지다 손가락 안쪽에 걸리면서 더 이상 피하지 못하고 힘을 견뎌 내기 시작했다. 사진과 접촉되는 손가락 안쪽에 통증이 느껴지기 시작했다. 그러나 이내 탄성의 한계에 이른 것인지 사진은 아래쪽에서부터 이미 접혔던 금을 따라 조금씩 벌어졌다. 그 균열은 반 정도까지는 직선을 따라 이루어졌지만 더 위쪽으로는 오른쪽으로 사선을 그으며 찢겨져 나가고 그의 양손은 결국 양쪽으로 활짝 벌어져서 순간적으로 어색한 제스처를 이루었다. 사진은 그의 얼굴 위에서 코와 눈을 지나 공중으로 사라져 버리는 선에 의해 분할되었다. 그가 손가락에서 힘을 쫓아내자 두 장의 조각이 팔랑이며 하나는 옆의 의자에 다른 하나는 바닥에 떨어졌다.

그는 일어서서 비어 있는 전화기를 향해 걸어갔다. 전화기는 분홍색이었는데

20 데스마스크(death mask) 사람이 죽은 직후에 그 얼굴을 본떠서 만든 얼굴의 그림이나 조각.

약간의 흠집과 먼지에도 유난히 불결해 보였다. 다이얼을 일곱 번 돌리고 났을 때 미스 민이 그의 곁을 지나쳐 갔다.

"여보세요. (　　) 자리에 있었구만. 나 방기본일세. (　　) 응, 응, 그래. (　　) 그야 내 탓인가, 시간 탓이지. (　　) 오해하지 말아. 꼭 그런 뜻은 아니야. (　　) 이를테면? (　　) 그건 문제가 안 돼. (　　) 조금 전에 두 사람에게 전화했지. 그건 예의니까. (　　) 물론 자네한테도 예의상으로…… (　　) 물론이지. (　　) 그건 엄연한 사실이야. (　　) 전화 끊는 즉시 냉수 한 컵을 코를 쥐고 다섯 번에 나누어 마셔 보게. (　　) 꼭 딸꾹질이어야 하나? (　　) 잊어버리게 될 거라구. (　　) 내일이나 모레쯤. (　　) 그래, 그렇게 하지. (　　) 잘 있게."

그가 자리로 돌아오자 그의 의자 옆에서 미스 민이 찢어진 사진 조각을 들여다보고 있다가 말했다.

"이제 시키시겠어요?"

"요구르트."

그는 그녀의 손에서 사진을 뺏어 바닥에 던지며 말했다. 그녀는 다시 또박또박 걸으며 카운터 쪽으로 걸어갔다. 그는 팔걸이의자에 몸을 맡기며 주위를 돌아보았다. 의자 위에 앉아 있는 사람들의 몸은 의자의 형태를 따라 허리와 무릎을 경계로 세 번씩 접혀 있는 셈이었다. 그들은 마치 세 개의 마디를 지닌 소시지 덩어리일 수도 있었고, 세 군데를 꼭꼭 씹어 놓은 담배일 수도 있었다. 그러나 탁자 밑에서 두 다리가 서로 엇갈렸다가 이내 풀려 버리고 바닥을 비비다가는 발꿈치나 발끝으로 바닥을 두드리면서 쉴 새 없이 움직인다 해도 그들이 자리에서 일어섰을 때에는 몸의 세 부분이 다 고르게 연결되어서 훌륭히 걸어 나갈 수 있을 것이었다. 그런 식으로 말하면 다리 대신 두 팔이 달려 있는 상체가 탁자 위에서 때로는 우아하게 때로는 힘 있게 모든 종류의 감정을 분주히 나열한다 해도 마찬가지로 일단 그들이 일어서면 다리와 연결되어서 훌륭하게 걸어

나갈 수 있을 것이었다.

그는 출입구의 반대쪽 벽을 바라보았다. 그곳은 거의 대부분이 열고 닫게 되어 있는 실내 장식용 겉장으로 가려져 있었다. 따라서 실내에는 한 줄기의 빛도 용납되지 않았고 오히려 실내의 여린 빛이 그 커튼에 흡수되고 있었다. 그는 잔을 입으로 가져가면서 부드러우면서 동시에 꺼칠꺼칠한 감촉의 커튼을 노려보았다.

그것은 검은 스타킹을 신은 여자의 다리가 점액질의 욕정에 부풀어 꼬이고 있는 형국을 교묘히 감추고 있는 두툼한 테이블보였으며, 동시에 음란한 감촉으로 휘감을 듯 쏟아지는 비로드의 속살이었다. 이제 그가 그것의 한쪽 끝을 몰아 쥐고 와락 젖히면, 순간적으로 ㅍ, ㅌ, ㅋ의 파열음을 내면서 유리창을 그대로 밀고 들어온 빛이 ㄹ, ㅁ, ㅂ의 마찰음을 일으키면서 빠른 속도로 해체되는 불덩어리처럼 실내를 후줄근히 적실 것이었다. 난데없는 빛의 뜨거운 샤워 속에서 비밀스러운 다각형의 욕망에 시달리던 사람들은 갑자기 환하게 밝아진 수족관 속에서 열대어처럼 빛의 강도에 따라 우왕좌왕 휩쓸릴 것이거나, 혹은 오랑우탄이나 성성이[21], 여하튼 원숭이 종족에 속하는 어떤 동물들처럼 가슴을 두들기거나 탁자를 넘어뜨리고 이 자리에서 저 자리로 뛰어다닐 것이었다. 빛 속에는 전진(戰塵)처럼 피어오른 실내의 먼지가 투명한 비늘처럼 부동할 것이며, 빛의 경사각을 타고 바깥의 모든 것들이 녹아서 이곳으로 꾸역꾸역 밀려들 것이었다. 그리하면 그는 광신자처럼 빛을 향해 버티고 서서 고래가 작은 물고기 떼를 삼키듯이 입을 크게 벌려 먼지를 들이켜며 사람들이 가득 모여 있는 성전에 옷자락을 가득 펼치고 높이 들린 보좌에 앉아 있는 모습을 향해…… 그는 천천히 커튼 쪽으로 걸어갔다. 여섯 개의 날개를 가지고 있어서 그 둘로는 그 얼굴을 가리고, 그 둘로는 그 발을 가리고, 또 그 둘로는 날며 서로 불러 화답하기

---

21 성성이 중국에 전하는 상상 속의 짐승. 사람과 비슷한데 몸은 개와 같으며 주홍색의 긴 털이 나 있다. 사람의 말을 이해하고 술을 좋아한다고 한다.

를…… 그는 커튼을 잡고 잠시 있다가 힘껏 옆으로 젖혔다.

갑작스러운 빛이 어떤 질량을 가진 듯이 그의 온몸에 충격을 가해 뒤로 밀어냈다. 그러나 실내에는 짧은 비명과 가벼운 소요[22]가 일어났을 뿐이었고 달려온 레지들이 그의 손에서 커튼의 깃을 빼앗아 창문을 가려 버렸다. 실내는 아주 잠깐 사이에 어두운 분위기로 되돌아갔고 그는 끌리다시피 하여 카운터로 걸어가서 요금을 지불당하고 밖으로 내몰렸다. 그의 뒤에서 이번에는 웃음의 소요가 일어났다. 그러나 강한 빛에 사람들이 탈수 현상을 일으키거나 최소한 그들의 얼굴이 표백되리라는 기대가 그에게 애초에 있었는지는 그로서도 확인할 수 없는 일이었다. 그는 희극 배우처럼 꾸민 듯한 몸짓으로 옷깃을 바로 하며 층계를 내려갔다.

그는 혀끝으로 입천장을 더듬으면서 건물 밖으로 나왔다. 잇몸의 뒤쪽에서 달 표면처럼 희극적으로 울퉁불퉁한 감각이 느껴졌다. 그는 한동안 혀끝에 닿는 그 오돌토돌한 융기에 마음을 빼앗겼다. 그는 혀가 얼얼해질 때까지 잇몸에서 입천장까지의 불규칙적인 감각을 알뜰하게 확인하면서 길을 걸었다. 속에서 회색 연기가 풀풀 일어나는 녹색 휴지통 앞에 이르렀을 때 그는 걸음을 멈추었다.

바람이 앞쪽에서 불어오고 있었으므로 그는 역풍을 받아 옷자락을 펄럭이며 길을 헤쳐 나가고 있었다. 바람이 그의 몸에 툭툭 부딪쳤고 그는 계속 바짓자락을 마찰시키며 걷고 있었다. 허벅지 안쪽에서 열이 나는 듯했다. 그는 가만히 서서 바람의 방향을 가늠했다. 손바닥을 들어 침을 바르고 이쪽저쪽으로 향하게 했다. 그리고 뒷머리 쪽을 훑어서 뽑힌 머리카락을 손가락으로 잡았다가 살며시 놓았다. 그러나 머리카락은 이내 그의 시야를 벗어나 버렸다. 어쨌든 바람은 충분히 세지 못했고 방향도 제멋대로였다. 그렇다면 그는 돛을 단 범선처럼 평범하게 걸어갈 수는 없었다.

---

22 소요(騷擾) 여러 사람이 떠들썩하게 들고일어남.

그는 바람을 의식하며 오른쪽 발꿈치만을 이용해서, 즉 발끝이 땅에 닿지 않게 해서 걷기 시작했다. 자연히 그의 발걸음은 절뚝거리게 되었고 그의 몸은 심하게 흔들렸다. 우선 금방 발꿈치가 아파 왔고 발바닥의 가운데 부분도 서서히 저려 왔다. 자세가 불안정했기 때문에 자연히 시선은 정면에 붙박일 수밖에 없었고 다른 사람들의 시선은 염두에 둘 수조차 없었다. 보도블록의 딱딱한 감각이 그대로 발꿈치를 통해 온몸에 퍼져 들었다가 뒷골을 딱딱 울렸다. 걸어 나갈수록 그는 더욱 심하게 절뚝거렸다. 장딴지의 근육이 뻣뻣해지다가 오른쪽 옆구리가 결리기 시작했다. 조금씩 땀이 맺혔다. 그러나 쉽게 그 자세를 포기할 수는 없었다. 그는 한쪽 손으로 옆구리를 누르고서 계속 걸어갔다. 호흡이 거칠어졌다. 한 걸음 내디딜 때마다 오른쪽 손바닥에 옆구리가 들쭉날쭉하는 것이 무척추동물의 옆구리의 움직임처럼 느껴졌다. 발꿈치의 멍한 고통을 제외하고는 오른발의 감각이 거의 마비되어 있었다. 걸음이 점점 느려졌고 이제 한 걸음 떼어 놓는 것이 곧 그만큼의 고통이었다. 그는 잠시 발꿈치만을 땅에 대고 그 자리에 서서 쉬었다. 그러나 몸의 오른쪽이 목덜미까지 뻣뻣했기 때문에 허벅지 근육이 조금 풀렸을 뿐 그리 편할 것도 없었다. 그는 목을 우에서 좌로 휘저으며 다시 걷기 시작했다. 그러나 그는 몇 걸음 걷지 못하고 다시 멈추어 섰다. 옆에 팔을 기댈 가로수가 없었더라면 그는 바닥에 주저앉을 뻔했다. 그는 오른쪽 발바닥을 보도블록에 완전히 붙였다가 몇 번 바닥에 쾅쾅 굴렀다.

그는 숨을 크게 몰아쉬고 손바닥으로 이마의 땀을 턱 밑까지 훑어 내리면서 옆의 술집으로 들어섰다. 그는 안에 들어서자마자 가까운 의자에 주저앉아서 딴딴해진 장딴지를 주물렀다. 실내에는 아무도 없었다. 잠시 후에 폐경기를 갓 지난 듯한 중년의 여주인이 앞치마에 손을 닦으며 어디서나 언제나 쉽게 볼 수 있는 포즈로 주방 쪽에서 걸어 나왔다.

"뭘 드시겠어요?"

"소주 한 병하구 파전이나 뭐 그런 걸로 줘요."

그는 탁자를 내려다보며 술을 기다리다가 갑자기 절망적인 음색으로, 아! 아! 아! 하고 소리쳤다. 그 소리들은 탁자 주위로 불결하게 흩어졌다. 그는 혼자 술을 마시기 시작했다. 온몸으로 퍼져 드는 술기운은 마비된 오른쪽보다는 왼쪽으로 먼저 번져 나가는 듯했다. 소주잔이 큰 편이었다. 그는 손톱을 하나씩 깎아 나가는 정갈한 기분으로 잔을 들었다. 술병이란 이를테면 《아라비안나이트》에서의 마귀가 수천 년간 갇혀서 손톱을 세워 안쪽 벽을 갉아 대는 호리병 같은 것이라고 생각하면서 한 잔을 마셨다. 그래서 애초에 그 병을 열어서는 안 되고 일단 마개를 따고 나면 오히려 당하고 만다는 생각을 하면서 다시 한 잔을 마셨다. 잠시 후 그는 자신이 술에 취했는지 아닌지를 알기 위해서는 다리를 높이 하여 바닥에 길게 누워 보기만 하면 된다고 생각하면서 또 한 잔을 마셨다. 그리고 이번에는 가래가 섞인 침은 멀리 뱉기가 수월하다고 생각하고서 한 잔을 들이켜고 출입구 쪽으로 멀리 가래침을 뱉었다. 위장 속의 열기가 가라앉기를 한참 기다렸다가는 그는 찰랑거리는 술잔 위에서 담뱃재를 손가락으로 건져 내고 한 잔을 마셨다. 담배를 깊이 빤 후에 다시 한 잔. 오늘은 웬일인지 격투를 벌이고 있는 위장이 쉽게 굴복하지 않는다고 생각하면서 또 한 잔을 마셨을 때 술병에는 술이 남아 있지 않았다.

"여기 술 한 병 더 줘요."

그는 술을 조금 바닥에 쏟아 버리고 술잔을 채웠다. 그는 그것이 위장이건 그 어떤 것이건 간에 그것을 이길 수 있을 것인가를 막연히 생각하면서 새 잔을 비웠다. 그리고 그것은 분명 상당히 어려울 것이라고 예상하면서 다시 빈 잔을 채웠다. 그는 그 잔을 눈높이까지 들고 꼼꼼히 바라보다가 입으로 가져가 마셔 버렸다. 그리고 자신은 술을 마시다 보면 항상 어느 한 잔에 고삐를 채이고 제동이 걸려서 갑자기 취해 버린다는 것을 상기하면서 다시 한 잔을 마셨다.

담배를 새로 피워 물고 손가락 사이에서 타들어 가도록 내버려 두면서 그는 술잔과 젓가락을 피해서 머리를 탁자에 박았다. 얼마 후 그는 이마의 언저리에 차가운 물기가 와 닿는 것을 느끼며 고개를 쳐들었다. 탁자가 흔들려서 쏟아진 소주가 번지고 있었다. 고개를 든 김에 다시 한 잔, 빈 잔에 별 같은 술을 따르고 그는 한동안 앞자리의 등받이 없는 의자를 바라보았다. 그것은 한쪽 다리가 짧아서 누군가가 그 위에 앉으면 몸의 균형이 흔들림에 따라 심하게 뒤뚱거릴 것 같았다. 그러자 갑자기 그의 배 속에서 식도를 타고 치솟을 듯이 파동 치는 뜨거운 기운이 수직으로 느껴졌다. 그는 이를 악물고 그것을 내리눌렀다. 호리병 속에 있던 마귀를 그는 호리병 속으로 되돌린 것이 아니라 자신의 위장 속에 가두어 둔 셈이었다. 그의 얼굴이 벌겋게 달아올랐다.

얼굴의 열기가 조금 식은 후에 그는 자기를 취하게 하는 결정적인 어느 한 잔, 바로 그 한 잔을 사랑하고 기대하기 때문에 술을 마신다고 생각했다. 그런 의미에서 그리고 그런 의미를 위하여, 한 잔.

바깥의 시간은 그가 소주잔으로 환산했던 속도보다는 훨씬 빨리 흘러가고 있었다. 주인이 전등을 켜자 차츰 날곤충들과 사람들이 섞여서 들어오기 시작했다. 그는 손바닥으로 술잔을 막듯이 그 위에 얹어 놓고 바깥을 내다보았다. 이제는 풍랑이 멈추고 잔잔하리라. 그가 더 이상 절뚝거릴 필요는 없으리라. 옆을 지나치는 사람들의 발끝에 차여 탁자가 흔들리자, 잔이 찰랑거리면서 차가운 혀처럼 그의 손바닥을 적셨다. 그는 손바닥을 바짓단에 문지르고 자리에서 일어서서 선 채로 남은 한 잔의 술을 마셨다. 서서 마신 술은 차갑게 입과 식도를 지나 단숨에 위장에 이르러 뜨겁게 타올랐다. 그는 드디어 기다리던 잔을 맛본 것이었다.

그는 주인에게 대강 돈을 꺼내 준 뒤 거스름돈을 손에 꾸겨 쥐고 밖으로 나왔다. 아직 오른쪽 다리가 뻐근했다. 그는 되도록 천천히 걸어서 대로를 벗어났다. 어둠이 그의 취기처럼 주위의 구석구석을 철저히 뒤져서 들어앉기 시작했다. 그는 오직 눈앞에 나타나는 길의 방향과 경사에 맞추어 한참을 걸었다. 순전히 그의 취한 발걸음을 단위로 해서 환산한 시간이 거의 한 시간쯤 지났을 때 그는 텅 빈 놀이터의 낮은 담 앞에 이르렀다. 놀이터의 입구 쪽에는 은은한 불을 켠 공중전화 박스가 홀로 서 있었다. 그는 그리로 다가갔다. 앞으로 돌아가 보니 수화기가 줄에 매달린 채 공중에서 흔들거리고 있었다. 그 육면체의 공간은 알루미늄의 연한 회색 때문인지 주황색의 불빛 탓인지, 아니면 그의 취기 탓인지 따뜻하고 부드러운 덩어리로 화(化)하여 하나의 거대한 칼(刀)처럼 그의 몸 안으로 스며드는 듯했다.

그가 막 그 안으로 들어서려 할 때 박스 속의 귀퉁이에서 무언가가 으르르 소리를 내며 위협으로 그를 제지했다. 그는 그제야 누런 털을 가진 잡종견 한 마리를 알아보고 발을 거두었다. 그것은 구석에 웅크리고 앉아서 머리를 곧추세우고 그를 노려보고 있었다. 그는 개처럼 표정을 읽을 수는 없는 눈과 얼굴로 개를 바라보았다. 그러나 개는 여간해서 자리를 뜰 기색을 보이지 않았다. 인내력이 동이 나자 그는 전화박스의 뒤쪽으로 돌아가서 요란스러운 소리를 내며 박스의 몸통을 발로 걷어차기 시작했다. 결국 개는 다시 으르르 소리를 내며 일어서서 천천히 여유를 부리며 박스에서 나왔다. 그리고 그를 몇 번이나 돌아보며 어슬렁어슬렁 담벼락을 따라 어둠 속으로 사라졌다.

그는 앞으로 돌아와서 안으로 들어섰다. 개의 이빨 자국과 타액이 아직 남아 있는 수화기를 들어서 전화봉에 걸고서 그곳에 몸을 기대고 앞쪽을 바라보았다. 바깥의 어둠 속으로 막 사라져 버릴 듯한 그의 얼굴이 유리창에 떠올라 있었다. 그는 고개를 돌려 사형수처럼 매달려 있는 푸른색 전화번호부를 바라보았다. 그리고 무심하게 손을 뻗어 그것을 잡아당겼다. 그러나 저항은 완벽했다. 그가 더 세게 당겼으나 번호부를 붙잡아 맨 쇠사슬은 쇠막대처럼 꼼짝도 하지 않았다. 그가 놓아 버리자 사슬이 유리창에 부딪쳐서 내는 경박한 타음(打音)이 번호부가 내는 둔탁한 소리 위로 튀어 올랐다. 유리창에는 막 어둠 속에서 모습을 나타내고 있는 듯한 그의 얼굴이 어떤 괴뢰[23]처럼 낯선 열기에 들떠 있었다.

---

23 괴뢰(傀儡) 꼭두각시.

그는 사슬의 끔찍하고 완벽한 연결을 살폈다. 길쭉길쭉하게 교묘히 연결된 사슬의 이음새를 맨손으로 부순다는 것은 불가능한 일이었다. 그리고 사슬과 전화번호부의 연결 부분을 떼는 것도 번호부를 파괴하지 않고는 어려웠다. 남은 곳은 사슬이 연결되어 있는 못뿐이었다. 그는 사슬을 못의 주위에 여러 번 되는대로 얽어서 매듭을 엮은 후에 탁탁 치듯이 잡아당기기 시작했다.

한참 후 그의 얼굴이 땀으로 번들거리고 손아귀에 더 이상 힘을 줄 수 없는 지경이 되었을 때 못이 뽑혀 나왔고 그의 등은 뒤의 유리와 기둥에 세게 부딪쳤다. 뽑힌 못이 반대편 유리창을 요란하게 두드린 소리가 났다. 그는 잠시 가쁜 숨을 가라앉히고 땀을 닦다가 번호부를 한쪽 옆구리에 끼고 그곳을 나왔다. 그것은 꽤나 묵직했다. 그가 걸을 때마다 사슬이 건들거리면서 그의 무릎에 부딪혔다.

그는 잠시 걸음을 멈추었다가 야산 쪽으로 빠지는 오르막길을 오르기 시작했다. 오를수록 어둠이 점점 짙어졌다. 그의 무거운 발이 몸의 무게는 고사하고 발 자체의 무게도 제대로 견뎌 내지 못하게 되었을 때 그는 나무들과 잡초들이 밀접한 곳으로 들어섰다. 그곳은 어디서나 볼 수 있는 야트막한 야산이었고 낮은 관목[24]들과 덤불이 여기저기에 이루어져 있었다. 그는 번호부를 가슴에 안고 땅바닥에 엎드려서 한동안 있다가 무릎을 꿇고 일어나 앉았다. 풀 냄새와 흙냄새가 차가워지는 공기에 눌려 바닥에 낮게 엎드려 있었다. 그는 그 냄새를 깊이 들이마셨다. 그때 그는 아래쪽에서 후각적인 것인지 아니면 순전히 감상적인 것인지 무언가가 그의 코뚜레를 꿰뚫어 잡아당기는 힘을 느끼며 고개를 푹 떨구고 바닥을 내려다보았다. 거기에는 무언가가 단단히 매듭져 있거나 아니면 호리병 속에 갇힌 마귀랄까, 혹은 쉴 새 없이 지껄이기 좋아하는 전화기라도 숨어 있어서, 그는 그저 바닥을 파헤쳐 땅을 열기만 하면 될 듯했다. 그는 번호부를

24 관목(灌木) 키가 작고 원줄기와 가지의 구별이 분명하지 않으며 밑동에서 가지를 많이 치는 나무. 무궁화, 진달래, 앵두나무 따위이다.

굉장한 눈이다. 바람도 그리 없는데 눈발이 비스듬히 비껴 날리고 있다. 늙은 역장은 조금은 근심스러운 기색으로 유리창에 얼굴을 바짝 대어 본다. 하지만 콧김이 먼저 재빠르게 유리창에 달라붙어 뿌연 물방울을 만들었기 때문에 소매로 훔쳐 내야 했다. 철길은 아직까지는 이상이 없었다.

그는 두 줄기 레일이 두툼한 눈을 뒤집어쓴 채 멀리 뻗어 나간 쪽을 바라본다. 낮엔 철길이 저만치 산모퉁이를 돌아가는 모습까지 뚜렷이 보였다. 봄날 몸을 푼 강물이 흐르듯 반원을 그리며 유유히 산모퉁이를 돌아 사라지는 철길의 끝을 보고 있노라면, 마치도 모든 걸 다 마치고 평온하게 죽음을 맞이하는 어느 노년의 모습처럼 그것은 퍽이나 안온하고 평화로운 느낌을 주곤 하는 것이다. 하지만 지금, 철길은 훨씬 앞당겨져서 끝나 있다. 수은등 불빛이 약해지는 부분에서부터 차츰 희미해져 가다가 이윽고 흐물흐물 녹아 버렸는가 싶게 철길은 더 이상 볼 수가 없다. 그 저편은 칠흑 같은 어둠이다. 어둠에 삼켜져 버린 철길의 끝이 오늘 밤은 까닭 없이 늙은 역장의 가슴 한구석을 썰렁하게 만든다. 그는 공연히 어깨를 떨어 보며 오른편 유리창 쪽으로 몸을 돌린다. 그쪽은 대합실과 접해 있는 이를테면 매표구라고 불리는 곳이다.

역장은 먼지 낀 유리를 통해 대합실 안을 대충 휘둘러본다. 대합실이라고 해야 고작 국민학교 교실 하나 정도의 크기이다. 일제 때 처음 지어졌다는 그 작은 역사 건물은 두 칸으로 나뉘어 각각 사무실과 대합실로 쓰이고 있는 터였다. 대개의 간이역이 그렇듯이 대합실 내부엔 눈에 띌 만한 시설물이라곤 거의 없다. 유난히 높은 천장과 하얗게 회칠한 사방벽 때문에 열 평도 채 못 되는 공간이 턱없이 넓어 보여서 더욱 을씨년스러운 느낌을 준다. 천장까지 올라가 매미마냥 납작하니 붙어 있는 형광등의 불빛이 실내 풍경을 어슴푸레하게 드러내 주고 있다.

지금 대합실에 남아 있는 사람은 모두 다섯이다. 한가운데에 톱밥 난로가 놓여 있고 그 주위로 세 사람이 달라붙어 있다. 난로는 양철통 두 개를 맞붙여서 세워 놓은 듯한 꼬락서니로, 그나마 녹이 잔뜩 슬어 있어서 그간 겨울을 몇 차례나 맞고 보냈는지 어림잡기조차 힘들다. 난로의 허리께에 톱날 모양으로 촘촘히 뚫린 구멍 새로는 톱밥이 타들어 가면서 내는 빨간 불빛이 내비치고 있다. 하지만 형편없이 낡아 빠진 그 난로 하나로 겨울밤의 찬 공기를 덥히기에는 어림도 없을 듯싶다.

난롯가에 모여 있는 셋 중 한 사람만 유일하게 등받이 없이 의자에 앉아 있는데, 그러고 있는 것도 힘겨운지 등 뒤에 서 있는 사람의 팔에 반쯤 기댄 자세로 힘없이 안겨 있다. 그는 아까부터 줄곧 콜록거리고 있는 중늙은이로, 오래 앓아오던 병이 요즘 들어 부쩍 심해져서 가까운 도회지의 병원을 찾아가려는 길이라는 것을 역장도 알고 있다. 등을 떠받치고 있는 건장한 팔뚝의 임자는 바로 노인의 아들이다. 대합실에 있는 다섯 사람 가운데에서 그들 두 부자만이 역장에겐 낯익은 인물들이다.

그 곁에서 난로를 등진 채 불을 쬐고 있는 중년의 사내는 처음 보는 얼굴이다. 마흔은 넘었을까 싶은 사내는 싸구려 털실 모자에 때 묻은 구식 오버를 걸쳐 입었는데, 첫눈에도 무척 음울해 뵈는 표정을 지니고 있다. 길게 자란 턱수염이며, 가무잡잡한 얼굴 그리고 유난히 번뜩이는 눈빛이 왠지 섬뜩하다. 오랜 세월을 햇볕 한 오라기 들지 않는 토굴 속에 갇혀 보낸 사람처럼 사내의 눈은 기묘한 광채마저 띠고 있다.

그 셋 말고도 저만치 벽을 따라 길게 붙어 있는 나무 의자엔 잠바 차림의 청년 하나가 웅크리고 앉아 있다. 그리고 청년으로부터 약간 떨어진 곳에는 미친 여자가 의자 위에 벌렁 누워 있다. 닥치는 대로 옷을 껴입은 여자는 속을 가득 채운 걸레 보퉁이 모양으로 몸집이 퉁퉁하다.

청년은 추운지 호주머니에 두 손을 찔러 넣은 채 어깻죽지를 잔뜩 웅크리고 있으면서도, 무슨 까닭인지 난로 곁으로 갈 생각은 하지 않는 눈치다. 뭔가 골똘히 생각하는 표정으로, 청년은 들여다볼 만한 것이라곤 아무것도 없는 시멘트

바닥을 뚫어져라 내려다보고 있다.

톱밥이 부족할 것 같은데…….

창 너머 그들을 하나하나 둘러보다가 문득 난로 쪽을 슬쩍 쳐다보며 늙은 역장은 중얼거린다. 불을 지핀 게 두어 시간 전이니 지금쯤은 톱밥이 거의 동이 났을 것이다.

톱밥은 역사 바깥의 임시 창고에 저장해 놓고 있었다. 월동용 톱밥이 필요량의 절반 정도밖에 남아 있지 않다는 사실을 역장은 아까서야 알았다. 미리미리 충분한 톱밥을 확보해 두는 것은 김 씨가 맡은 일이었지만, 미처 확인하지 못한 자신에게도 책임은 있다고 역장은 생각한다. 역원이라고 해야 역장인 자신까지 합해 기껏 세 명뿐이니 서로 책임을 확실히 구분 지을 수 있는 일 따위란 애당초 있을 턱이 없었다. 하필 이날따라 사무원인 장 씨는 자리를 비우고 없는 참이었다. 아내의 해산일이라고 어제 아침 고향인 K시로 달려갔으므로, 그가 돌아올 때까지는 역장은 김 씨와 둘이서 교대로 야근을 해야 할 처지였다.

하지만 톱밥은 우선 당분간 창고에 남아 있는 것으로 이럭저럭 견디어 낼 수 있으리라. 대합실 난로는 하루 두 차례씩만 피우면 되니까.

역장은 웅크렸던 어깨를 한번 힘차게 펴 보기도 하고 두 팔을 앞뒤로 흔들어 보기도 한다. 역시 춥긴 마찬가지다. 그새 손발이 시려 오기 시작했으므로 역장은 코를 훌쩍이며 엉금엉금 책상 앞을 되돌아간다. 그러고는 사무실용으로 쓰고 있는 석유난로를 마주하고 앉아 손발을 펼쳐 널었다.

“아야, 말이다. 이러다가 기차가 영 안 올라는 갑다.”

“아따, 아부님도 참. 좀 기다려 보십시다. 설마 온다는 기차가 안 오기사 할랍디여.”

아들은 짜증스럽다는 듯이 얼굴도 돌리지 않고 건성 대답한다. 그는 30대 중반의 농부다. 다시 노인이 쿨룩거리기 시작한다. 그때마다 빈약하기 그지없는 가슴팍이 훤히 드러나도록 흔들리고 있다. 아들은 흘끗 노인을 내려다보았으나 이내 고개를 돌리고 난로만 들여다본다. 노인에겐 미안한 일이긴 하나 아들은 모든 게 죄다 짜증스럽다. 벌써 몇 달째 끌어온 노인의 병도 그렇고, 하필이면 이런 날, 그것도 밤중에 눈까지 펑펑 쏟아져 내리는데 기차를 타야 한다는 일도 그렇다. 그 모두가 노인의 괴팍한 성깔 탓이라는 생각이 들자 그는 버럭 소리라도 질러 주고 싶은 심정이다.

아들이 전에도 여러 번 읍내 병원에 가 보자고 했지만, 막무가내로 고집을 피우며 죽더라도 그냥 집에서 죽겠노라던 노인이 난데없게도 이날 점심나절에는 스스로 먼저 병원엘 가자면서 나선 것이었다. 소피에 혈이 반이 넘게 섞여 나온다는 거였다. 부랴부랴 차비를 꾸리고 나니, 이번엔 하루 두 차례씩 왕래하는 버스는 멀미 때문에 절대로 타지 않겠다며 노인은 한사코 역으로 가자고 우겼다. 이놈아, 병원에 닿기도 전에 내 죽는 꼴을 볼라고 그라냐. 놔라. 싫으면 나 혼자라도 갈란다. 어쩌나 엄살을 떠는 통에 할 수 없이 노인을 등에 업고 나오긴 했는데, 그나마 일이 안 되려니까 기차마저 감감무소식이었다.

"빌어묵을 놈의 기차가……."

농부는 문득 치밀어 오르는 욕지거리를 황황히[2] 깨물며 지레 놀라 노인의 눈치를 살핀다. 다행히 눈곱 낀 노인의 눈은 아까처럼 질끈 닫혀 있다. 아들은 고통으로 짙게 고랑을 파고 있는 노인의 추한 얼굴을 내려다보고는 약간 죄스러운 맘이 된다.

'이거, 내가 무슨 짓이다냐. 죄 받는다. 죄 받어…….'

노인이 또 쿨룩쿨룩 기침을 토해 낸다. 가슴 밑바닥을 쇠갈퀴로 긁어내는 듯한 고통스러운 기침 소리.

그들 부자 곁에 서서 등을 돌린 채 난로의 불기를 쬐고 있는 중년 사내는 자

---

2 황황히 갈팡질팡 어쩔 줄 모를 정도로 급하게.

지러지는 기침 소리를 들을 때마다 깜짝깜짝 놀라는 시늉을 한다. 기침 소리를 들으면 사내에겐 불현듯 떠오르는 얼굴이 하나 있다. 감방장인 늙은 허 씨다. 고질인 해소[3]병으로 맨날 골골거리던 허 씨는 그것이 감방에 들어와 얻은 병이라고 했다. 난리 후에 사상범으로 잡혀 무기형을 받은 허 씨는 스물일곱 살부터 시작한 교도소 생활이 벌써 25년에 이르고 있었지만, 언제나 갓 들어온 신참마냥 말도 없고 어리숙해 뵈는 사람이었다.

자네 운이 좋은 걸세. 쿨룩쿨룩. 나가면 혹 우리 집에 한번 들러 봐 줄라나. 이거 원, 소식 끊긴 지가 하도 오래 돼 놔서…… 죽었는지, 살았는지…….

사내가 출감하던 날, 허 씨는 고참 무기수답지 않게 눈물까지 글썽이며 사내의 손을 오래오래 잡고 있었다.

사내는 저만치 유리창 밖으로 들이치는 눈발 속에서 희끗희끗한 허 씨의 머리카락이며 움푹 패어 들어간 눈자위를 기억해 내고 있다.

아마 지금쯤 그곳은 잠자리에 들 시간일 것이다. 젓가락을 꽂아 놓은 듯한 을씨년스러운 창살 너머로 이 밤 거기에도 눈이 오고 있을까. 섬뜩한 탐조등[4]의 불빛이 끊임없이 어둠을 면도질해 대고 있을 교도소의 밤이 뇌리에 떠오른다. 사내의 눈빛은 불현듯 그윽하게 가라앉고 있다. 그곳엔 사내가 잃어버린 열두 해 동안의 세월이 남아 있었다. 이렇듯 멀리 떨어져서도 그 모든 것들을 눈앞에 훤히 그려 낼 수 있을 만큼 어느덧 사내는 이미 그 생활의 일부가 되어 있었다.

출감한 지 며칠이 지났건만 사내는 감방 밖에서 보낸 그간의 시간이 오히려 꿈처럼 현실감이 없다. 푸른 옷과 잿빛의 벽, 구린내 같은 밥 냄새, 땀 냄새, 복도를 걷는 간수의 구둣발 소리, 쩔그렁대는 쇳소리…… 그런 모든 익숙한 색깔과 촉감, 냄새, 소리, 그리고 언제나 똑같이 반복되는 일과 같은 것들이 별안간 그에게서 떨어져 나가 버리고, 대신에 전혀 생소한 또 다른 사물들의 질서가

---

3 해소 '기침'을 한방에서 이르는 '해수'의 변한 말.
4 탐조등(探照燈) 어떠한 것을 밝히거나 찾아내기 위하여 빛을 멀리 비추는 조명 기구.

사내에게 일방적으로 떠맡겨진 거였다. 그 새로운 모든 것들은 다만 사내를 당혹감에 빠뜨리고 거북하게 만들 뿐이었다. 그 때문에 사내는 출감 후부터 자꾸만 무엇인가 대단히 커다란 것을 빼앗겼다는 느낌을 감출 수가 없었다. 감방 안에서 사내는 손바닥 안에 움켜쥔 모래알이 빠져나가듯 하릴없이 축소되어 가고 있는 자기 몫의 삶의 부피를 안타깝게 저울질해 보곤 했었다. 하지만 기이한 일이다. 낯선 시골 역에 홀로 앉아 있는 이 순간, 정작 자기가 빼앗긴 것은 흘려보내는지 모르게 보낸 지난 12년의 세월이 아니라, 오히려 그 푸른 옷과 잿빛 담벼락과 퀴퀴한 냄새들이 배어 있는 사각형의 좁은 공간일지도 모른다는 가당찮은 느낌이 문득문득 들곤 하는 거였다.

쿨룩쿨룩. 아, 저 기침 소리. 사내는 흠칫 몸을 돌려 소리가 나는 쪽을 찾는다. 그러나 그것은 감방장 허 씨가 아니다. 낯모르는 사람들 뿐. 사내는 낮게 한숨을 토해 내며 고개를 흔들어 버리고 만다.

밖엔 간간이 바람이 불고 있다. 전깃줄이 윙윙 휘파람을 불었고, 무엇인가 바람에 휩쓸려 다니며 연신 딸그락 소리를 낸다.

대합실 안은 조용하다. 산골짜기를 돌아 달려온 바람이 역사 건물을 지나칠 때마다 유리창이 덜그럭거리고, 이따금 난로 속에서 톱밥이 톡톡 튀어 오를 뿐 사람들은 아무도 입을 열지 않는다. 저만치 혼자 쭈그려 앉은 청년은 줄곧 창밖의 바람 소리를 헤아리고 있던 참이다. 이윽고 청년은 의자에서 몸을 일으킨다. 딱딱한 나무 의자로부터 스며 오는 한기로 엉덩이가 시리다. 창가로 다가가다 말고 그는 문득 누워 있는 미친 여자 쪽을 근심스레 살핀다. 여자는 새우등을 하고 모로 누웠는데 시체가 아닌가 싶을 만큼 미동조차 없다.

세상에, 이렇게 추운 곳에서…… 그런 지경에도 사람이 잠들 수 있다는 사실이 청년은 도대체 믿기지 않는 모양이다. 여자에게서는 가느다란 숨소리만 이따금 새어 나오고 있다.

청년은 다시 유리창 밖을 내다본다. 밤새 오려는가. 송이눈이 쏟아져 내리고 있다. 대합실 안에서 새어 나간 불빛이 유리창 가까운 땅바닥 위에 수북하게 쌓인 눈을 비추고 있다. 하얗게 쏟아지는 눈발을 망연히 바라보며 청년은 그것이 무수한 나비 떼 같다고 생각한다.

그래, 나비 떼야. 활활 타오르는 불길 속으로 밤이 되면 미친 듯 날아 들어와 비명조차 지르지 못하고 타 죽어 가는, 수많은 흰 나비 떼들……

그는 대학생이다. 아니, 정확히 말하면 그건 보름 전까지의 이야기이다. 청년은 아직도 저고리 안주머니에 학생증을 지니고 있긴 하지만 앞으로 그것을 사용해 볼 기회는 영영 없을지도 모른다. 이젠 누렇게 바랜 어린 날의 사진만큼의 의미도 없는 그것을 미련 없이 찢어 버려야 하리라는 걸 잘 알고 있었음에도 불구하고, 여전히 간직하고 있는 자신을 스스로 감상적이라고 비난하고 있는 중이다.

청년은 유리창에 반사된 톱밥 난로의 불빛을 응시한다. 그 주홍의 불빛은 창유리 위에 놀랍도록 선명하게 재생되어지고 있었으므로, 청년은 그것이 정작 실물이 아닌가 하는 착각을 일으킬 뻔했다. 그것은 한 폭의 그림처럼 아름다웠다. 먹빛 어둠은 화폭으로 드리워지고, 네모진 창틀 너머 순백의 눈송이들이 화폭 위에 무수히 흩날리고 있다. 거기에 톱밥 난로의 불꽃이 선연한 주홍색으로 투영되어지자 한순간 그 모든 것들은 기막힌 아름다움을 이루어 내는 것이었다. 아아, 저건 꿈일 것이다. 아름답지만 존재하지 않는 것, 존재하지 않으므로 아름다운 것. 청년은 불현듯 눈빛을 빛내며 한 발 창 쪽으로 다가서고 있다.

— 아우슈비츠의 학살이 있었고, 그 후 아무도 아름다움을 노래하지 않았다. 더는 누구도 꿈꾸지 않았다.

— 침묵, 잠, 그리고 죽음.

— 가슴의 뜨거움에 대해서 우리는 얼마나 오래 생각해야 하는 것일까, 이 × 자식들아.

그날, 청년은 누군가가 어지럽게 볼펜으로 휘갈겨 놓은 책상 위의 낙서들을 물끄러미 내려다보며 홀로 강의실에 앉아 있었다. 텅 빈 하오[5]의 교정엔 차츰 땅거미가 깔리기 시작하고, 플라타너스 나무에 설치된 스피커로부터 나지막이 흘러나오고 있는 교내 방송의 고전 음악을 들으며 학생들이 띄엄띄엄 집으로 돌아가고 있을 무렵이었다. 그는 바로 전날 밤, 제적 처분되었다는 사실을 학교로부터 통고받았었다. 주인도 없는 새에 주인도 아닌 사람들이 주인도 모르게 자신의 이름 석 자를 제멋대로 재판했다는 거였다. 이튿날 조간신문 귀퉁이에서 제 이름을 찾아냈을 때, 그는 한동안 자신과 기사 속의 그 이름과의 정확한 관계를 찾아내려 애를 썼다. 끝내 실감이 나지 않아서 여느 때 하듯 귀퉁이가 쭈그러진 책가방을 챙겨 들고 쭈뼛쭈뼛 강의실에 들어서자마자 친구들은 너도 나도 그를 에워쌌다. 아침부터 학교 뒤 막걸리 집으로 끌고 가 술을 퍼 먹이던 녀석들 중 몇은 저쪽에서 먼저 찔찔 짜기도 했다.

하는 데까진 해 봤네만 나로서도 어쩔 수가 없었네. 자네 볼 면목이 없구먼.

지도 교수는 짐짓 눈물겨운 표정으로 그의 손을 덥석 잡아 주었다.

괜찮습니다.

모두들 돌아가 버린 텅 빈 강의실은 관 속처럼 고요했다. 창틈으로 비껴 들어온 일몰의 잔광이 소리 없이 부유하는 무수한 먼지의 입자를 하나하나 허공으로 떠올리고 있었다. 미처 덜 지운 칠판의 글자들, 분필 가루 냄새, 휴식 중인 군대의 대오마냥 흐트러져 있는 책상들, 강의실 바닥의 얼룩…… 그런 오래 친숙해 온 사물들 속에서, 그는 노교수의 나직한 음성과 친구들의 웅얼거림, 그들의 체온과 호흡과 웃음소리와 함성이 아무도 없는 그 순간에 또렷하게 되살아 나오고 있음을 놀라움으로 지켜보고 있었다. 그리고 3년 동안이나 자신을 그 한 부분으로 포함시켜 왔던 친숙한 이름들로부터 대관절 무엇이 그를 억지로 떼어 내려 하고 있는 것인가에 대해 오래오래 생각했다. 그러나 끝내 알 수가 없었다.

---

5 하오(下午) 오후.

강의실 문을 잠그러 들어왔다가 그를 발견한 수위가 의심스러운 눈초리로 당장 나가기를 명령했을 때까지도, 그는 해답을 찾지 못했다.

문학부 건물을 나설 즈음, 백마고지[6] 전투에서 훈장까지 받은 역전의 상이용사[7]인 수위 아저씨가 절뚝이며 뒤쫓아 나오더니 그의 가슴에 가방을 내던져 주고 가 버렸다. 그는 깜박 잊고 가방을 두고 온 거였다. 그러자 주체할 수 없이 웃음이 터져 나오기 시작했다. 무엇이 그토록 우스웠는지 모른다. 그는 혼자 미친 듯 웃어 젖혔다. 한참이나 벤치에 엎디어 킬킬대다가 그는 배 속에 든 오물을 모조리 토해 내고 말았다. 토하면서도 자꾸만 웃고 또 웃었다. 그러다가 끝내 울음이 터져 나와 버렸던 거였다.

덜커덩.

대합실 출입문이 열리며 한 떼의 사람들이 나타난다. 우연인지 모르지만 네 사람 다 여자들이다. 그녀들의 등뒤로 삼동[8]의 시린 바깥바람이 바싹 달라붙어 함께 들어왔다. 바람 끝에 묻어 온 싸늘한 냉기에 놀라서 대합실 안에 있던 사람들의 고개가 일제히 그쪽으로 꺾인다.

첫눈에도 그녀들이 모두 일행은 아니라는 걸 쉽게 알 수 있다. 몸집이 큰 중년 여자와 바바리코트를 입은 처녀, 그리고 나머지 둘은 큼지막한 보따리를 하나씩 이고 오는 품이 무슨 행상꾼 아낙네들이 분명하다. 그녀들은 무척 서둘러 온 눈치다. 머플러며 어깨 위에 눈이 수북하다. 추위에 바짝 얼은 뺨을 씰룩이며 가쁜 입김을 뿜어내고 있다.

"기차, 떠난 건 아니죠?"

맨 처음 들어섰던 중년 여자가 그 말부터 묻는다. 그녀는 아까 문을 여는 순

---

6 백마고지(白馬高地) 강원도 철원군 서북쪽에 있는 고지. 6·25 전쟁 때의 격전지이다.
7 상이용사(傷痍勇士) 군에서 복무하다가 부상을 입고 제대한 병사.
8 삼동(三冬) 겨울의 석 달.

간 난롯가에 서 있는 사람들을 보고 기차가 오지 않았다는 걸 짐작했었지만, 그래도 재차 확인하려는 속셈이다.

"아, 와야 뜨든지 말든지 하지요. 그 빌어묵을 놈의 기차가 한 시간이 넘었는디도 감감무소식이다니께요."

늙은이를 받쳐 주고 있던 농부가 부아가 나서 대꾸한다.

그 말에 중년 여인은 대단히 만족한 표정을 역력히 떠올린다. 아예 기뻐 어쩌지 못하겠다는 양 헤벌쭉 웃기까지 한다. 웃고 있는 그녀의 빨갛게 칠한 입술을 손으로 쥐어뜯어 주었으면 싶지만 농부는 참는다. 이 여편네는 기차가 연착하기를 오매불망하고 있었다는 투로구나, 젠장.

"다행이지 뭐야. 난 틀림없이 놓쳐 버린 줄로만 여겼다구요. 고생한 보람이 있군요."

농부는 눈살을 찌푸리며 여자를 훑어보았다. 그녀는 꽤 비쌀 게 틀림없는 밍크 목도리를 두르고 있지만 참 지독히도 뚱뚱하다. 기름 찬 아랫배가 개구리마냥 불룩하고, 코트 속에 감춘 살덩어리가 터져 나올 듯 코트 자락을 압박하고 있다. 농부는 여인의 무릎에 여기저기 짓이겨진 눈을 훔쳐보며, 저렇듯 둔하고 커다란 몸뚱이가 눈밭에 미끄러져 뒹굴었을 때 얼마나 거창한 소리가 났을까 하고 상상해 보는 걸로 화풀이를 대신한다.

처녀는 머리에서 눈을 털어 내고 있고, 행상꾼 아낙네들은 보따리를 내려놓은 다음 난로로 달려와 한 자리씩 차지했다. 그러다가 뚱뚱보 중년 여자가 표를 사기 위해 매표구 쪽으로 가는 눈치였으므로, 나머지 세 여자도 어정어정 그녀를 따라간다.

"여보세요. 기차 아직 안 왔대믄서요?"

뚱뚱보가 매표구 유리창을 두드리며 뻔한 질문을 안으로 쑤셔 박아 넣었을 때, 늙은 역장은 벌써 차표를 준비하고 있던 참이다.

"예예, 조금만 기다리십시오. 곧 올 겁니다."

역장은 표를 넉 장 팔았다. 처녀와 중년 여인은 서울행이고 아낙네들은 읍내까지 가는 모양이다.

그녀들이 다시 난로 쪽으로 달려가고 나자, 역장은 대합실을 넘겨다보며 오늘 막차는 뜻밖에 손님이 많은 편이라고 생각한다. 대합실에 있는 아홉 명 가운데서 표를 산 사람은 여덟이다. 의자 위에서 웅크린 채 잠들어 있는 그 미친 여자는 늘 공짜 승객이기 때문이다. 9시 5분 전이다. 역장은 암만해도 톱밥을 더 가져다주어야 하리라고 여기며 장갑을 찾아 끼고 일어선다.

난로를 에워싸고 있는 사람은 어느덧 일곱으로 불어났다. 늦게 나타난 것이 무슨 특권인 양, 여자들은 비좁은 틈을 비집고 들어와 각기 섭섭지 않게 공간을 확보했다. 그 통에 중년 사내는 연통[9] 뒤편으로 밀려나고 말았다.

청년은 아직도 저만치 창가에 서 있고, 미친 여자는 죽은 듯 움직이지 않는다.

한동안 여자들은 추위 속을 걸어온 끝에 마침내 불기를 쬘 수 있게 되었다는 사실에 감격해서 한마디씩 호들갑을 떨기 시작한다. 덕분에 푹 가라앉아 있던 대합실이 부쩍 활기를 띠는 것 같다.

"영락없이 난 얼어 죽는 줄 알았당께. 발톱이 다 빠질 것 같드라고, 글씨."

"그랑께 내 뭐라고 그랍디여. 눈 오는 날은 일찌감치 기차 탈 염을 해야 된다고라우. 싸레기만 조끔 쏟아져도 버스가 망월재를 못 넘어 간당께요."

"글씨. 자네 말을 들을 거신디. 무담씨 그놈의 버스 기다리니라고 생고상만 했네, 그랴."

---

9 연통 양철이나 슬레이트 따위로 둥글게 만든 굴뚝.

아낙네들은 목청도 크다. 그녀들의 목소리가 대합실 사방 벽을 쨍쨍 울리며 튕겨 다닌다. 그녀들은 눈에 길이 막혀 버스가 오지 못한다는 걸 늦게야 전해 듣고는, 으레 지각하기 일쑤인 완행열차를 혹시나 탈 수 있을까 하고 역까지 허겁지겁 달려나온 참이었다.

"어머, 안심하긴 아직 일러요. 혹시 누가 알아요. 기차도 와 봐야 오는가 부다 하지."

뚱뚱이 여자가 말했을 때 아낙네들은 문득 멀뚱한 얼굴로 그녀를 쳐다본다. 하지만 둘 중 누구도 그 말을 선뜻 받지 못한다. 눈부시게 흰 밍크 목도리와 값비싼 코트를 걸친 여자의 반질반질한 서울 말씨가 그녀들을 주저하게 했을 것이다. 무엇보다도 그녀가 난로 가까이 바로 그녀들의 코앞에 보란 듯이 펼쳐 놓은 손, 비록 과도한 영양 섭취 탓으로 뭉뚝하게 살이 쪄서 예쁘지는 않지만 그래도 뽀얗게 살집이 고운 그 손가락에 훌륭한 보석 반지가, 그것도 두 개씩이나 둘려 있는 것 때문에 아낙네들은 은근히 기가 질린다. 저 여자는 구정물 통에 손 한번 담가 보지 않고 사는 모양인갑네. 아낙네들은 불어 터진 오징어 발마냥 볼품없이 아무렇게나 난로 위에 펼쳐 놓은 자기들 손이 문득 죄 없이 부끄럽다.

뚱뚱이 서울 여자는 눈치도 빠르다. 주위의 그런 분위기를 이내 간파해 내고 내심 우쭐한다. 그녀는 이제 얼었던 몸이 풀리고 나니 입이 심심해지기 시작한다. 하지만 시골 보따리 장수 여편네들 따위와 얘기한다는 것은 자신의 품위에도 관계가 있을 것이므로, 다른 마땅한 상대를 찾기 위해 고개를 휘둘러본다.

마침, 맞은편에 서 있는 바바리코트 아가씨에게 초점이 맞춰진다. 스물 대여섯쯤. 화장이 짙은 편이고, 머리엔 노리끼한 물을 들였다. 얼굴은 제법 반반한 편이지만 어딘지 불결함 같은 게 숨어 있는 듯하다. 도시의 뒷골목, 어둡고 침침한 실내, 야하게 쏟아지는 빨간 불빛, 청승맞은 유행가 가락…… 그런 짤막한 인상들이 티브이 광고처럼 서울 여자의 시야에 잠깐씩 머무르다 사라진다.

틀림없어. 그렇고 그런 계집애로군.

아무리 눈가림을 해도 내 눈은 속일 수가 없지, 하고 뚱뚱이 서울 여자는 바바리 아가씨에 대한 까닭 없는 악의를 준비하며 확신하듯 중얼거린다.

바바리코트 처녀는 고개를 갸웃 숙인다. 처녀는 맞은편 중년 여자의 시선이 제게 따갑게 부어지고 있음을 느끼면서도 부러 모른 척한다.

흥, 지까짓 게 쳐다보면 어때.

처녀의 이름은 춘심이다. 그래, 춘심이가 내 이름이다. 어쩔래. 그녀는 은근히 부아가 치민다. 도대체 사람들은 뻔뻔스럽게 왜 남을 찬찬히 훑어보는 개 같은 버르장머리를 갖고 있는지 모르겠다. 그녀는 다른 사람들이 자기를 쳐다보는 듯한 눈치가 뵈면 아주 딱 질색이다. 그것은 흡사 온몸을 하나하나 발가벗기는 것 같아서 불쾌하기 그지없다. 참 알 수 없는 일인 것이, 그녀는 어둠 속에서 혹은 빨간 살구알 전등이 유혹하듯 은근한 불빛을 쏟아 내는 방구석에서, 또는 취한 사내들과 뚜덕뚜덕 젓가락 장단을 맞춰 가며 뽕짝을 불러 대는 술자리에서라면 누구 못지않은 용감한 여자인 것이다.

부끄러움? 흥, 그따위 잊은 지 왕년이다. 실오라기 같은 팬티 한 잎 걸치고 홀랑 벗어젖힌 몸뚱이 하나만으로도 사내들 얼을 빼놓기쯤이야 그녀에게 식은 죽 먹기다. 춘심이. 적어도 신촌 바닥에서 민들레집 춘심이 하면 아직은 일류다. 하지만 그런 그녀가 대낮에 한길에 나서기만 하면 형편없는 겁쟁이 계집애가 되고 마는 거였다. 무슨 벌거지[10] 떼처럼 무수히 거리를 오가는 행인들 중에 민들레집 춘심이의 얼굴을 기억할 사람이라곤 좀체 없을 터인데도, 그녀는 언제나 고개를 쳐들기가 어려웠다. 벌써 3년째 되어 가는 이력에도 불구하고 그 버릇은 여전히 떨어지지 않고 있었다.

춘심이는 애써 고개를 빳빳이 세워 뚱뚱이 여자가 자기를 여전히 뻔뻔스레 훑고 있음을 확인한다. 이제 춘심이는 아까보다 훨씬 오만한 표정을 떠올리며

10 벌거지 '벌레'의 잘못.

무심한 척 난로의 불빛만 들여다보기로 한다.

춘심이는 고향에 내려왔다가 서울로 다시 올라가는 길이다. 중학을 졸업하고 나서 몇 년 빈둥거리다가 어느 날 밤 무작정 상경한 후로 — 그때도 바로 이 기차였다. —3년 만에 처음 찾아온 고향 집이었다. 그래도 편지는 가끔 띄웠었다. 물론 이쪽 주소는 한 번도 알려 주지 않았다. 화장품 회사에 다닌다고 전해 두긴 했지만, 식구들이 꼭 믿는 눈치는 아니었다.

어쨌든 그녀의 귀향은 비교적 환영을 받은 셈이었다. 때 묻은 가방 하나만 꿰차고 줄행랑을 친 계집애가 완연한 멋쟁이 처녀로 변신해서, 얼마의 돈과 식구들은 물론 친척 어른들 몫까지 옷가지며 자질구레한 선물들을 꾸려 갖고 나타났으니 그럴 법도 했다. 휴가를 틈타 내려온 거로 된 그 닷새 동안, 오랜만에 그녀는 고향에서 어린 시절의 행복을 되찾은 기분이었다. 이름도 춘심이가 아니라, 예전의 옥자로 돌아왔다. 하지만 고무줄처럼 느즈러진[11] 시골 생활이 조금씩 지겨워지기 시작했을 즈음, 알맞게도 닷새간의 옥자 역은 끝나 주었으므로 그녀는 다시 춘심이가 되기 위해 산골짜기 고향 집을 나선 거였다.

언니, 나도 언니 댕기는 회사에 취직 좀 시켜 주소 잉.

그래, 염려 마. 내 서울 가서 연락해 줄게.

더러는 콧물을 찍어 내고 있는 식구들을 뒤로한 채, 하이힐을 삐적거리며 고샅은 빠져나올 때 동생 옥분이가 쭈르르 뒤쫓아 나와 신신당부하던 일이 떠올라 춘심이는 혼자 쓴웃음을 짓는다.

미친년. 그 짓이 뭔지도 모르구…….

문득 가슴 한쪽이 싸아 아려 와서 그녀는 손수건을 꺼내어 핑 코를 푼다.

이윽고 멀리서 기적 소리가 울려 왔다.

기차다. 온다. 행상꾼 아낙네들과 서울 여자가 맨 먼저 짐꾸러미를 챙겨 들었

---

11 느즈러지다 긴장이 풀려 느긋하게 되다.

고, 의자에 앉아 졸고 있는 노인을 황급히 흔들어 깨워 농부가 등에 업었다. 중년 사내와 창가에 혼자 서 있던 대학생도 천천히 몸을 돌려세운다. 미친 여자마저 그 소란 통에 부스스 일어났다.

그들이 문을 열어젖히고 플랫폼 쪽으로 바삐 몰려가고 있을 때, 저편 어둠을 질러오는 불빛을 확실히 볼 수 있었다. 하지만 뜻밖에 기차는 속도를 조금도 늦추지 않은 채로 그들을 지나쳐 가고 말았다. 유난히 밝은 기차 내부의 불빛과 승객들의 거뭇거뭇한 머리통 정도조차 언뜻 분간하기 어려웠을 만큼 기차는 쏜살같이 반대쪽으로 내달려 가 버렸다.

기차가 사라지고 난 뒤 사위는 다시금 고요해졌다. 눈발이 하염없이 쏟아지고 있을 뿐 모두가 아까 그대로 남아 있다. 달려 나왔던 사람들은 한참이나 어안이 벙벙하다. 방금 그들의 눈앞을 스쳐 지나간 것은 꿈속에서 본 휘황한 도깨비불이거나 난데없는 돌풍에 휩쓸려 날아가 버린 무슨 발광체였는지도 모른다. 그만큼 그것은 순식간에 일어난 일이었다.

기차가 스쳐 간 어둠 저편에서 손전등을 든 늙은 역장이 나타나 그것이 특급열차라고 알려 주었을 때에야, 사람들은 풀 죽은 모습으로 대합실로 어기적어기적 되돌아왔다.

"나 원 참, 좋다가 말았구마이."

누군가 투덜댔다. 난로를 차지하고 둘러서서 한동안은 모두들 입을 봉하고 있다. 저마다 실망한 기색이다. 대학생은 아까처럼 창을 내다보고 있고, 미친 여자는 의자에 멀뚱하게 앉아 있다.

조금 있으려니, 문이 열리며 역장이 바께쓰[12]를 들고 나타난다. 바께쓰 속엔 톱밥이 가득 들어 있다.

"추위에 고생하십니다요."

---

12 바께쓰(baketsu) 한 손으로 들 수 있도록 손잡이를 단 통.

농부가 얼른 인사를 차린다. 그에겐 제복을 입은 사람은 무조건 존경의 대상이 된다.

"뭘요. 그나저나 이거 죄송합니다. 기차가 자꾸 늦어지는군요."

눈이 오니까 그렇겠지라우, 하고 너그러운 소리를 농부가 또 덧붙인다.

역장은 난로 뚜껑을 열고 안을 살펴본다. 생각보다 톱밥이 꽤 남았다. 바께쓰를 기울여 톱밥을 반쯤 쏟아 넣은 다음, 바께쓰는 다시 바닥에 내려놓는다. 역장은 돌아가지 않고 함께 이야기를 주고받기 시작한다. 그도 역시 무료했으리라.

눈 얘기, 지난 농사와 물가에 관한 얘기, 얼마 전 새로 갈린 면장과 머지않아 읍내에 생기게 된다는 종합병원 이야기에 이르기까지 화제는 이어진다. 처음엔 역장과 농부가 주연이었지만 차츰 여자들도 끼어들게 된다. 그들 중 음울한 표정의 젊은 사내만이 끝내 입을 열지 않은 채로이다.

역장이 나타나는 바람에 자리가 더욱 좁아졌으므로, 중년 사내는 난로 가까이 놓아둔 자신의 작은 보퉁이를 한편으로 치워 놓는다. 그 보퉁이엔 한 두름[13]의 굴비, 그리고 낡고 때 묻은 내복 따위 같은 사내의 옷가지가 들어 있을 뿐이다. 그것은 사내가 벽돌담 저쪽의 세상에서 가지고 나온 유일한 재산이다.

"선생은 향촌리에 사시우?"

늙은 역장이 곁의 중년 사내에게 묻는다.

"아, 아닙니다."

"그래요. 근데 무슨 일로……."

"누굴 찾아왔다가 그만 못 만나고 가는 길입지요."

"누굴 찾으시는데요. 어디 말씀해 보구려. 이 근처 30리 안팎에 있는 동네라면 내가 얼추 다 아니까요. 허허."

"아, 아닙니다. 제가 주소를 잘못 알았었나 봅니다."

---

13 두름 조기 따위의 물고기를 짚으로 한 줄에 열 마리씩 두 줄로 엮은 것.

오, 그래요. 역장은 사내가 뭔가 말하기를 꺼려 한다는 느낌을 받았으므로 더 캐묻지 않는다.

톱밥 난로의 열기가 점점 강하게 퍼져 오르고 있다. 역장은 난로의 뚜껑을 닫고 나서 한산도[14]를 꺼내 사내와 농부에게 권한다. 그들은 담배를 피우기 시작한다.

사내는 기차를 타기 전, 서울역 앞에서 그 굴비 한 두름을 샀었다. 언젠가 감방에서 허 씨가 흰 쌀밥에 잘 구운 굴비를 먹고 싶다고 말한 적이 있었기 때문인지도 모른다. 비록 허 씨 자신은 먹을 수 없겠지만, 홀로 산다는 허 씨의 칠순 노모에게 빈손으로 찾아갈 수는 없을 것이라는 생각에 역 광장의 행상꾼에게서 한 두름을 샀다. 그리고 밤 내내 완행열차를 타고 이날 새벽 사평역에서 내려, 허 씨가 일러 준 대로 그 조그마한 산골 마을을 찾아들었던 것이다.

하지만 허 씨의 노모는 이미 만날 수가 없었다. 죽어 묻힌 지가 5년도 넘었다고 했다. 노모가 죽은 이듬해, 허 씨의 형도 식솔들을 데리고 훌훌 마을을 떴고, 그 후 그들의 소식은 영영 끊어졌다는 거였다.

그 말을 전해 듣는 순간 사내는 사지의 힘이 일시에 빠져나가는 듯한 허탈감을 맛보았다. 어느덧 초로에 접어든 허 씨의 쓸쓸한 모습이 눈앞에 선히 떠올랐다. 노모의 죽음조차 모르고 비좁은 벽돌담 안에 갇힌 채 다만 다른 사람들의 것일 따름인 그 숱한 계절들을 맞고 보내다가, 어느 날인가는 푸른 옷에 싸여 죽음을 맞아야 할 한 늙고 병든 무기수의 얼굴이 사내의 발길을 차마 돌릴 수 없도록 만드는 거였다. 등 뒤에 두고 돌아서려니, 사내는 그 마을이 바로 자기의 고향인 듯한 느낌이 들었다. 그의 고향은 본디 이북이었지만 피난 통에 가족들과 헤어져 집도 부모도 없이 떠돌아다니며 커 왔던 것이었다.

하염없이 눈송이만 펑펑 쏟아지는 산길을 걸어 나오며 사내는 자꾸만 발을

---

14 한산도 담배 상표명.

헛디뎠다. 문득 되돌아보면, 멀리 산골 초가의 굴뚝에선 저녁 짓는 연기가 은은히 피어오르고 있었다. 눈 내리는 산자락에 고요히 묻혀 가는 저녁 무렵의 산골 풍경은 눈물겹도록 평화스러워 보였다.

이보쇼, 허 씨. 당신이나 나는 이젠 매양 마찬가지구려. 피차 어디 찾아갈 곳 하나 없어졌으니 말이오. 하지만 그래도 당신은 나보다야 낫소. 그 속에 있으면 애써 고향을 찾아 나설 수도, 또 그래야 할 필요도 없을 테니까 말이외다. 허허허. 그나저나 난 도대체 이제부터 어디로 가야 한다는 말이오.

사내는 휘적휘적 눈길을 헤쳐 내려오며 몇 번이나 그렇게 넋두리를 했다.

역장은 시계를 본다. 9시 반. 이거 너무 늦는걸. 그러다가 역장은 저만치 창가에서 서성이고 있는 청년을 새삼 발견한다.

청년은 벽에 붙은 지명 수배자 포스터를 들여다보고 있는 참이다. 포스터엔 스무 명 남짓, 지극히 평범하게 생긴 한국 사람들의 얼굴이 적혀 있고 그 밑에 성명, 나이, 범행 내용, 인상착의 따위가 기록되어 있다. 그중 몇은 '검거'라고 쓰인 붉은 도장이 쿵쿵 박혀 있다. 수배자들의 사진 가운데엔 대학생이 아는 얼굴도 하나 끼여 있다. 그는 청년의 선배이다. 시위를 주동한 혐의로 선배는 몇 달 전부터 수배되어 있는 중이다. 청년은 지금 그 선배의 사진과 무슨 얘기라도 나누는 양 골똘히 마주 대하고 있다. 바로 그때 역장이 청년을 불렀으므로, 청년은 적이 놀란 모양이다.

"이봐요, 젊은이. 추운데 거기 있지 말고 이리 와서 불 좀 쬐구려."

청년은 우물쭈물하더니 이윽고 난로 쪽으로 걸어온다. 그리고 역장에게 꾸벅 고개를 숙인다.

"누구……더라."

역장은 의외라는 표정이다. 청년의 얼굴이 금방 기억나지 않는다.

"저, 역장님은 잘 모르실 거예요. 고등학교 때 통학하면서 줄곧 뵈었는데…… 재 너머 오동삼 씨가 제……."

"아아, 이제야 알겠네. 자네가 바로 오 씨 큰아들이구먼. 지금 대학에 다닌다면서, 그렇지?"

"예……."

"맞아. 작년 여름에 내려왔을 때도 봤었지. 그래, 방학이라서 집에 왔구먼."

"예……."

역장은 청년을 새삼 믿음직스러운 듯 바라본다. 역장은 그를 기억해 낼 수 있다. 어릴 때부터 남달리 성실하고 착한 학생 같았다. 여느 애들과는 다르게 생각이 많아 뵀고 늘 손에 책이 들려 있는 것도 대견스러웠다. 그러길래 청년이 인근 마을에선 유일하게 도회지의 국립 대학에 합격했다는 소문을 들었을 때, 그게 우연이 아니라고 여겼던 것이다.

"아믄, 공부 열심히 해서 성공해야지. 뒷바라지하시느라 촌구석에서 뼈 빠지게 고생하시는 부모님 호강도 시켜 드리고. 고향에 좋은 일도 많이 해야 하네. 알겠는가."

"예……."

역장이 어깨를 툭툭 두드려 주며 격려했고, 청년은 고개를 떨군 채 희미한 대답을 한다.

불현듯 청년의 뇌리엔 아버지의 얼굴이 떠오른다. 소나무 등걸처럼 투부룩한 아버지의 손. 그 손으로 아버지는 평생을 논밭만 일구며 살아왔다. 아버지의 꿈은 판사 아들을 두는 거였다. 그렇게만 된다면 내일 죽어도 한이 없노라고, 젊은 시절을 남의 집 머슴으로 전전했던 가난한 아버지는 대학생이 된 아들 앞에서 주먹을 불끈 쥐어 보이곤 하던 거였다.

청년에겐 동생이 다섯이나 있었다. 모두가 국민학교만 겨우 마쳤거나 아직 다니고 있는 중이었다. 청년은 그의 집의 유일한 희망이었고, 어김없이 찾아올 밝아 오는 새벽이었다. 그런 부모와 형제들 앞에서 끝내 퇴학당했다는 말을 꺼낼 수가 없었다. 언젠가 여름에 자기도 그냥 집에 내려와 농사나 짓는 게 어떻겠느냐고 한

마디 건넸다가 그만 노발대발한 아버지에게 용서를 비느라 혼쭐이 난 적도 있었다. 결국 아무런 얘기도 꺼내 보지 못하고 이젠 누구 하나 찾아갈 사람도 없는 그 거대한 도시를 향해 집을 나섰을 때, 청년은 하마터면 울음을 터뜨릴 뻔하였다.

자. 이거 받으라이. 느그 아부지가 준 돈은 책값하고 하숙비 빼면 니 쓸 것도 부족하꺼이다. 괜찮다이. 내, 그동안 몰래 너 오면 줄라고 모아 둔 돈이니께. 달갈도 모았다가 팔고 동네 밭일해 주고 품삯 받은 거이다. 아무쪼록 애껴 쓰면서, 공부도 좋재만 항상 몸을 살펴야 쓴다이.

동구 밖까지 따라 나온 어머니는 꾸깃꾸깃 때에 전 돈을 억지로 손에 쥐여 주었다. 어머니와 동생들은 마른버짐이 허옇게 핀 얼굴로 그가 고개를 꼬박 넘어설 때까지 손을 흔들고 있었다.

흥, 대학생? 그까짓 대학생이 무슨 별거라구…….

춘심이는 역장과 청년의 대화를 들으며 입을 삐쭉인다.

춘심이가 벌써 3년간이나 몸 비비고 사는 민들레집 근방 일대엔 서너 개의 대학이 몰려 있었으므로, 허구한 날 보는 게 대학생이었다. 그 녀석들은 덜렁대며 책가방을 들고 다니긴 하지만 대체 언제 공부를 하는 줄 모르겠다고 그녀는 늘 의아해했다. 아침이면 교문으로 엄청난 수가 떼를 지어 몰려 들어갔고, 어쩌다 교문 앞을 지나치다 보면 거의 날마다 무슨 운동회다 축제 행사다 해서 교정이 빽적지근하도록 시끄러웠다. 게다가 뻐끗하면 데모다 시위다 하여 죄 없는 부근 주민들까지 매운 냄새를 맡게 만들었기 때문에 번번이 장사에 지장도 많았다. 하필 학교 정문으로 통하는 네거리 길목에 자리 잡은 민들레집으로서는 데모가 터졌다 하면 그날 장사는 종을 쳤다. 그런 날은 일찌감치 문 닫고 그녀들은 옥상으로 올라가, 한여름에도 신라 시대 장군들처럼 투구에다 갑옷 차림으로 학교 문 앞을 겹겹이 막고 도열해[15] 있는 사람들을 재미나게 구경하는

15 도열(堵列)하다 많은 사람이 죽 늘어서다.

거였다.

하교 시간이면 술집들이 빽빽하게 들어차기 시작했다. 무슨 뼈 빠지는 막노동이라도 종일 하고 온 사람처럼 열나게 술을 퍼마시는 녀석들, 알아듣지도 못할 골치 아픈 얘기 따위나 해 대며 괜스레 진지한 척 애쓰는 배부른 녀석들. 그것이 춘심이네가 생각하는 대학생들이었다. 그러다가 그들은 자정이 넘어서야 곤드레[16]가 되어 더러는 민들레집을 찾아 기어들어 오기도 했는데, 가끔 술값이 모자라 이튿날 아침이면 가방을 잡혀 두고 허겁지겁 돈 구하러 뛰어나가는 얼빠진 녀석들도 있었다.

그러나 아무리 입을 비쭉여 대긴 해도 대학생은 역시 부러운 존재였다. 그들은 모두 머지않아 도심지의 고층 빌딩을 넥타이 차림으로 오르락내리락할 것이고, 유식하고 잘난 상대를 만나 그럴싸한 신혼 살림에 그럴싸하게 살아갈 것이라는 빤한 사실 때문인지도 모른다. 언젠가 춘심이는 민들레집 계집애들과 함께 일이 없는 오후에 근처 대학교로 놀러 갔었다. 그러나 그녀들은 교문에 들어서기도 전에 수위한테 내쫓김을 당했다. 씨발, 여대생은 얼굴에 무슨 금딱지라도 붙이고 다닌다던. 춘심이는 홧김에 씹고 있던 껌을 교문 돌기둥에 꾹꾹 눌러 붙여 놓고 왔었다.

쿨룩쿨룩.

노인이 기침을 시작한다. 농부는 노인의 가슴을 크고 볼품없는 손으로 문질러 준다. 난로가 달아오르고 있다. 훈훈한 열기가 주위에 서 있는 사람들의 몸을 기분 좋게 적신다.

남자들이 담배를 피우는 모습을 보고 있으려니 여자들은 문득 입안이 허전한가 보다. 아낙네 하나가 보따리에 손을 집어넣고 무엇인가를 찾고 있다. 이윽고

---

16 곤드레 술이나 잠에 몹시 취하여 정신을 차리지 못하고 몸을 못 가누는 모양.

아낙의 손끝에 북어 두 마리가 따라 나온다. 그녀는 그걸 대뜸 난로 위에 얹어 굽더니, 북북 찢어 내어 사람들에게 골고루 나누어 준다.

"벤벤찮으요만 잡숴들 보실라요. 입이 궁금할 때는 이것도 맛이 괜찮합디다."

"고맙긴 하오만, 이렇게 먹어 버리면 뭐 남기나 하겠소?"

역장이 한 조각 받아 들며 말한다.

"밑질 때 밑지드라도 먹고 싶을 때는 먹어야지라우. 거시기, 금강산도 식후갱이라 안 합디여. 히히히."

아낙은 제법 유식한 말을 했다는 생각에 스스로 대견해서 익살맞게 이빨을 드러내고 웃는다.

농부와 대학생과 춘심이도 한 오라기씩 입에 넣고 우물거리고 있다. 뚱뚱이 서울 여자는 마지못한 시늉으로 그걸 받더니, 행여 더러운 것이라도 묻지 않았나 싶은 듯 손가락 끝에서 요모조모 뜯어보다가 입에 넣는다. 그녀는 여전히 마뜩잖은 표정을 짓고 있었지만, 속으로는 그게 생긴 것보다는 맛이 괜찮다고 생각한다. 그러고 보니 그녀는 저녁을 거른 채로였다.

"북어를 팔러 다니시는가 부죠?"

뚱뚱이 여자는 북어 얻어먹은 걸 반지르르한 서울말로 갚아야겠다는 속셈이다.

"북어뿐 아니라 김, 멸치, 미역 같은 해산물도 갖고 다녀라우. 산골이라 해산물이 귀해서 그런지, 사평에 오면 그런대로 사 주는 편입디다."

"저쪽 아주머니두요? 보따리가 꽤 커 보이는데."

"아니라우. 나는 옷 장사[17]요. 정초도 가까워 오고 해서 애들 옷가지랑 노인네 솜바지 같은 걸 조까 많이 떼어 와 봤등만, 이번엔 영 재미를 못 봤소야. 삼사일 전에 다른 옷 장사가 먼저 들러 갔다고 그럽디다. 오가는 차비 빠지기도 힘들게

17 장사 '장수(장사하는 사람)'의 잘못.

돼 부렀는 갑소."

"아따, 성님도 엄살은. 그만큼 팔았으면 됐지, 손해는 무슨 손해요."

젊은 아낙은 북어 두 마리를 더 꺼내어 난로에 얹으며 호들갑을 떤다.

"근데 여기 기차도 다 틀린 건 아닌지 모르겠네. 어떡하믄 좋지. 이놈의 시골 바닥엔 여관 하나도 안 보이던데, 쯧."

서울 여자가 코를 찡그린다.

"누구, 아는 사람을 찾아오신 게 아닌갑네요?"

젊은 아낙이 퍽 호의를 보이며 묻는다.

"아는 사람이 누가 있겠수. 이런 두메산골은 눈 째지고 나서 첨 와 봤다구요. 말만 들었지, 종이쪽지 하나 들구 찾아와 보니깐 이거 원. 이게 모두가 다 그……."

모두가 다 그 몹쓸 년 때문이지 뭐야, 하려다가 서울 여자는 입을 오므리고 만다. 단무지같이 누렇게 뜬 사평댁의 낯빛이 눈에 선하게 떠오른 까닭이다.

뚱뚱이 여자는 이날 아침 버스로 사평에 도착했다. 하지만 사평댁이 사는 마을은 고개를 둘이나 넘어야 하는 산골짜기에 있었다. 커다란 몸집을 절구통 옮기듯 씩씩거리며 두어 시간이나 걸려 마을에 다다랐을 때는 점심나절이 한참 넘어서였다.

그녀는 사평댁을 만나면 머리채부터 휘어잡고 그동안 쌓인 분풀이를 톡톡히 할 참으로 벼르고 있었다. 그녀는 서울에서 음식점을 하나 갖고 있었는데, 몇 달 전만 해도 사평댁은 주방에서 일을 했었다. 갓 서른이 넘은 나이에 성깔도 고와 뵈고 믿을 수 있을 것 같아서 그녀는 남다른 신뢰와 애정을 베풀어 주었노라고 지금도 자부하고 있는 터였다. 한데, 믿는 뭣에 뭐가 핀다더니, 바로 그 사평댁에게 가게를 맡기고 단풍놀이를 갔다가 돌아와 보니, 사평댁은 돈을 챙겨 넣은 채 온다 간다 말도 없이 사라져 버리고 없던 거였다. 이상한 건 금고에 돈이 더 있었는데도, 없어진 것은 다만 30여 만 원 정도였다. 하지만 그녀가 분해하는 것은 없어진 돈 때문만은 아니었다. 세상이 아무리 막되어 간다지만, 친언니처럼 더 극진히 믿고 위해 주었던 은혜를 사평댁이 감쪽같이 배신했다는 것이 더욱 분했다. 처음엔 그저 잊어버리고 말지, 했으나 생각하면 할수록 부아가 치밀어 올라 급기야는 어설픈 기억을 더듬어 사평댁의 고향으로 이날 쫓아 내려온 거였다.

사평댁이 살고 있는 마을은 지독한 빈촌이었다. 겨우 20여 호 남짓한 흙벽돌 집들은 대부분이 초가였고, 한결같이 금방이라도 귀신이 나올 듯한 험상 맞은 꼬락서니를 하고 있었다. 산비탈 여기저기에 밭을 일구어 간신히 입에 풀칠이나 하고 살아가는 화전민촌이라는 사실을 첫눈에 쉽사리 알 수 있었다.

세상에, 이눔의 동네는 그 요란한 새마을 운동인가 뭔가도 여태 구경 못 했담.

발 디딜 자리 없이 쇠똥이 지천으로 내갈겨진 고샅을 더듬어 올라가며 그녀는 내내 오만상을 구겨야 했다. 엄청나게 큰 아가리를 벌리고 있는 똥통이며 두엄 더미, 그리고 어쩌다 마주치는 시골 사람들의 몰골은 하나같이 수세미처럼 거칠고 쭈그러져 있었다.

금방 주저앉을 듯한 초가 사립을 들어섰을 때, 그녀는 이미 그때까지 등등하던 기세가 사그라져 버리고 없었다. 기척을 들었는지 누구요, 하고 방문을 연 것은 바로 사평댁이었다. 순간 그녀를 보자마자 사평댁은 그 자리에서 풀썩 주저앉고 마는 거였다. 처음엔 그녀는 송장같이 핼쑥한 그 여자가 바로 사평댁이라는 사실을 깨닫지 못했다. 그만큼 사평댁은 오랜 병석의 기색이 완연했다.

에구머니나. 이게 무슨 꼴이야. 곱던 얼굴이 세상에 이렇게 못쓰게 될 수가 있담. 아니, 정말 네가 사평댁이 틀림없니, 틀림없어?

머리채를 박박 쥐어뜯어 놓겠다고 벼르던 일은 까맣게 잊고, 뚱뚱이 여자는 사평댁의 허깨비 같은 몸뚱이를 부둥켜안고 안타까워 어쩔 줄을 몰랐다. 속사정이야 제쳐 두고 우선 두 여자는 한참 동안 울음보를 풀었다. 서울 여자는 일찍이 젊어 과부가 된 제 팔자가 새삼 서러웠을 테고, 송장같이 말라빠진 사평댁 또

한 기구한 제 설움에 겨워 눈물을 쭐쭐 쏟아 내었다.

한바탕 소란이 끝나고 차츰 그간의 경위를 들어 보니, 사평댁의 소행이 이해가 갈 만도 했다. 본디 사평댁은 결혼 후 그 마을에서 죽 살아왔노라고 했다. 주정뱅이에다가 노름꾼인 건달 남편과의 사이에 아이 둘을 낳았으나, 갈수록 심해지는 남편의 손찌검에 못 견뎌 집을 나온 거였다. 물론 그런 사실을 사평댁은 까맣게 숨기고 있었다. 그런 어느 날 식당에 우연히 들어온 고향 사람을 만났고, 그에게서 지난겨울 술 취한 남편이 밤길 눈밭에서 얼어 죽었다는 소식을 들었다. 부모 없이 거지 신세가 되어 이 집 저 집에 맡겨져 있다는 아이들을 생각하니 한시도 머물러 있을 수가 없었노라고, 사평댁은 울먹이며 자초지종을 털어놓았다. 그러고 보니, 방 한쪽 구석에는 사평댁의 아이들이 눈이 휘둥그레져서 그녀들을 쳐다보고 있었다. 머리통은 부스럼 딱지로 더껑이가 져 있고 영양실조로 낯빛이 눌눌한[18] 아이들은 유난히 배만 불쑥 튀어나온 기이한 모습들이었다. 다시 한바탕 설움에 겨운 넋두리를 퍼붓다가, 뚱뚱이 여자는 몸에 지닌 몇 푼의 돈까지 쓸어 모아 한사코 마다하는 사평댁의 손에 쥐여 준 채 황황히 그 집을 나오고 말았다.

젠장맞을. 하여간 나는 정이 많은 게 탈이라구. 그 꼴을 하고 있는 줄 알았으면 애당초 여기까지 찾아오지도 않았을 거 아냐. 쯔쯔쯔.

서울 여자는 분풀이라도 하듯 북어를 어금니로 쭉 찢어서 씹기 시작한다.

짧은 순간, 사람들은 모두 바깥의 어둠에 귀를 모은다. 분명히 기적 소리다.

야아, 오는구나.

저마다 눈빛을 빛내며 그들은 서둘러 짐 꾸러미를 찾아 들고 플랫폼을 향해 종종걸음을 친다. 그러나 맨 앞장선 서울 여자가 유리문에 미처 다다르기도 전

---

18 눌눌하다 누르스름하다.

에 문이 드르륵 열리며 역장이 나타났다.

"그대로들 계십시오. 저건 특급 열찹니다."

그렇게 말하고 역장은 문을 다시 닫더니 플랫폼으로 바삐 사라진다.

참, 그러고 보니 저건 하행선이구나. 대합실 안의 사람들은 일시에 맥이 빠진다. 이번에도 특급이야? 뚱뚱이는 짜증스레 내뱉었고, 아낙네들은 욕지거리를 섞어 가며 툴툴대었으며, 노인은 더 심하게 기침을 콜록거렸고, 농부는 이번엔 늙은이의 가슴을 쓸어 줄 생각을 하지 못했다. 중년 사내와 청년도 말없이 난롯가로 되돌아갔고, 맨 뒤로 몇 발짝 따라 나왔던 미친 여자는 쭈뼛쭈뼛 눈치를 살피며 도로 의자 위에 엉덩이를 주저앉힌다.

그사이, 열차는 쿵쾅거리며 플랫폼을 통과하고 있다. 차 내부의 불빛과 승객들의 미라 같은 형상들이 꿈속에서 보듯 현란한 흔적으로 반짝이다가 이내 사라져 버리고 말았다. 사위는 아까처럼 다시금 고요해졌고, 창밖으로 칠흑의 어둠이 잽싸게 제자리를 찾아 들어온다. 열차가 사라진 어둠 저편에서 늙은 역장의 손전등 불빛이 휘적휘적 걸어오고 있는 게 보인다. 그 모든 것이 아까와 똑같이 반복되고 있는 것이다.

대학생은 방금 눈앞에 나타났다가 사라진 열차의 불빛이 아직 자신의 망막에 남아 있는 듯한 느낌이다. 그것은 어느 찰나에 피어올랐다가 소리 없이 스러져 버린, 눈물겨운 아름다움 같은 거였다고 청년은 생각한다. 어디일까. 단풍잎 같은 차창들을 달고 밤 열차는 또 어디로 흘러가고 있는 것일까. 그것이 마지막 가 닿는 곳은 어디쯤일까. 그런 뜻 없는 질문을 홀로 던지며 청년은 깊숙이 가라앉은 시선을 창밖 어둠을 향해 던지고 있다.

사람들은 누구도 입을 열지 않는다. 대합실 벽에 붙은 시계가 도착 시간을 한 시간 반이나 넘긴 채 꾸준히 재깍거리고 있었지만, 누구 하나 눈여겨보는 사람은 없다. 창밖엔 싸륵싸륵 송이눈이 쌓여 가고 유리창마다 흰보랏빛 성에가 톱밥 난로의 불빛을 은은하게 되비추어 내고 있을 뿐.

사람들은 약속이나 한 듯 말을 잊었다. 어쩌면 그들은 열차를 기다리고 있다는 사실조차 망각하고 있는 것인지도 모른다. 중년 사내는 담배를 입에 문 채 성냥불을 당기려다 말고 멍하니 난로의 불빛을 들여다보고 있다. 노인을 안고 있는 농부도, 대학생도, 쭈그려 앉은 아낙네들도, 서울 여자도, 머플러를 쓴 춘심이도 저마다의 손바닥들을 불빛 속에 적셔 두고, 망연한 시선을 난로 위에 모은 채 모두들 아무 말도 하지 않았다. 저만치 홀로 떨어져 앉아 있는 미친 여자도 지금은 석고상으로 고요히 정지해 있다. 이따금 노인의 기침 소리가 났고, 난로 속에서 톱밥이 톡톡 튀어 올랐다.

"흐유, 산다는 게 대체 뭣이간디……."

불현듯 누군가 나직이 내뱉었다.

그러자 사람들은 그 말꼬리를 붙잡고 저마다 곰곰이 생각해 보기 시작한다. 정말이지 산다는 게 도대체 무엇일까…….

중년 사내에겐 산다는 일이 그저 벽돌담 같은 것이라고 여겨진다. 햇볕도 바람도 흘러들지 않는 폐쇄된 공간. 그곳엔 시간마저도 아무런 흔적을 남기지 않는다. 마치 이 작은 산골 간이역을 빠른 속도로 무심히 지나쳐 가 버리는 특급열차처럼……. 사내는 그 열차를 세울 수도, 탈 수도 없다는 것을 잘 알고 있다. 그러면서도 여전히 기다릴 도리밖에 없다는 것, 그것이 바로 앞으로 남겨진 자기 몫의 삶이라고 사내는 생각한다.

농부의 생각엔 삶이란 그저 누가 뭐해도 흙과 일뿐이다. 계절도 없이 쳇바퀴로 이어지는 노동. 농한기라는 겨울철마저도 융자금 상환과 농약값이며 비료값으로부터 시작하여 중학교에 보낸 큰아들 놈의 학비에 이르기까지, 이런저런 걱정만 하다가 보내고 마는 한숨 철이 되고 만 지도 오래였다. 삶이란 필시 등뼈가 휘도록 일하고 근심하다가, 끝내는 늙고 병들어 죽는 것이리라고 여겨졌으므로, 드디어 어려운 문제를 풀어냈다는 듯이 농부는 한숨을 길게 내쉰다.

서울 여자에겐 돈이다. 그녀가 경영하고 있는 음식점 출입문을 들어서는 사람들은 모조리 그녀에겐 돈으로 뵌다. 어서 오세요. 입에 붙은 인사도 알고 보면 손님에게가 아니라 돈에게 하는 말일 게다. 그래서 뚱뚱이 여자는 식사를 마치고 나가는 손님들에게 결코 안녕히 가세요,라는 말은 쓰지 않는다. 또 오세요다. 그녀는 가난을 안다. 미친 듯 돈을 벌어서, 가랑이를 찢어 내던 어린 시절의 배고픈 기억을 보란 듯이 보상받고 싶은 게 그녀의 욕심이다. 물론 남자 없이 혼자 지새워야 하는 밤이 그녀의 부대 자루 같은 살덩이를 이따금 서럽게 만들기도 한다. 하지만 그녀는 두 아들을 끔찍이 사랑했다. 소중한 두 아들과 또 그들을 행복하게 만드는 데에 쓰여질 돈, 그 두 가지만 있으면 과부인 그녀의 삶은 그런대로 만족할 것도 같다.

춘심이는 애당초 그런 골치 아픈 얘기는 생각하기도 싫어진다. 산다는 게 뭐 별것일까. 아무리 허덕이며 몸부림을 쳐 본들, 까짓것 혀 꼬부라진 소리로 불러 대는 청승맞은 유행가 가락이나 술 취해 두들기는 젓가락 장단과 매양 한가지일걸 뭐. 그래서 춘심이는 술이 좋다. 아무것도 생각나지 않게 해 주는 술님이 고맙다. 그래도 춘심이는 취하면 때로 울기도 하는데, 그 까닭이야말로 춘심이도 모를 일이다.

대학생에겐 삶은 이 세상과 구별할 수 없는 그 무엇이다. 스물셋의 나이인 그에게는 세상 돌아가는 내력을 모르고, 아니 모른 척하고 산다는 것은 절대로 용서할 수 없다. 그런 삶은 잠이다. 마취 상태에 빠져 흘려보내는 시간일 뿐이라고 청년은 믿고 있다. 하지만 그는 얼마 전부터 그런 확신이 조금씩 흔들리기 시작하는 걸 느끼고 있다. 유치장에서 보낸 한 달 남짓한 기억과 퇴학. 끓어오르는 그들의 신념과는 아랑곳없이 이루어지고 있는 강의실 밖의 질서…… 그런 것들이 자꾸만 청년의 시야를 어지럽히고 혼란을 일으키고 있는 중이다.

행상꾼 아낙네들은 산다는 일이 이를테면 허허한 길바닥만 같다. 아니면, 꼭두새벽부터 장사치들이 때로 엉켜 아우성치는 시장에서 허겁지겁 보따리를 꾸려 나와, 때로는 시골 장터로 혹은 인적 뜸한 산골 마을로 돌아다니며, 역시 자기네 처지보다 나을 것이라곤 눈곱만큼도 없는 시골 사람들 앞에서 거짓말 참말 다 발라 가며 펼쳐 놓는 그 싸구려 옷가지 같은 것인지도 모른다. 어쨌든 그녀들에겐 그따위 사치스러운 문제를 따지고 말고 할 능력도 건덕지도 없다. 지금 아낙네들의 머릿속엔 아이들에게 맡겨 둔 채로 떠나온 집 생각으로 가득 차 있다. 어린것들이 밥이나 제때에 해 먹었을까. 연탄불은 꺼지지 않았을까. 며칠째 일거리가 없어 빈둥대고 있는 10년 노가다 경력의 남편이 또 술에 취해서 집구석에 법석을 피워 놓진 않았을까…….

그러는 사이에도, 밖은 간간이 어둠 저편으로부터 바람이 불어왔고, 그때마다 창문이 딸그락거렸다. 전신주 끝을 물고 윙윙대는 바람 소리, 싸륵싸륵 눈발이 흩날리는 소리, 난로에서 톡톡 튀어 오르는 톱밥. 그런 크고 작은 소리들이 간헐적으로 토해 내는 늙은이의 기침 소리와 함께 대합실 안을 채우고 있을 뿐, 사람들은 각기 골똘한 얼굴로 생각에 빠져 있다.

대학생은 문득 고개를 들어 말없이 모여 있는 그들의 얼굴을 하나하나 눈여겨본다. 모두의 뺨이 불빛에 발갛게 상기되어 있다. 청년은 처음으로 그 낯선 사람들의 얼굴에서 어떤 아늑함이랄까 평화스러움을 찾아내고는 새삼 놀라고 있다. 정말이지 산다는 것이란 때로는 저렇듯 한 두름의 굴비, 한 광주리의 사과를 만지작거리며 귀향하는 기분으로 침묵해야 하는 것인지도 모른다.

청년은 무릎을 굽혀 바께쓰 안에서 톱밥 한 줌을 집어 든다. 그리고 그것을 난로의 불빛 속에 가만히 뿌려 넣어 본다. 호르르르. 삐비[19]꽃이 피어나듯 주황색 불꽃이 타오르다가 이내 사그라들고 만다. 청년은 그 짧은 순간의 불빛 속에서 누군가의 얼굴을 본 것 같다. 어머니다. 어머니가 주름진 얼굴로 활짝 웃고 있었다.

다시 한 줌 집어넣는다. 이번엔 아버지와 동생들의 모습이 보였다. 또 한 줌을 조금 천천히 흩뿌려 넣는다. 친구들과 노교수의 얼굴, 그리고 강의실의 빈 의

---

19 삐비 '삘기(벼과의 여러해살이 식물)'의 방언.

자들과 잔디밭과 교정의 풍경이 차례로 떠오르기 시작한다.

음울한 표정의 중년 사내는 대학생이 아까부터 톱밥을 뿌려 대고 있는 모습을 곁에서 줄곧 지켜보고 있는 참이다. 대학생의 얼굴은 줄곧 상기되어 있다.

이 젊은 친구가 어쩌면 꿈을 꾸고 있는지도 모르겠군. 그러면서도 사내 역시 톱밥을 한 줌 집어 낸다. 그러고는 대학생이 하듯 달아오른 난로에 톱밥을 뿌려 준다. 호르르르. 역시 뻬비꽃 같은 불꽃이 환히 피어오른다. 사내는 불빛 속에서 누군가의 얼굴을 얼핏 본 듯하다. 허 씨 같기도 하고 전혀 낯모르는 다른 사람인 것도 같은, 확실치 않은 얼굴이었다. 사내의 음울한 눈동자가 간절한 그리움으로 반짝 빛나기 시작한다. 사내는 다시 한 줌의 톱밥을 집어 불빛 속에 던져 넣고 있다.

어느새 농부도, 아낙네들도, 서울 여자와 춘심이도 이젠 모두 그 두 사람의 치기[20] 어린 장난을 지켜보고 있다. 누구도 입을 열지 않았다.

사평역을 경유하는 야간 완행열차는 두 시간을 연착한 후에야 도착했다.

막상 열차가 도착했을 때, 대합실에서 그때까지 기다리고 있던 승객들은 반가움보다는 차라리 피곤함과 허탈감에 젖은 모습으로 열차에 올라탔다. 늙은 역장은 하얗게 눈을 맞으며 깃발을 흔들어 출발 신호를 보냈고, 이어 열차는 천천히 미끄러져 가기 시작했다. 얼핏, 누군가가 아직 들어가지 않고 열차 난간에 기대어 서 있는 게 보였다. 역장은 그 사람이 재 너머 오 씨 큰아들임을 알았다. 고개를 반쯤 숙인 채 난간 손잡이에 위태로운 자세로 기대어 있는 청년의 모습이 역장은 왠지 마음에 걸렸다. 이내 열차는 어둠 속으로, 길게 기적을 남기며 사라져 버렸다.

한동안 열차가 달려가 버린 어둠 저편을 망연히 응시하고 서 있던 늙은 역장

---

20 치기(稚氣) 어리고 유치한 기분이나 감정.

은 옷에 금방 수북이 쌓인 눈을 털어 내며 대합실로 들어섰다. 난로를 꺼야 하기 때문이었다. 거기서 역장은 뜻밖에도 아직 기차를 타지 않고 남아 있는 한 사람을 발견했다. 미친 여자였다. 지금껏 난로 곁에 가지 않았던 유일한 사람이었던 그녀는 이제 난로를 독차지한 채, 아까 병든 늙은이가 앉았던 의자에 비스듬히 앉아 잠들어 있었다.

그녀의 집이 어디며, 또 어디서 왔는지 역장은 전혀 모른다. 다만 이따금 그녀가 이 마을을 찾아왔다가는 열차를 타고 떠나곤 했다는 정도만 기억할 뿐이었다. 오늘은 왜 이 여자가 다른 사람들을 따라 열차를 타지 않았을까 하고 역장은 의아하게 생각했다. 아마 그 여자에겐 갈 곳이 없었을지도 모른다. 그녀에게 있어서 출발이란 것은 이 하룻밤, 아니 단 몇 분 동안이나마 홀로 누릴 수 있는 난로의 따뜻한 불기만큼의 의미조차도 없는 까닭이리라.

역장은 문득 그녀가 걱정스러웠다. 올겨울 같은 혹독한 추위에 아직 얼어 죽지 않고 여기까지 흘러들어 왔다는 사실이 신기했다. 꿈이라도 꾸는 중인지, 땟국물에 젖은 여자의 입술 한 귀퉁이엔 보일락 말락 웃음이 한 조각 희미하게 남아 있었다.

"이거 참 난처한걸. 난로를 그대로 두고 갈 수도 없고……."

하지만 결국 역장은 김 씨를 깨우러 가기 전에 톱밥을 더 가져다가 난로에 부어 줘야겠다고 생각하며 천천히 사무실로 돌아가고 있었다. 눈은 밤새 내내 내릴 모양이었다.

(1983년)

밤길

윤정모

윤정모(1946~)

1968년 《무늬져 부는 바람》으로 작품 활동을 시작했다. 윤정모의 〈밤길〉은 광주 민주화 운동을 정면으로 다루면서 폭력이 남긴 민족의 상처를 이야기한 작품이다. 윤정모는 1980년대 우리 민족의 고통을 소설로 형상화한 작가로, 분단된 현실 속에서 이념이 만들어 낸 비인간적인 현상과 폭력으로 인해 고통받는 사람들의 이야기를 소설 속에 담아내었다. 작품으로 《누나의 오월》 《수메르》 《에미 이름은 조센삐였다》 등이 있다.

•
•

김 신부는 천천히 수저질을 했다. 하루 꼬박 아무것도 먹지 못했음에도 식욕이 동하지 않았다. 신부가 설렁탕을 저어 기름기 빠진 고깃점을 떠 넣고 우물우물 씹고 있을 때 식당 문이 열리면서 한 떼거리의 손님이 들어왔다. 손님들은 신부의 맞은편, 그러니까 요섭의 등 뒷자리에 몰려 앉았다. 전투복을 입은 경찰관들이었다. 신부는 요섭을 쳐다보았다. 그는 숟갈질을 멈추고 자신의 음식물로 시선을 빠뜨렸다. 이마와 귀밑으로 흘러내린 더부룩한 머리와 멋대로 자란 수염, 창백한 안색이 유리판에 던져진 동전 소리로 신부의 가슴에 울려왔다.

"요섭아, 얼른 먹고 가야지."

요섭이 숟갈로 국밥을 떴다. 비로소 신부는 입속에 머물러 있던 고깃점을 꿀꺽 삼켰다.

"특히 총기를 가진 놈들이 들이닥칠 때 조심해야 돼."

경관들이 음식을 주문한 후 그렇게 두런거렸다.

"그럼, 남쪽으로 간 놈들이 북쪽으로 진로를 바꾸었단 말입니까?"

누군가가 물었다.

"주모자 놈들이 쥐새끼처럼 빠져나갈지도 모르니까."

요섭이 다시 수저질을 멈추었다. 그의 눈길이 국물에 뜬 당면 사이로 빠른 빛살처럼 헤집고 다녔다.

"요섭아, 미사 시간 늦겠다."

요섭의 눈이 가만가만 다가왔다. 신부는 그의 시선을 외면하고 가방을 들었다.

"그만 가자꾸나."

신부는 요섭을 앞세워 식당을 나왔다. 무언가가 뒷덜미를 잡는 것 같았다. 그것은 그 어떤 시선이 아니라 식탁에 남겨 놓고 나온 자신의 거짓말이었다. 신부는 지금 미사를 집전하기 위해 성당으로 가는 길이 아니었다. 더욱이 오늘은 일요일도 아닌 월요일이었다. 요섭이 담배 가게로 가는 사이 신부는 잠깐 멈춰 서서 로만 칼라[1]와 십자가를 만졌다.

요섭이 담배 두 갑을 사더니 길 건너 버스 터미널을 바라보았다. 신부도 그의 곁으로 다가가 터미널 쪽으로 몸을 돌렸다. 지는 햇살이 그 건물 유리창에 황사 모양 누렇게 번지고 있었다. 요섭이 담배 한 갑을 내밀었다. 신부는 그것을 받아 넣으며 이태 전 그가 하던 말을 떠올렸다.

"신부님, 정말입니까? 목사는 장가를 드는 대신 담배는 안 되고 신부는 독신으로 봉사해야 하니까 담배를 허용한다는 것 말예요."

그런 걸 물어 올 땐 늘 싱얼싱얼 웃는 애송이 대학생이었다. 무슨 멋인지 신사복도 아닌 검은 작업복을 빳빳하게 다려 입고 성당엘 왔었는데…….

요섭의 눈이 한 지점에서 떠날 줄 몰랐다. 터미널 안에 뭔가 있는 모양이었다. 신부도 좀 자세히 보려고 눈길을 모았다. 그러나 눈이 나쁜 탓인지 잘 보이지 않았다.

"걷는 게 좋을 것 같습니다."

요섭이 말했다. 신부는 고개를 끄덕이며 상점 골목 쪽으로 걷기 시작했다. 담양으로 갈 걸 잘못했나? 신부는 가방을 왼쪽 어깨로 옮기며 생각했다. 자가용을 내주던 변호사는 말했었다. 아무래도 장성 쪽이 교통편이 나을 거예요. 동운동까지 가서 얻어 탄 승용차는 험한 길을 한 시간쯤 달려 장성 터미널 부근에 세워

---

1 로만 칼라(roman collar) 가톨릭교회에서 성직자들이 목에 두르는 희고 빳빳한 옷깃을 말한다. 성직자는 검은 양복에 로만 칼라를 한다.

졌고 거기서 내렸을 땐 신명을 내는지 들까부는지[2] 알 수 없는 여가수의 노래가 전파상 확성기를 깍깍 울려 댔다. 신부는 지나는 행인을 살펴보았다. 모두가 너무나 태평한 모습이었다. 요섭도 그것이 이상한지 멍한 얼굴로 이 사람 저 사람을 쳐다보았다. 우선 저녁이나 먹자. 신부가 요섭을 일깨워 식당으로 향해 갈 땐 서녘의 해가 구름 속에 있었다.

상점 골목에서 다시 오른쪽으로 꺾어 돌았다. 요섭은 한 번 시계를 보았을 뿐 부지런히 걸었다. 어두워지기 전에 국도 변으로 나가야 한다. 신부는 그 생각이 지워지기도 전에 어느 집 대문 앞에서 걸음을 멈추었다. 신부는 등나무를 보고 있었다. 그의 시선이 찬찬히 등나무 줄기를 따라가다가 바닥에 떨어진 하얀 등꽃에 머물렀다.

"신부님, 신부님, 난리가 났대요. 빨갱이들이 쳐들어왔대요."

성당지기 박 씨 아들이 달려오며 소리쳤었다. 마침 지난밤의 비로 인해 무참히 떨어진 자색 등꽃을 바라보고 있을 때였다.

"애야, 우리나라엔 빨갱이가 못 들어온다. 지금 그런 장난을 할 때가 아니란 걸 너도 알잖니?"

방금 전에 예수 승천 대축제의 최초 미사를 끝낸 지금, 아이가 그런 말을 한다는 게 신부는 언짢았지만 꼬마에게 무안을 준 것 같아 농담의 갈피를 바로잡아 주었다.

"알겠니? 오늘 같은 날은 빨갱이가 아니라 로마군이 몰려온다고 말해야 어울리는 거란다."

---

2 들까불다 몹시 가볍고 조심성 없이 행동하다.

"신부님."

요섭이 불렀다. 그래, 어서 가자꾸나. 신부는 다시 걷기 시작했다. 그 입에서 주여! 하는 소리가 나직이 새어 나왔다. 그날 아침 최초 미사를 끝내고 나왔을 때 맨 먼저 눈에 띈 것이 바닥에 널려 있는 등꽃이었다. 신부는 까닭 없이 애가 탔고 꼬마가 달려왔을 땐 공연히 심장이 툭 떨어지는 것 같았다. 그러나 그것이 어떤 불길한 예감이었다는 것은 몇 시간 뒤에야 깨달았다. 오전 11시경 환갑을 맞은 신도의 어머니를 축복하기 위해 곡성으로 향했을 때 신부는 보았다. 차단된 도로에 곤봉을 든 그들, 로마군이다. 신부의 눈에는 분명 그렇게 보였다.

긴 보리밭을 가로질러 국도로 올라섰다. 열사흘 달걀 달이 성큼 떠올라 요섭과 함께 걷고 있었다. 이틀 전만 해도 시름시름 앓느라 잘 나오지 않던 달이었다. 신부는 묵묵히 앞만 보고 걸었다. 서로 몸 부딪던 가로수 잎이 일시에 숨을 죽였다. 등 뒤에서 커다란 불빛이 슬금슬금 다가왔다. 트럭이었다. 신부는 개울둑으로 방향을 틀었다. 요섭도 말없이 뒤를 따랐다. 트럭이 지나가자 신부는 개울둑에 웅크리고 앉았다.

"좀 쉬었다 가자."

요섭이 조금 간격을 두고 털썩 주저앉았다. 신부는 담배 두 개비에 불을 붙여 하나를 요섭에게 건넸다.

"오늘 밤만 걸으면 차편을 이용해도 될 게다."

요섭은 대답 없이 담배만 빨아들였다. 담배 연기는 달빛을 향해 최루 가스 모양 퍼렇게 피어올랐다. 그 속으로 한 어린 소년이 뛰어들었지. 주먹만 한 돌을 쥐고서……. 우리 형아 살려 내라! 우리 형아……. 그러자 웬 노파가 달려 나가 그 꼬마를 등 뒤로 감싸며 소리쳤었다. 병정들아, 여긴 전쟁터가 아니다! 너희들이 잘못 안 거야. 돌아가라. 어서! 사람들은 울고 있었다. 가스 때문이었다. 그러면서 노래를 불렀다. 동해물과 백두산이…….

"참 이상하지요?" 요섭이 흘낏 달을 쳐다보며 말했다. "그래도 달은 떠오르니 말예요."

해는 안 떠올랐느냐. 서럽게 비가 내린 것 외엔 태풍도 불지 않았어. 요섭이 담배를 개울에 던지고 엉덩이를 일으켰다. 신부도 끙 몸을 일으켰다. 요섭은 국도 쪽으로 허적허적 걸어 나갔다. 그의 그림자가 개울물에 푹 빠져 있었다.

"요섭아!"

왈칵 어깨라도 잡아챌 듯이 그를 불렀다. 요섭이 뒤돌아서서 무슨 일이냐는 듯 신부를 쳐다보았다.

"아니다."

신부는 고개를 저었다. 잠깐 시체 안치소를 떠올렸구나. 엎어진 채 실려 온 그 시신 말이다. 신원 파악을 할 수 없어 애를 태우던 젊은 몸뚱이…….

"그 가방 제가 메고 가지요."

요섭이 손을 내밀었다. 가방 속엔 일기장과 홍보반 청년이 넘겨준 필름 두 통이 들어 있을 뿐이었다. 신부는 무겁지 않다고 사양하려다 그의 손에 건네주었다. 요섭은 가방을 걸머메고 빠르게 국도로 나갔다. 젊은이라 아직도 그 걸음엔 힘이 있었다. 신부는 자칫 허무러질[3] 것 같은 무릎 관절에 힘을 주려고 또박또박 자신의 그림자를 밟으며 걸었다.

등 뒤에서 경운기 소리가 들려왔다. 딸딸 지축을 울리고 오는 그 소리는 마치 총소리같이 달빛에 취해 있는 국도 주변을 소스라쳐 깨어나게 했다. 요섭이 길가로 비켜났다.

"신부님이시군요. 어디까지 가시지요?"

경운기가 그들 옆에 세워졌다. 농민 세 사람이 타고 있었다. 아마도 늦게까지 모심기를 하다가 돌아가는 농부들인가 보았다.

"우린 저 산 너머 마을까지……."

---

3 허무러지다 규범 표기는 '허물어지다'이다.

신부가 대답했다.

"우린 새텃말까지 갑니다. 거기까지라도 타고 가시렵니까?"

뒤에 탄 농부들이 서로 좁혀 앉으며 자리를 만들어 주었다. 신부는 요섭을 건너다보았다. 요섭은 그러지요라고 대답했고 그들은 나란히 경운기에 올랐다. 경운기를 몰던 사람이 발동 피대를 돌렸다. 경운기는 몇 번 퐁퐁거리더니 움직이기 시작했다. 걸을 땐 몰랐던 바람이 세차게 뺨을 할퀴었다.

"신부님, 빛고을[4]에 난리가 났다면서요?"

한 농부가 경운기 소음 때문인지 큰 소리로 물었다.

"글쎄요, 그렇다곤 합니다만……."

"사람들이 많이 상했대요."

"뉴스에 나왔습니까?"

불쑥 요섭이 물었다.

"웬걸요. 소문만 돌고 있지요."

살생을 단죄한 석가 탄신일이었다. 십자로에서 금남로에서 충장로에서 도청 앞에서 남동 상공에서 사격이 가해졌다. 그것은 죽음의 면허탄이었다. 누구든지 죽을 수가 있었다. 은행 앞에서 호텔 앞에서 차 속에서 거리에서 병원에서 주검은 단죄를 비웃었다. 그날 김 신부는 일기장에 '그렇다, 그렇다. 아니다, 아니다.'라고 기록했다. 그것은 〈마태오〉 5장 37절이었다.

"우리는 이쪽으로 갑니다."

경운기가 세워졌다. 요섭은 일어날 생각도 않고 무슨 말인가 하려고 머뭇거렸다. 신부가 재빨리 고맙다는 인사말을 남기고 요섭의 등을 밀었다.

그들은 다시 걷기 시작했다. 경운기는 달빛 바다를 헤어[5] 가는 통통배처럼 미루나무 개울 저쪽으로 멀어져 갔다.

---

4 빛고을 '광주(光州)'를 이르는 말.
5 헤다 물을 헤치고 앞으로 나아가다.

"알려 주고 싶었어요. 그분들에게……."

요섭이 말했다. 그는 자신의 그림자를 내려다보며 걷고 있었다.

"그래……. 그러나 다 부질없는 짓이다."

요섭이 우뚝 걸음을 멈추었다.

"농부들에겐 알려 줄 필요가 없다는 뜻입니까?"

넌 그저 알려 주고 싶기만 했던 게 아니었잖니? 동원대가 되어 화순, 함평으로 돌 때처럼……. 그러나 신부는 말머리를 돌렸다.

"언젠가는 다 알게 된다."

요섭이 다시 걸음을 옮겼다. 구름이 밀려와 서서히 달을 먹어 갔다. 하얗게 도드라지던 국도에 어둠이 내렸다. 요섭이 어둠 저쪽을 응시하며 말했다.

"신부님, 추기경을 만나고 수도 사람께 알리고 정부 요인에게 면담을 요청한다고 해서 어떤 해결점이 얻어질까요."

그래, 요섭아. 그건 나도 알 수가 없단다. 그래도 우린 가야 해. 가기 위해 출발했으니까.

달이 다시 얼굴을 내밀었다. 이제 달은 그들의 뒤를 밟고 있었다. 국도의 비포장도로가 삽시[6]에 숨을 죽였다. 주변이 망을 보는 자의 은밀한 눈빛 같았다. 신부는 얼핏 요섭의 어깨에 걸린 가방을 살폈다. 그때 맞은편에서 차가 오고 있었다. 요섭이 뒤돌아섰다.

"산길로 가지요."

"그게 좋겠구나."

두 사람은 논두렁으로 내려갔다. 차가 지나갔다. 택시였다. 빗발같이 날아오는 총탄을 향해 도청을 향해 헤드라이트를 켜고 클랙슨을 울리면서 돌진해 가던 기사들이, 뇌엽(腦葉)[7] 갈피갈피에 숨어 있던 그 비장한 얼굴들이 불시에 툭

---

6 삽시(霎時) 매우 짧은 시간.
7 뇌엽 대뇌 반구를 넷으로 나눈 각 부분. 전두엽, 두정엽, 후두엽, 측두엽으로 나눈다.

툭 튀어나왔다. 신부의 몸이 휘청 기울어졌다. 자칫 못자리판으로 발이 빠질 뻔한 것이었다.

"조심하세요."

요섭이 돌아서서 신부를 부축했다.

"괜찮다."

그들은 다랑이[8] 논의 봇돌[9]을 건너 산 자드락길[10]로 접어들었다. 막 자라기 시작한 상수리 나뭇잎들이 겁 없는 아이처럼 저마다 달을 향해 꼿꼿이 고개를 쳐들었고 어디선가 산개구리 울음소리가 구울구울 들려왔다.

초이레 밤이던가, 그날 도시인들은 아무도 잠들지 못했다. 잠을 잃은 시민들은 자꾸만 도청으로 모여들었고 건물을 점거한 진압군들은 신호탄과 최루탄을 번갈아 쏘아 댔다.

"최루탄을 쏘지 마세요. 우린 맨주먹입니다."

한 여성이 확성기로 말했다. 저지선에 막혀 주위를 빙빙 돌던 사람들은 마치 후렴을 달듯 쿠울쿠울 기침을 했다. 다시금 예광탄[11]이 밤하늘로 치솟았다. 별안간 시민들은 저지선을 넘어 도청 건물 쪽으로 나아갔다. 흡사 바람에 밀리는 물결 같았다. 우박 소리가 허공을 때렸다. 총소리였다. 많은 사람들이 쓰러졌다. 바닥에 몸을 뉘지도 못하고 바리케이드[12]에 걸려 있던 그 주검……. 진압군들이 달려 나와 시신들을 끌어갔다. 사람들은 갑자기 잠든 듯 망연하게 서 있었고 조각달은 자정을 향해 먹구름 속으로 곤두박질쳤다.

좋은 세상 온다더니 / 잡은 손을 뿌리치고

---

8 다랑이 산골짜기의 비탈진 곳 따위에 있는 계단식으로 된 좁고 긴 논배미.
9 봇돌 '봇도랑(봇물을 대거나 빼게 만든 도랑)'의 준말.
10 자드락길 나지막한 산기슭의 비탈진 땅에 난 좁은 길.
11 예광탄(曳光彈) 총포에서 발사되었을 때 앞부분에서 빛을 내며 날아가게 한 탄알. 신호하거나 목표물을 지시하는 데에 쓴다.
12 바리케이드(barricade) 흙이나 통, 철망 따위로 길 위에 임시로 쌓은 방어 시설. 시가전에서 적의 침입을 막거나 반대 세력의 진입을 물리적으로 저지하기 위하여 설치한다.

비겁자가 아니라며 / 좋은 세상 온다더니

어미보다 먼저 먼저 / 저세상을 가는구나

그 거리에 새벽이 기웃거렸다. 어미들은, 아낙들은 시름시름 노래를 부르고 남정들은 매운 눈물을 흘리며 화염병을 만들었다. 또 한 차례의 신호탄이 올랐다. 총탄이 새벽을 죽였다. 아니, 거리를 죽였다. 자색 등꽃으로 떨어진 주검들이 여기저기 검은 피가 되어 둥둥 떠올랐다. 신부는 눈을 부릅뜨고 성경 구절을 읊조렸다. 〈마태오〉 10장이었다. 26, 27, 28절……. 그때 누군가가 소리쳤다.

"세무서를 불태웠소! 무기고에 총이 있소. 카빈[13]이 있소!"

남자들이 그쪽으로 달려갔다. 신부는 문득 자신을 보았다. 성경 구절이나 뇌고[14] 있는 자신의 모습은 바리새인의 그것이었다.

해가 떠올랐다. 잠깐 동안 초파일[15]의 햇덩이는 해맑아 보였다.

"신부님, 시민들이 차를 몰고 와요. 저것 좀 보세요."

함께 거리에서 밤을 새운 한 소녀가 말했다. 어디서 어떻게 획득했는가. 장갑차와 군용트럭, 고속버스가 시민들을 태우고 천천히 굴러왔고 도청에서는 군 헬기 몇 대가 이착륙하고 있었다. "해산하라! 요구 조건을 들어주겠다. 어서 돌아가라!" 저공을 날던 경찰 헬기에서는 다급한 목소리로 방송을 했고 그즈음 이미 시민의 차는 저지선을 돌입하고 있었다. 아아, 햇덩이를 조각내던 LMG[16] 소리……. 그 소리에 떨어진 수많은 이삭들…….

요섭이 길섶[17]에 힘없이 주저앉았다. 신부는 얼른 그를 잡으려다가 손을 멈추었다. 피곤한 모양이구나. 하긴 그럴 만도 하지. 근 열흘간 잠인들 제대로 잤을

13 카빈(carbine) 미국 육군이 개발한 소총(小銃)의 하나.
14 뇌다 한 번 한 말을 여러 번 거듭 말하다.
15 초파일 음력 4월 8일로 석가모니의 탄생일이다.
16 LMG 엘엠지. 한 사람이 들고 다닐 수 있을 정도로 비교적 가벼운 기관총.
17 길섶 길의 가장자리.

까. 신부도 말없이 요섭 곁에 앉았다.

"신부님, 이 산을 돌아가면 장성호가 나올 거예요. 거기만 지나면 국도로 빠져도 검문은 없겠지요?"

요섭이 물었다. 꿈속인 듯 푹 젖은 목소리였다.

"그래도 차를 얻어 타려면 노령까지 가야 할 게다."

신부는 하늘을 올려다보았다. 달이 머리 꼭대기에서 음험한 눈으로 내려다보고 있었다. 개구리 소리도 들려오지 않았다. 바람도 없었다. 그런데도 산은 소리 없이 이슬을 뿜어내고 있었다. 지금쯤 어떻게 되었을까. 수습위들은, 무기는, 티엔티[18]는, 시민들은……

"신부님, 조금 전에 제가 비틀거리면서 걸었지요?"

요섭이 담배를 꺼내 물었다.

"글쎄……."

요섭이 담배를 붙여 신부에게 내밀었다. 신부는 고개를 저었다.

"깜박 졸았던 모양이에요. 아버지를 봤거든요."

요섭은 담배를 뻑뻑 빨아들인 후 길게 토해 냈다.

"돌아가시기 전까지 술만 취하시면 곧잘 족보 자랑을 하셨어요."

"족보……."

"우리 집안엔 대대로 비겁자가 없었다……. 그게 아버지의 자랑이었지만 저에겐 그렇지가 못했어요. 강진서 도예공이셨다는 몇 대조 선조가 임진란 때 자문(自刎)[19]한 것으로 비롯해서 동학군에 가담해서 현감을 징치[20]했다는 죄목으로 옥사를 했다는 증조할아버지, 왜놈 집만 골라 도둑질을 하거나 그 집 안방에 몰래 독사를 집어넣었다는 당대 할아버지……. 어릴 때 그 이야기만 나오면 부끄

---

18 티엔티(TNT) 톨루엔에 질산과 황산의 혼합물을 작용시켜 얻는 화합물. 황색의 바늘 모양 결정으로, 폭약으로 널리 쓰인다.
19 자문 스스로 자신의 목을 베거나 찌름. 또는 그렇게 하여 죽음.
20 징치(懲治) 징계하여 다스림.

럽고 창피해서 정말이지, 죽고 싶었어요. 어째서 우리 선조는 다른 애들이 내세우듯 영의정이나 판서나 양반이 없는가……. 대학에 와서야 아버지를 이해했어요. 그것은 소외당한 땅에서 스스로 멍울진 자존심 같은 것……. 견훤 이후 신라나 고려로부터 버림받기 시작한 땅…… 객땅…… 개땅쇠…… 아니지요. 그 이전부터 정벌만 당해 온 땅이었어요."

초아흐레였다. 신부는 수습대책위원의 한 사람으로서 도청 서무과로 향했다. 지방에서 돌아온 트럭이 막 광장에 세워졌고 거기서 태극기와 카빈을 둘러멘 요섭이 내렸다. 땀과 먼지로 코언저리가 새까매진 요섭이 싱얼싱얼 웃으며 뛰어왔다.

"신부님, 정말이군요. 화순에서 도청을 탈환했다는 소식을 들었지만 믿지 않았거든요."

"그래, 그들은 어제저녁에 철수했단다."

"우린 티엔티를 가져왔어요. 실탄도 무기도 아주 많아요."

그때 신부는 일러 주고 싶었다. 요섭아, 니가 총을 메고 있다는 것이 도무지 어울리지 않구나. 그러나 며칠 사이에 10년은 자라 버린 요섭은 무기 반납을 강요받을 때, 다시금 진압군이 좁혀 올 때 늙은 추장처럼 말했었다. "피가 모자란다면, 지금까지 흘린 그 피로도 충분치 않다면, 그렇다면 이젠 우리 모두가 죽어야 합니다."

"그래서 오늘까지 이렇도록 슬픈 땅……."

요섭이 자신의 담뱃불을 지그시 바라보며 중얼거렸다.

"젖과 꿀을 약속받은 가나안 땅에서도……."

신부가 주머니를 뒤져 담배를 찾으며 말했다. 요섭은 담뱃불을 좀 더 눈 가까이로 가져갔다.

"신부님…… 제가 정말 신부님을 따라 이렇게 와야 했을까요?"

그 목소리는 하도 깊어서 땅속에서 들려오는 것 같았다.

"그건 너의 뜻이 아니었잖니."

"그래요, 동지들이 날 보냈어요. 신부님과 가깝다는 이유로……. 다른 사람을 보낼 수도 있었어요. 그런데, 그런데 내가……."

요섭은 담배를 던지고 무릎에 얼굴을 묻었다. 신부가 그의 어깨를 잡았다.

"요섭아."

"남아 있어야 했어요. 제가 떠나온 까닭이 뭐죠? 신부님 호위? 아니에요. 신부님이 걸을 수 없거나 길을 모르시는 것도 아닌데, 신부님 혼자 가시면 오히려 안전한데, 그런데 왜 제가 따라왔죠?"

요섭의 어깨팍이 푸르르 떨리고 있었다. 그는 울고 있는가. 요섭아, 그렇다면 요섭아, 남아 있어야 할 사람은 네가 아니라 나였단다. 그것으로 끝이기만 하다면, 우리가 남아 있어서 끝나기만 한다면 우리의 탈출은 부끄러움이어야 할 것이다.

신부는 담배를 도로 집어넣고 달을 쳐다보았다. 엷은 구름에 싸인 달은 화농한[21] 환부처럼 문드러져 보였다. 오늘 새벽, 상황실 창에 걸린 달도 꼭 저런 모습이었다. 철야한 수습대책위원들은 그 달을 보지 않으려고, 어디엔가 숨겨져 있을 실마리를 훔쳐라도 오려고 한사코 책상만 노려보았다. 누구의 시계에선가 5시를 알리는 발신음이 삐삐 울렸다. 그러자 무기를 지키던 요섭이 달려왔다. 순찰대, 홍보반, 치안대, 환자 수송반 청년들도 차례로 달려왔다. "장갑차가 오고 있습니다. 최후의 순간이 오면 차라리 티엔티를 폭발시켜 전원 자폭합시다!" 주여, 힘을 주소서. 지혜를 주소서…….

"전차가 오고 있다면 우리가 먼저 나가서 그 탄알을 맞이합시다."

한 수습위가 벌떡 일어나며 말했다. 그 역시 신부였다.

"젊은이들은 여기 남아 있어야 합니다."

목사가 말했다.

---

21 화농하다 외상을 입은 피부나 각종 장기에 고름이 생기다. 화농균 때문에 염증이 생기는 일을 이른다.

"우리도 여기서 그저 죽음을 맞고 싶진 않습니다. 앞장서겠습니다."

청년들은 항의했다.

"젊은이들은 남아서 여기를 지켜야 합니다."

결국 무장한 청년들은 남고 열일곱 명의 수습위원들은 전원 입구로 나갔다. 모두들 말이 없었다. 그들은 그저 앞으로 앞으로 걷기만 했다. 해가 떠올랐다. 시민들이 뒤를 따랐다. 처음에는 한둘에서 수십, 수백 명……. 마치 자석에 끌린 쇳조각처럼 그들은 겹겹이 꼬리를 물었다. 거대한 침묵이 더운 숨결로 고리를 이으면서 10리 길이나 꿈틀꿈틀 움직여 갔다. 저만치 진흥원이 보였다. 별안간 해가 난폭한 변태자가 되어 거리를 낱낱이 벗겼다. 2층 창가에서, 옥상에서, 인도에서 기관총은 숨을 죽이고 그들을 기다리고 있었다. 신부는 묵묵히 나아갔다. 포문을 뻗치고 있는 장갑차를 향해, 바리케이드를 향해…….

"신부님, 지금쯤…… 지금쯤……."

요섭이 더듬거렸다. 신부는 그의 어깨를 가만히 안았다. 요섭아, 아직은 아닐 게다. 적어도 12시까지는……. 신부는 시간을 확인하고 싶었지만 그럴 수가 없었다. 차라리 세계의 시간이 모두 죽어 버릴 수만 있다면 신부는 그렇게 해 달라고 야훼[22]께 간원[23]하고 싶었다. 12시…… 12시…….

신부는 바리케이드로 다가갔다. 한 사람의 소령이 굳은 표정으로 그들을 맞았다.

"곧 부사령관님이 오실 겁니다. 여기서 기다려 주십시오."

9시가 지나자 검은 세단 차가 왔다. 장군이 내렸다. 장군은 고개를 떨어뜨리고 걸어왔다. 고개를 숙이고 온다. 장군이! 부끄럽다는 것인가. 아니면 회복의 가능성을 머리에 담고 오는가. 장군이 멈춰 섰다.

"계엄 사령부에 가서 이야기합시다."

---

22 야훼(Yahweh) '여호와'를 가톨릭에서 이르는 말.
23 간원(懇願) 간절하게 원함.

장군이 뒷짐을 지고 군화를 내려다보며 말했다. 수습위원들은 잠깐 의견을 나누었다. 학생 대표를 포함 열한 명이 선발되었고 그들은 곧 상무대로 갔다.

"우리는 더 이상 피를 흘려선 안 됩니다. 나라를 위해서도 생명을 아껴야 합니다."

타협 회의장에 앉자마자 신부가 입을 열었다.

"동감이오. 그러자면 어서 무기를 회수, 군에 반납하시오. 그렇게 하면 경찰로 하여금 치안을 회복케 하겠소."

장군이 대답했다.

"먼저 진압군을 철수해야 합니다."

"그건 안 돼요. 며칠씩이나 참으면서 후퇴까지 했소. 이건 사기 문제란 말이오. 아시겠지만 군인은 이겨야 하오. 언제나 이겨야 한단 말이오."

"당연한 말이오. 하지만 여긴 이겨야 할 정소도, 장갑차가 와야 할 곳도 아니란 걸 장군께서 더 잘 아시잖소."

"군인도 여럿 죽었소. 전우를 잃은 젊은 군인들…… 평소의 교육으로 그 분노를 잠재우고 있소."

"부탁이오. 경찰에 치안을 맡기고 철수해 주시오. 그래야만 수습이 됩니다."

"무기를 반납하고 해산하시오. 그러면 철수하겠소."

네 시간 반 동안 협상은 절대로 만날 수 없는 기차선로였다. 신부는 마지막 카드를 내놓았다.

"그럼 시간을 주시오. 시간이 필요하오."

"오늘 밤 12시까지 수습하시오. 이게 최후통첩이오."

장군은 자리를 박차고 일어났다. 무위였다. 긴 시간이 허탈 하나로 뭉텅 잘려 나갔다. 신부도 수습위원들도 몸을 일으켰다. 장갑차는 올 것이다. 밤 12시까지는 오고야 말 것이다. 우리가 무슨 힘으로 시민을 설득할 것인가. 설득이 아니라 호소를 해 보자. 죽음을 각오하고 애원해 보자. 장군이 지프를 내주었다. 지프가 공단 입구 쪽으로 갔다. 파헤쳐졌던 길이 말끔히 정리되어 있었고 시외 도로도 개통되어 있었다.

"시민들이 야채를 구입할 수 있게 하기 위해서 도로를 보수했습니다."

묻지도 않았는데 운전병이 말했다. 신부는 공단 입구에서 내렸다. 시민들은 주의 깊게 왕래했고 가끔씩 택시도 지나다녔다. 군의 작전을 위해 도로를 복구했구나. 그렇다면 그 최후통첩은 미리 예정된 시간? 신부는 급히 가톨릭센터로 갔다. 오후 4시였다. 많은 시민들이 센터 앞에 모여 있었다. 또 모이고 있었다. 신부는 다시 방향을 바꾸어 도청으로 갔다. 부지사실에는 외신 기자들과 많은 인사들이 신부를 기다리고 있었다. 눈길이 동시에 몰려왔다. 신부는 쓰러지듯 의자에 앉았다.

"난 장군을 설득시키지 못했어요."

그리고 신부는 눈을 감았다. 몸과 마음이 심연으로 떨어져 갔다. 심연에는 예정된 진혼제[24]가 있었다. 아직 죽지 않은 사람들이, 한참이나 더 살아야 할 생명들이 명부 위에 어른거렸다. 신부는 번쩍 눈을 떴다. 안 돼. 그런 진혼제는 안 돼……. 신부는 호소문을 쓰기 시작했다.

"신부님, 김 신부님!"

YMCA에서 청년이 달려왔다.

"지금 곧 수도로 가시라는 전언입니다. 시간이 없습니다."

그래도 12시까지는 시간이 있다.

"아닙니다. 방금 입수된 정보에 의하면 그들은 출동을 위해 돼지고기 파티를……."

"그렇다면 내가 왜 여길 떠나야 하지?"

"가서 누명을 벗겨 주십시오. 우리는 불순분자[25]도 폭도도 아니라는 사실을

---

24 진혼제(鎭魂祭) 죽은 사람의 영혼을 위로하기 위하여 지내는 제사.
25 불순분자(不純分子) 사상이나 이념이 그 조직 안의 것과 달라서 비판적으로 지적되는 사람.

세상에 알려 주십시오."

신부는 고개를 저었다.

"지금은 누명을 두려워해야 할 때가 아니다."

조 신부가 김 신부의 손을 잡았다.

"그렇게 하셔야 합니다. 지금은 그것이 필요한 때입니다."

뒤이어 요섭이 들어왔다. 그 애는 이미 떠날 채비를 하고 왔다. 주님이여, 성모님이여, 부디 이곳을, 이 생명들을 지켜 주십시오. 신부는 그곳을 떠나오면서 출애굽인가, 정녕 그러한가, 자신에게 반문했다.

"신부님, 사실은 아까 깜박 졸았을 때 아버지를 본 게 아니었어요."

요섭이 천천히 고개를 들면서 말했다.

"동지들의 얼굴이었어요. 신부님, 동지들의 얼굴이요!"

그래, 요섭아, 나도 그 얼굴들을 보고 있단다.

"그들은 죽었어요, 모두가……. 그런데 난 비겁자가 되었잖아요. 족보에도 없는 비겁자……."

"우리에겐 아무도 비겁자가 없다. 요섭아, 그만 일어나자."

"아무 의미가 없어요. 나의 탈출은……."

"어서 일어나거라. 너의 임무는 아직도 끝나지 않았어."

신부는 요섭을 안아 일으켰다. 요섭이 한참 만에 무겁게 일어났다. 신부는 그의 어깨에 팔을 두르고 걷기 시작했다.

요섭아, 우리도 지금 안전한 곳으로 대피하고 있는 게 아니란다. 거기에도 장벽은 있다. 그 장벽을 깨뜨려 달라는 임무가 우리에게 주어진 거야. 우린 그걸 해내야 돼. 행여 이 밤길이 영원히 끝나지 않는다 해도 이젠 서둘러야 한다.

(1985년)

윤정모, 《밤길》(책세상, 2009)